LA MAISON AU BORD DE LA MER

L'Œil de la nuit. Recueil. (épuisé)
  Longueuil: Le Préambule, Chroniques du futur 1, 1980.

Le Silence de la Cité. Roman.
  Paris: Denoël, Présence du futur 327, 1981. (épuisé)
  Beauport: Alire, Romans 017, 1998.

Janus. Recueil. (épuisé)
  Paris: Denoël, Présence du futur 388, 1984.

Comment écrire des histoires: guide de l'explorateur. Essai.
  Beloeil: La Lignée, 1986.

Histoire de la princesse et du dragon. Novella.
  Montréal: Québec/Amérique, Bilbo 29, 1990.

Ailleurs et au Japon. Recueil.
  Montréal: Québec/Amérique, Litt. d'Amérique, 1990.

Chroniques du Pays des Mères. Roman.
  Montréal: Québec/Amérique, Litt. d'Amérique, 1992.
  Paris: LGF, Livre de Poche 7187, 1996.
  Beauport: Alire Romans 026, 1999.

Les Contes de la chatte rouge. Roman.
  Montréal: Québec/Amérique, Gulliver 45, 1993.

Les Voyageurs malgré eux. Roman.
  Montréal: Québec/Amérique, Sextant 1, 1994.

Les Contes de Tyranaël. Recueil.
  Montréal: Québec/Amérique, Clip 15, 1994.

Chanson pour une sirène. [avec YVES MEYNARD] Novella.
  Hull: Vents d'Ouest, Azimuts, 1995.

Tyranaël
  1- *Les Rêves de la Mer*. Roman.
      Beauport: Alire, Romans 003, 1996.
  2- *Le Jeu de la Perfection*. Roman.
      Beauport: Alire, Romans 004, 1996.
  3- *Mon frère l'ombre*. Roman.
      Beauport: Alire, Romans 005, 1997.
  4- *L'Autre Rivage*. Roman.
      Beauport: Alire, Romans 010, 1997.
  5- *La Mer allée avec le soleil*. Roman.
      Beauport: Alire, Romans 012, 1997.

À PROPOS D'ÉLISABETH VONARBURG…

« AMPLEUR DU SOUFFLE ET DE LA VISION, BOUFFÉE DE POÉSIE, DISCRET ROMANTISME, SOLIDITÉ DES INTRIGUES [...] VOILÀ POUR VONARBURG. »
Le Magazine littéraire

« L'ÉCRITURE DE VONARBURG EST SENSUELLE ET MESURÉE, MAGNIFIQUEMENT DESCRIPTIVE. »
Isaac Asimov's Science Fiction Magazine

« CE QUI FRAPPE LE LECTEUR CHEZ ÉLISABETH VONARBURG, C'EST LA LUXURIANCE DES UNIVERS QU'ELLE NOUS PROPOSE. »
Le Quotidien

« ÉLISABETH VONARBURG EST UNE FORMIDABLE ÉCRIVAINE. »
Julian May

« L'ŒUVRE DE VONARBURG A UN SÉRIEUX DONT EST GRANDEMENT DÉPOURVUE LA SCIENCE-FICTION AMÉRICAINE, MÊME PARFOIS LA MEILLEURE. »
Pamela Sargent

« L'ÉCRITURE DE VONARBURG EST D'UNE GRANDE SOBRIÉTÉ, NERVEUSE, PRESQUE CARDIAQUE, PRÉCISE, LIMPIDE ET, BIEN SÛR, SANS FIORITURES. »
Lettres québécoises

« VONARBURG A UN ŒIL ACÉRÉ POUR LES SINGULARITÉS PSYCHOLOGIQUES ET ELLE SAIT PLACER LES DÉTAILS RÉVÉLATEURS ; ELLE EST CONSCIENTE DES PIÈGES MORAUX OÙ MÈNENT LES INTRIGUES DE SES ROMANS, ET L'ABSENCE DU PRÊCHE Y EST ADMIRABLE. »
Interzone

LA MAISON
AU BORD DE LA MER

ÉLISABETH VONARBURG

ALIRE

Données de catalogage avant publication (Canada)

Vonarburg, Élisabeth, 1947-

La maison au bord de la mer

(Nouvelles ; 037)

ISBN 2-922145-42-5

I. Titre.

PS8593.O53M33 2000   C843'.54   C00-941767-2
PS9593.O53M33 2000
PQ3919.2.V66M33 2000

Illustration de couverture
JACQUES LAMONTAGNE

Photographie
ROBERT LALIBERTÉ

Diffusion et distribution pour le Canada
Québec Livres

Pour toute information supplémentaire
LES ÉDITIONS ALIRE INC.
C. P. 67, Succ. B, Québec (Qc) Canada G1K 7A1
Télécopieur : 418-667-5348
Courrier électronique : alire@alire.com
Internet : www.alire.com

Dépôt légal : 4ᵉ trimestre 2000
Bibliothèque nationale du Québec
Bibliothèque nationale du Canada

Les Éditions Alire inc. bénéficient des programmes d'aide à l'édition
du Conseil des Arts du Canada (CAC) et de la Société de développement
des entreprises culturelles du Québec (SODEC)

10   9   8   7   6   5   4   3   2ᵉ MILLE

TABLE DES MATIÈRES

Oneiros 1

Band Ohne Ende 65

Dans la fosse 109

Les Dents du dragon 137

Janus 191

La Maison au bord de la mer 233

... Suspends ton vol 257

Repères bibliographiques

Les nouvelles suivantes ont déjà été publiées sous une forme parfois différente : « Oneiros » (extrait), dans *imagine...* 21, Montréal, 1984 ; « Band Ohne Ende » et « Janus », dans *Janus,* Paris, Denoël, Présence du futur 388, 1984 ; « Dans la fosse », dans *Solaris* 50, Longueuil, 1983 ; « La Maison au bord de la mer », dans *Dix nouvelles de science-fiction*, Montréal, Les Quinze, 1985 et « ... Suspends ton vol », dans *Solaris* 99, Hull, 1992.

Ils ne vous disent pas grand-chose, au Centre, mais ils vous parlent des univers. Les univers que nous ouvre le Pont sont... comme un arbre né de multiples racines. Son tronc se divise en multiples branches; chaque nœud de la causalité fait jaillir un autre possible, qui est un autre arbre, aux branches multiples, constellées elles aussi de nœuds et de branches. Ce n'est pas vraiment un arbre, cependant, il ne porte ni feuilles ni fruits, et il ne pousse pas droit devant lui: au bout de ses innombrables ramifications, ce sont peut-être ses racines qui poussent, et il se perpétue ainsi, notre arbre-à-univers, né de lui-même et refermé sur lui-même [...] Comment distinguer les univers? Une loi semble régir leur efflorescence: les nœuds de la causalité se situent toujours au niveau macromoléculaire. Parfois la différence est évidente: sur ma Terre à moi, il n'y a pas d'Infra-Terrestres, ni d'humanité aquatique. Et parfois c'est impossible à dire: c'est la place d'un rocher, la vie ou la mort d'un papillon...

Élisabeth Vonarburg, «Le Nœud»

ONEIROS

Les Grandes Marées ont déjà considérablement
rongé la falaise ; ce n'était d'ailleurs déjà à leur époque
qu'un promontoire oblique de quelques centaines de
mètres de long, une résurgence de la montagne dont
l'échine érodée par l'âge, mais artificiellement conso-
lidée, constitue l'assise de Baïblanca un peu plus au
sud. Ils y venaient souvent dans leur enfance, Narval
et elle. C'est là qu'il a fait construire sa villa. Bien sûr.

Un caprice géologique a inséré, entre le corps de
la falaise et son extrême pointe, une couche de roche
plus tendre qui a fini de s'émietter sous les assauts de
la dernière Grande Marée. Pendant les tempêtes que
le vent soulève presque toujours de l'est ou du nord,
c'est la pointe qui subit de plein fouet l'attaque de la
mer. Pendant les marées d'équinoxes, les escadrons
liquides montent du sud-ouest, du détroit maintenant
élargi qui relie la mer à l'océan, et le corps sans cesse
plus incurvé de la falaise les dirige vers la pointe où
ils finissent de s'écraser en panaches bouillonnants.
Mais la brèche qui sépare la pointe du corps de la
falaise a modifié la trajectoire des vagues, qui se di-
visent à présent autour du cap, semblent s'étouffer
entre les deux parois de la brèche puis, comme si une

brusque colère sous-marine leur avait redonné de l'élan, rejaillissent vers la falaise avec un double bruit fracassant, succion et explosion, un geyser d'écume où le soleil, lorsqu'il arrive à percer la couche obstinée des nuages, allume des arcs-en-ciel.

Pourtant, lorsqu'on regarde au-delà de la pointe, rien ne laisse prévoir un tel déchaînement de violence ; la mer arque à l'infini son dos vert comme une immense et paresseuse serpente, et il faut même un moment au regard, hypnotisé par la multiplication du mouvement sur une si vaste étendue, pour réaliser que les muscles aveugles et ronds des vagues les poussent toutes dans la même direction, vers la rigidité fragile de la falaise. Lorsqu'il n'y a pas de vent, la force de la mer est trompeuse : toutes les vagues se ressemblent et pourtant, au moment où elles s'élancent contre la pointe, certaines se gonflent d'une énergie inattendue, comme si quelque chose, quelqu'un, dans les profondeurs, avait décidé de prendre les commandes, impatient de la lenteur pourtant victorieuse de la marée.

Il n'y a pas de marées dans la mer Saharienne. À peine une mer, plutôt un gigantesque lac d'eau presque douce, reconquis sur le désert millénaire. Narval a peut-être raison, se dit Mari : aller là-bas, c'était peut-être une fuite. Peut-être tous ses départs n'ont-ils été que des fuites. Et même leur rêve initial à tous deux, aller vivre dans l'Espace, dans Lagrange 5 : il n'y a pas de marée non plus, dans l'espace. Si, les marées solaires, mais c'est différent. Et les voilà ici, coincés sur la Terre. Peut-être raison, Narval : il n'y a plus vraiment d'actes possibles dans ce monde en train de disparaître, seulement des gestes, et alors autant le reconnaître et bâtir sa demeure sur une falaise qui s'écroulera bientôt, au lieu de tourner le dos aux eaux qui montent. Et si les gestes de Narval l'agacent, c'est sans doute parce qu'elle comprend trop bien – parce qu'il fait ce qu'elle aurait dû faire ? Mais elle ne sait pas, elle ne sait plus : son échec, est-ce d'être allée au Nouveau-Sahara, ou d'en être revenue ?

Narval a l'air si sûr de lui.

Il a même réussi à entraîner quelques-uns de ses invités sur la partie de la terrasse qui surplombe la mer. Jan Caroly, le musicien, Sygne Evelyeet, la danseuse – découverte récente de Narval, elle doit encore se sentir obligée de lui plaire, mais Mari voit bien le hérissement de tous ses muscles si joliment dessinés chaque fois qu'une vague vient s'écraser sur la pointe. Caroly connaît Narval depuis plus longtemps, il a eu l'occasion de s'habituer au spectacle de la mer déchaînée que Baïblanca tient si ostensiblement à distance, lorsqu'elle ne lui tourne pas le dos. Quant au jeune Astorias, un aspirant dramaturge, il veut si évidemment être la prochaine découverte de Narval qu'il ne refuserait peut-être pas, si on le lui demandait, de plonger depuis la terrasse.

Une saute de vent inattendue rabat une mini averse sur les audacieux et Sygne ne peut s'empêcher de protester : « Vraiment, Narval… » Puis, se masquant d'un sourire et se retournant vers la villa d'un geste gracieux qui l'éloigne fort à propos et sans en avoir l'air du parapet trop exposé : « Cela ne vous attriste pas de penser que dans quelques années cette superbe demeure s'effondrera avec la falaise ? »

La moitié de la villa est en sous-sol, creusée à même le roc : pas de structures démontables pour Narval Naström, mais une massive construction à l'ancienne, avec des méthodes artisanales qu'on n'a même pas utilisées pour édifier Baïblanca – et Baïblanca, elle, est pourtant conçue pour durer, comme toutes les villes nouvellement rebâties après les Grandes Marées.

« Cela vous attriste-t-il lorsque les lumières s'éteignent et que le spectacle est terminé ? » demande Narval de son habituelle voix nonchalante et charmeuse, secrètement ironique. « J'aurais pensé que vous, une artiste, me comprendriez mieux que toute autre. »

La danseuse reste un moment déconcertée, incertaine d'avoir gaffé, et Mari ne peut s'empêcher de conclure l'argumentation familière : « L'art de l'éphémère n'est-il pas le seul qui convienne aujourd'hui ? »

Narval lui adresse son rapide sourire complice ; elle ajoute quand même : « Mais il y a les infothèques, Narval. Rien de ce qui est humain n'est réellement condamné à l'éphémère. »

De quoi se défend-elle ? Elle est d'accord avec lui. Presque. Il fait d'ailleurs comme si elle s'amusait à jouer l'avocate du diable : « Sauf l'être humain, n'est-ce pas ?

— La mémoire collective… hasarde Astorias.

— La mémoire collective, mon cher, existe tant qu'une collectivité est là pour l'entretenir et la transmettre. Mais la collectivité elle-même est une entité fragile. Où est la mémoire collective du Japon ou de la Polynésie, par exemple, maintenant que la Ceinture de Feu a réclamé son dû ?

— Dans chaque Japonais, chaque Polynésien, réplique Sygne Evelyeet.

— Ils sont en train de s'assimiler, comme toutes les populations déplacées dans le monde entier – ce qu'il en reste. La collectivité nippone, ou polynésienne, la superstructure, a disparu avec la terre où elle est née. Le reste se dissoudra peu à peu, c'est une question de temps. »

Mari se mord la lèvre. Pourquoi a-t-elle envie de le contredire ? De toute façon il ne s'en rendrait pas compte, elle n'est pas assez convaincue. Elle appelle le souvenir d'Ari à la rescousse : « La culture juive a survécu à trois Diasporas.

— Mais survivra-t-elle à celle-ci ? La moitié de leur Terre Promise a été engloutie. Une bonne partie du reste est une Zone irradiée 3, personne ne pourra y mettre les pieds avant au moins cent ans. Et puis, c'est difficile de continuer à se considérer comme le Peuple élu en sachant que l'humanité tout entière subit les mêmes épreuves que vous, ou pire. Non, la mémoire collective est un organisme aussi fragile à son échelle que le cerveau humain l'est à la sienne. Il y a un seuil de cohérence au-delà duquel disparaît toute possibilité de durée. »

Ils se sont tous les quatre détournés du parapet et n'ont pas vu arriver une vague plus forte que les autres – la marée atteint son maximum. Sygne Evelyeet pousse un cri aigu lorsqu'une gifle d'eau froide vient plaquer sa robe contre son corps. Narval se met à rire, écartant de son visage les mèches trempées de ses cheveux noirs : « La mer, mes amis, il faut être comme la mer, bouger avec elle. Ma villa, je la ferai reconstruire plus loin, autant de fois qu'il le faudra. C'est une demeure en accord avec notre univers où rien n'est permanent et notre intéressante époque qui nous a rappelé cette vérité première. Vivre avec l'instant, voilà ce qu'il faut. Le fugitif instant collectif, oui, voilà ce qui est précieux.

— Tu prêches pour ta paroisse, Narval, remarque Caroly avec une tolérante bonne humeur, et nous sommes trempés. »

Narval passe un bras autour des épaules du musicien et de la danseuse, consentant à s'éloigner définitivement du parapet : « C'est aussi votre paroisse, mes amis, sinon le public en délire ne serait pas si friand des événements que je crée avec votre inappréciable concours. Un plongeon dans l'eau douce effacera les traces de la mer amère. »

Prompte à saisir la suggestion, Sygne se débarrasse en un tournemain de sa robe trempée, sous laquelle elle est nue, comme l'a révélé la vague indiscrète. Bientôt imitée par Caroly, elle plonge dans l'eau étale et bleue de la piscine creusée dans la terrasse. Après un moment d'hésitation, Astorias, puis une partie des autres invités les imitent. Le reste se contente de regarder, visiblement ravi d'être choqué : la réception, fort calme depuis le début, va peut-être enfin commencer à ressembler à ce qu'on en attend, un événement typiquement narvalien dont on pourra ultérieurement se vanter d'avoir fait partie. Mari ne savait pas que la nudité était devenue un tabou à défier, à Baïblanca.

« Vous ne vous baignez pas, Stella ? »

Elle se retourne, agacée de sentir comme elle réagit encore naturellement à ce prénom pourtant abandonné depuis deux ans. Du coup, sa réponse n'en est pas une : « Vous non plus. »

Une femme mince, de taille moyenne, aux cheveux sombres striés de mèches blanches, aux yeux clairs, la cinquantaine pas spécialement déguisée, pas spécialement belle, juste… tranquille. Calme réel ou prudence, difficile à dire, mais elle a quelque chose d'apaisant. Comme en excuse à son éclat d'agressivité, Mari ajoute : « Je m'appelle Mari.

— Tout le monde vous appelle Stella. »

Si calme, si apaisante, cette femme, que sa remarque n'est même pas irritante. Mari précise seulement : « Mon frère m'appelle Stella. » En fait, il l'appelle "Stell", ce qui l'agace encore plus. Et tout à coup, peut-être à cause du regard attentif que pose sur elle Moïra Müller, si différent des yeux habituellement aveugles de Baïblanca, elle entend autrement ce qu'elle vient de dire. C'est vrai, pourquoi Narval s'obstine-t-il à ne pas l'appeler par le prénom qu'elle s'est choisi ? Et tout de suite : bien sûr qu'il s'obstine –, et le retour de l'agacement, contre Narval de nouveau.

« Et vous, comment vous appelez-vous ? Excusez-moi, mais avec tous ces invités… »

— Je viens d'arriver, de toute façon. Moïra Müller.

— Moïra. Votre prénom de naissance ? »

La question serait impolie si cette femme était de Baïblanca, mais quelque chose dit à Mari qu'elle vient d'ailleurs.

« Mon prénom de naissance, d'adolescence, de maturité. C'est moi. Je n'ai jamais éprouvé le besoin d'en changer.

— Vous êtes d'une Zone de Récupération ? Ils disaient presque tous la même chose, à El Qfat. »

(Ari : « Ce n'est pas en changeant de nom que tu changeras. Le changement ne peut venir que de l'intérieur. » Elle : « Et justement, si c'est un besoin intérieur, si je veux me donner un nom qui corresponde davantage à ce que je crois être ? » Leurs dialogues de sourds. Mais elle ne voulait pas, elle ne pouvait pas lui parler de Narval, de la Stella de Narval.)

« Oui, je viens de Californie du Nord. J'y suis née.

— Une Pionnière ? »

La femme sourit : « Dans une Zone, tout le monde est un peu pionnier. Nous ne nous donnons pas ce nom, voilà tout. » Pas de condescendance, pas d'ironie, une simple constatation. « Vous avez passé deux ans au Nouveau-Sahara, alors. Mais vous avez une formation en biotronique spatiale, m'a-t-on dit. »

Même à cela, Mari n'a pas envie de réagir agressivement. Après tout, pourquoi ne pas le reconnaître ?

Elle a postulé à la colonisation de la station de La-grange 5, comme Narval, et, comme lui, elle a échoué. Comme Narval, elle n'a pas voulu revenir chez papa-maman, pas même à Baïblanca. Elle est partie rejoindre les Pionniers du Nouveau-Sahara, avec toute sa science inutile et ses deux bras pas très musclés. Elle a pris du muscle. Pas assez, apparemment, puisque la voilà de nouveau à Baïblanca.

« Ils avaient besoin de diététiciennes, sur les bateaux de pêche. C'est-à-dire que j'ai appris à faire la cuisine. »

Un appel, une gerbe d'éclaboussures : Narval, nu et pâle, verni de soleil, riant dans l'eau apprivoisée de sa piscine : « Tu viens, Stell ? »

Et, presque en même temps, Moïra Müller : « Vous allez y retourner ? »

Elle ne sait pas auquel des deux s'adresse son irritation revenue : « Pas tout de suite. Et vous, qu'est-ce que vous faites ici, en Sud-Europe ?

— J'ai quelque chose à vendre.

— Et ?

— Narval va vous l'offrir. » La femme dévisage un instant Mari, comme si elle jaugeait sa capacité à comprendre ce qu'elle va ajouter : « Se l'offrir. C'est votre anniversaire à tous les deux, aujourd'hui, n'est-ce pas ? »

Comme un avertissement. Mais Mari n'en a pas besoin, elle sait bien que toute cette réception est une machine de guerre pour Narval ! Ou du moins un jeu complexe, ils ne sont pas en guerre… C'est juste son désir de la retrouver, elle comprend très bien.

Elle le comprend tellement bien, il la comprend tellement bien ; c'est tout le problème : comment lui résister ?

Pourquoi lui résister ?

Le reste de l'après-midi et le début de la soirée se déroulent dans une atmosphère quasi familiale, ce qui doit déconcerter les invités "stratégiques", ceux que Narval a été obligé d'inviter pour soigner son image publique. Un événement en soi, après tout : une réception presque complètement à contre-pied des mises en scène audacieuses et controversées de Narval Naström ; il y aura des spéculations perplexes parmi les faiseurs de mode, dans les jours à venir… Et de surcroît, à part les invités stratégiques, on ne voit guère de figures en vogue, une demi-douzaine tout au plus. Les participants ne sont d'ailleurs pas très nombreux, une quarantaine. Et une bonne moitié d'entre eux est simplement constituée de familiers – tout indiqué pour un anniversaire. Pas leurs parents, bien sûr ; eux, ils se sont contentés d'envoyer des fleurs avec une petite carte diplomatiquement tous azimuts où ni Narval ni Mari ne sont nommés. Nombre d'invités sont des amis d'adolescence ; elle ne les a pas vus depuis plus de sept ans pour la plupart, sauf les deux ou trois qui sont partis avec Narval et elle faire leurs études en Australie.

La réunion aurait pu tourner au désastre de plusieurs façons : les "anciens" incapables de se retrouver, ou se retrouvant très bien et formant un groupe d'initiés à part, ou se retrouvant trop bien et commençant à se chamailler… Mais rien de ce qu'organise Narval n'a jamais été autre chose qu'un succès. Seuls les sélectionneurs de Lagrange 5 n'ont pas succombé à son charme… Non, elle est injuste ; ils ont travaillé fort tous les deux, et ce n'a tout simplement pas été suffisant. En tout cas, tous les "événements" organisés par Narval depuis deux ans ont été des réussites, si elle en croit les médias – véritables ou de scandale, mais à Baïblanca, il est parfois difficile de faire la différence.

Elle comprend pourquoi, en le voyant à l'œuvre. C'est bizarre de l'observer ainsi, comme si elle était une étrangère. Ou du moins à l'extérieur. Ou juste assez loin pour le voir. Flottant à la frontière fluctuante de l'amour et de la rancune dans une sorte de satisfaction honteuse : d'être partie, d'être revenue, d'être avec lui sans l'être tout à fait – juste assez pour le voir comme un autre, juste pas assez pour être elle-même une autre…

Mais elle comprend pourquoi, à vingt-sept ans, il est la coqueluche de Baïblanca, le modèle de tous les lanceurs de mode, la cible de toutes les célébrités, montantes ou descendantes. La prestance physique y est pour beaucoup, bien entendu, cette aura de flamme sombre dont il aime à s'envelopper, son jumeau, aussi noir de cheveux qu'elle est blonde : mince et athlétique, coulé dans des combinaisons d'une sobriété monochrome agressive à Baïblanca où, ces temps-ci, on prise plutôt l'esthétique perroquet. Pas le moindre des exploits de Narval, avoir réussi à *ne pas* faire une mode de ses choix vestimentaires, à être ainsi le seul de son espèce, immédiatement reconnaissable et partout reconnu. Le visage, aussi, est impossible à confondre : très blanc, comme poli sous les cheveux lisses et luisants coupés en casque au ras des sourcils, avec ces yeux ardents qui semblent tout voir et tout retenir. C'est cela, bien sûr, le secret de Narval : il n'oublie jamais rien, et réussit à vous le faire oublier. Même à elle. Presque.

Il la surprend, presque, avec les chansons, les charades, les saynètes qui s'organisent comme spontanément vers la fin de l'après-midi. Des évocations de leur adolescence, une sorte de panorama poétique ou bouffon, par les uns et les autres, de leurs années communes. Les cadeaux aussi sont surprenants : rien d'extravagant ou de banal, mais des objets simples, ou drôles, ou attendrissants, toujours avec un clin d'œil. Narval pense-t-il vraiment la prendre à ce piège, le sucre candide du souvenir? Mais ce n'est pas ce qu'il veut lui dire, rien d'aussi évident. C'est l'ambiance. Comme tous ces anciens amis sont réellement heureux de la revoir – et comme elle est, finalement, contente de les retrouver.

Comme elle est *capable* de les retrouver, malgré les années d'absence. *Tu es chez toi, Stella,* lui fait dire Narval. *Tu es chez nous.* Et elle ne peut le nier: elle se sent bien parmi ces gens, ils parlent la même langue; comme Narval, ils la connaissent, ils la comprennent – elle les comprend. La lucidité même qu'elle croyait avoir acquise dans le Sud la trahit, en lui montrant bien qu'elle est revenue chez elle. Chez Narval, avec Narval, elle est chez elle. Pourquoi vouloir le nier? Pourquoi vouloir être une autre, et quelle autre, de toute façon? Une cuisinière émérite? Elle n'est pas vraiment une Pionnière. Pourquoi ne pas admettre que c'est avec plaisir qu'elle a retrouvé "la civilisation"? Que c'est avec une sorte de soulagement qu'elle observe la danse habile de Narval autour d'elle, cette réaffirmation de son amour pour elle? Lui, au moins, il est là, lui, au moins, elle peut compter sur lui. Narval, son jumeau, sa moitié, son envers, pourrait-il jamais y avoir personne d'autre?

◆

La villa de Narval est à double face. Le rez-de-chaussée est un labyrinthe de pièces qui changent constamment de formes et de superficie grâce à des cloisons mobiles aisément déplacées – jusqu'au toit, dont les éléments glissent les uns sur les autres, se repliant et s'allongeant à volonté pour ouvrir la maison au soleil, quand il y en a. Et la base de cette multitude polymorphe, c'est apparemment le vide : au sous-sol, une vaste excavation s'arrondit autour d'un parallé-lépipède asymétrique d'où émane une lueur bleue, tremblante et moirée ; une des extrémités du bloc, aplatie, repose sur le sol. Il faut un moment à l'esprit désorienté pour superposer mentalement les dimen-sions du rez-de-chaussée et du sous-sol, et réaliser que cette caverne souterraine correspond à peu près à la terrasse ; le bloc à la lueur étrange contient tout simplement l'eau de la piscine, derrière une épaisseur colorée de plastiverre semi-rigide. L'architecte a dû s'amuser… ou plutôt Narval s'est amusé, et l'architecte a réussi à matérialiser cet amusement.

Une fois contournée cette étrange racine bleue, on se retrouve face à la falaise. À *l'intérieur* de la falaise : la roche n'a pas été aplanie ni masquée lorsqu'on a évidé le sous-sol, on peut distinguer le grain de la pierre, les fissures et les veines mises à nu par les machines, un relief chaotique qui mime les sculptures capricieuses de l'eau sur la roche, à l'extérieur. Il y a deux réactions possibles, alors. Certains se figent sur place : c'est la mer, ce roulement rythmé qui gronde sourdement, l'écho des vagues qui s'écrasent plus haut sur la falaise – car on se trouve, on le comprend bien, *en dessous* du niveau de l'eau. D'autres s'ap-prochent pour toucher l'envers de la falaise, sans oser cependant demander quelle épaisseur on a laissée à la roche en cet endroit, et avec des visions effrayées, fascinées, de la paroi explosant sous les coups de boutoir d'une tempête.

« Vraiment, Narval… »

Sygne Evelyeet a assez compris l'intention pour en sourire, pas assez pour se taire. Narval regarde Mari, l'œil vif, un monde d'amusement complice, puis, sans répondre, il les prend chacune par un bras pour les entraîner vers les tables où se trouve disposé un somptueux buffet. Des petites salles sont aménagées en étoile autour du bloc bleu de la piscine, fermées par des membranes semi-rigides elles aussi, et transparentes. Infothèque, auditorium, gymnase, salle de travail, chambre, cuisinette: c'est là que vit Narval. La membrane de la septième salle est opaque. Personne n'a rien dit, et Mari n'a rien demandé. Seul Narval ne lui a pas encore donné son cadeau, le cadeau est dans cette salle, ce sera le clou de la soirée, tout le monde le sait, elle aussi.

Il en a trop fait. Il n'aurait pas dû prolonger ainsi l'attente. Il n'aurait pas dû être *maladroit*. Elle ne l'a pas cru, d'abord. Elle était si près d'être séduite qu'elle n'a pas réagi tout de suite: elle attendait la magie, le tour de passe-passe, la confirmation de la maîtrise de Narval sur elle, *vois comme je te connais bien, vois comme je sais jusqu'où aller trop loin*. Narval, maladroit! Quelques heures plus tôt, elle en aurait été triste, mais satisfaite. Ç'aurait été une preuve, la preuve qu'elle n'est pas simplement revenue au même endroit, que tout n'est pas comme avant, qu'elle a tout de même un peu changé. Maintenant, c'est comme une trahison: juste au moment où elle a finalement reconnu qu'il a raison, quand elle s'est résignée à être revenue, il manque son effet, il lui fait défaut alors qu'elle avait enfin consenti à s'appuyer de nouveau sur lui!

La conversation dérive vers le Nouveau-Sahara. Et Mari encourage Narval dans son erreur de jugement: elle participe sans apparente réticence à la conversation. Pourquoi pas? C'est passé, terminé, une erreur de parcours, elle peut même en sourire avec eux tous – presque. Tant de naïveté romantique. Bien sûr, il se fait des choses importantes, là-bas ; les Pionniers, là et ailleurs, accomplissent un travail considérable, nul ne le nie, mais il faut replacer leur mouvement dans une perspective plus lucide. L'ancien monde est mort, même s'il refuse de l'admettre : englouti peu à peu par la montée des eaux, bouleversé par le volcanisme renouvelé qui a secoué la fin du XXᵉ siècle – et ses conséquences parfois cataclysmiques. Ce que sera le monde nouveau, et si même il y en aura un, ils l'ignorent et en tout cas ils ne le verront pas. Il ne s'agit pas de baisser les bras, bien entendu, mais de ne pas être dupe de ses gestes.

Ne pas être dupe. Leur leitmotiv d'adolescents, eux, la troisième génération après les Grandes Marées, eux dont les grands-parents ont subi le matraquage constant de la propagande reconstructionniste, dont les parents se sont cyniquement enrichis dans la seconde phase de la Reconstruction, eux, ils ne seraient pas dupes. Et elle, elle a tout simplement succombé, pour un temps, à cette faute de goût – on ne parle plus de péché, aujourd'hui. Faiblesse humaine, pardonnable une fois. De fait, elle a essayé d'y succomber, n'y est pas arrivée : il y faut une variété d'aveuglement et de bonne conscience qu'ils ne possèdent pas, eux, les enfants de Baïblanca. Il faut, en un mot, être *né* Pionnier – dans une Zone ; on ne peut pas le *devenir.* Leur véritable rôle, à eux, c'est d'être la conscience de ce monde à la dérive, de voir au travers des apparences et de désigner inlassablement le squelette à la table du festin.

« Et la Mort Rouge qui rôde autour du Palais », conclut Moïra Müller de sa voix tranquille, visiblement amusée par la tirade d'Astorias.

Il le prend comme une critique, même s'il ne sait pas plus que Mari à quoi elle fait allusion : « C'est le nom qu'on donne aux radiations, dans votre Zone, ou bien à la poussière volcanique ? »

Moïra Müller ne se formalise pas de son insolence : « Non, c'est un vieux conte d'Edgar Poe, un auteur du XIXᵉ siècle. Vous devriez aller le lire, 'Ser Astorias. Il vous inspirerait, sans doute. C'est une vieille idée, vous savez, le *memento mori,* le squelette au festin, une image très ancienne. Mais je suppose qu'on peut la réactiver aujourd'hui, c'est sans doute de circonstance.

— Et le rôle des artistes, n'est-ce pas, est de réactiver les anciennes images », dit Narval en s'introduisant souplement dans la conversation pour empêcher Astorias de s'enferrer davantage.

Et Mari, elle, a envie de l'asticoter, Astorias, peut-être à cause du sourire indulgent de Moïra Müller, une au moins qui n'est pas dupe de ces grandes phrases : « Ne devraient-ils pas plutôt essayer d'en trouver de nouvelles ?

— Ah mais, y en a-t-il de nouvelles ? » Le sourire de Narval, la vivacité de sa réplique, devraient l'alerter. Mais elle a vraiment envie de dégonfler Astorias ; c'est irritant d'entendre des idées qu'on croyait siennes dans la bouche de gens qui ne vous plaisent pas : elles ne se ressemblent plus.

« Des situations nouvelles devraient susciter de nouvelles images, non ?

— Mais y a-t-il des situations véritablement nouvelles dans l'expérience de l'humanité ? » rétorque Narval, visiblement satisfait de la tournure de la conversation. « Ce qui me frappe, moi, c'est surtout de constater à quel point les réactions humaines sont toujours reconnaissables. Vous devriez voir les cristaux de Stell sur le Sud, Moïra. »

Il les a visionnés ! ?

C'est une sorte de journal qu'elle a tenu au jour le jour, dans l'idée plus ou moins floue d'en tirer un documentaire pour mieux faire connaître les Pionniers. Des images d'une naïve bonne volonté, sans doute, au ras du film d'amateur, mais ce n'était pas le regard de Narval critique d'art qu'elle imaginait sur ces enregistrements. Ari s'y trouve presque tout le temps. Oh, rien de compromettant – ou bien tout : son visage, sa voix, sa façon de réagir à ses questions – plus à elle qu'à ses questions… Elle n'a pas beaucoup parlé d'Ari à Narval (plus qu'elle n'a parlé de Narval à Ari, cependant – caractéristique !) et il n'a pas insisté, devinant bien sûr à demi-mot. Elle lui était reconnaissante de ce qu'elle avait pris pour de la délicatesse. Elle lui a aussi parlé des cristaux, sans les lui montrer. Elle n'a pas pensé qu'il les regarderait sans sa permission. Et il n'a pas pensé qu'il devait lui en demander la permission : elle est revenue, ils partagent tout comme avant, n'est-ce pas ? Si c'est à elle, c'est à lui. Et si elle ne les lui a pas montrés, ce n'est pas parce qu'elle ne voulait pas les partager, c'est parce qu'ils sont sans importance. Et s'il y a là quelque chose qu'elle jugeait réellement trop important, trop personnel, pour le lui montrer, eh bien elle se trompait, voilà tout. Il les a regardés. Et il a jugé que cette liaison avec Ari Seiberg était dénuée d'importance ; ça ne comptait pas, ça n'a rien changé entre eux, ça ne changera rien.

Et somme toute, n'a-t-il pas raison ? Elle est revenue à Baïblanca. Il a regardé ses cristaux, allons, est-ce vraiment bien grave ?

Mais le révéler de cette façon ? Mais proposer aux autres de les regarder, et insister ?

Et elle, incapable de dire non. (*Vois comme je te connais bien, Stella, vois comme je sais jusqu'où aller trop loin.*)

« Le cristal du Festival, Stell », ajoute-t-il avec ce pétillement encore complice dans le regard. Complice, mais aussi sarcastique. Le Festival, bien sûr : la mise en scène continue et elle en est un matériau comme les autres.

Il n'a pourtant pas fait autre chose pendant le reste de la journée, et elle y a collaboré assez volontiers… mais non, ce n'est pas pareil. La mise en scène lui était destinée jusque-là, elle l'a bien senti, elle en était le centre. Narval et elle, complices face aux autres, comme autrefois. Et maintenant, il s'est retourné contre elle. Il se sert d'elle contre elle-même. Il essaie de lui donner une *leçon*. Et de quel droit ? Qu'est-ce qui lui permet d'affirmer qu'elle s'est *trompée* ?

Mais n'est-ce pas la conclusion à laquelle elle est elle-même arrivée ?

Désemparée devant cette colère dont sa logique lui dénonce la mauvaise foi, elle place le cristal dans le lecteur.

Le Festival, c'est le grand rassemblement des populations sahraouies que la célébration de la mer saharienne ressuscitée réunit une fois l'an sur la rive ouest. Beaucoup de couleurs et de pittoresque. Stridences des violons crincrin, roucoulements sensuels des flûtes, pulsation hypnotique des tambours, voix étrangement asexuées, perchées au bout du souffle, obsédantes et passionnées. Les clichés habituels. Sauf que ce n'étaient pas des clichés pour elle lorsqu'elle les a enregistrés. Et maintenant, aiguillonnée par la colère, elle refuse d'en sourire, de les regarder avec les yeux de Caroly, d'Astorias – ou de Narval. C'est elle qui a vécu deux ans dans le Sud, c'est elle qui sait ce qu'elle y a ressenti, elle en est la seule juge. Et c'est elle, ces émotions, elle ne les reniera pas davantage !

Oui, elle a été émue par ces vieux visages de cuir et de pierre, sculptés par le désert en train de disparaître, et qui contemplent, impassibles, le miroitement d'une mer qui n'est plus un mirage. Et les jeunes, les corps nus exultant dans les jaillissements d'écume ou dansant sur le sable mouillé, et ces yeux pleins de rêves fixés sur les conteurs.

"C'est une nouvelle mythologie qui est en train de s'élaborer ici", dit la voix d'Ari, qui a tout du long traduit chants et récits. Elle a pris soin de ne jamais le filmer pendant qu'il traduisait, elle voulait l'effet de la voix off, désincarnée, et ensuite, tout à la fin, l'apparition du Pionnier, un mince géant à contre-soleil, auréolé d'or – ses cheveux, le duvet de ses bras.

« Ari Seiberg ? dit quelqu'un dans la pénombre. Je le croyais définitivement retourné dans Lagrange 5.

— Si tous les Pionniers sont aussi décoratifs… », remarque Sygne, avec des sous-entendus comiquement exagérés.

Mari s'entend protester, comme une idiote : « Les Pionniers ont autre chose à faire que de la figuration », pendant que l'Ari du cristal est en train de lui dire : "Des mythes nouveaux pour un monde nouveau, tu ne crois pas que ce serait une bonne conclusion pour ton documentaire ?"

« Mais c'est bien ce que fait Seiberg, non ? » Caroly, derrière elle. « Le-premier-homme-né-dans-l'Espace, venu aider à reconstruire la Terre-quand-même-mère. Il leur sert de drapeau. »

Furieuse d'avoir à le défendre et de constater que l'harmonie est rompue – une illusion, dont elle a été dupe – elle enlève le cristal : « Ari coordonne toutes les activités des Pionniers dans le Nouveau-Sahara. »

La lumière revient – Narval a terminé sa démonstration. Sait-il qu'il l'a ratée, en ce qui concerne Mari ?

«Des mythes nouveaux pour un monde nouveau, dit-il en s'étirant. Il se fait des illusions, ce jeune homme. Aucun des récits qu'il a traduits n'est nouveau. L'arrivée de la mer, la transfiguration du désert… des mythes de création comme il y en a des centaines.

— La mentalité des Pionniers elle-même n'est pas une innovation bouleversante dans l'histoire humaine», remarque Caroly en riant.

Et Narval enchaîne : «Il y a peut-être des situations nouvelles – la question reste ouverte –, mais je me demande s'il y aura jamais des êtres humains nouveaux pour les vivre.

— Attendons les prochaines générations des Zones», suggère Astorias, espérant sans doute remonter ainsi son handicap ; un petit hochement de tête de Narval le récompense, et un raidissement mal maîtrisé des autres : les mutations en cours dans les zones sinistrées ne sont pas encore un sujet à la mode à Baïblanca.

«Pour l'instant, elles n'ont touché que le corps humain, fait remarquer Caroly.

— Ah, le corps et l'esprit ! » Le sourire de Narval indique que la conversation suit bon gré mal gré le parcours prévu. «Comment s'influencent-ils mutuellement ? Mais rien ne prouve que de nouveaux corps nous donneraient de nouveaux rêves à explorer.

— Peut-être nos rêves nous rêvent-ils plus que nous ne les rêvons, murmure Caroly, nous les subissons, nous ne les explorons pas vraiment.

— Mais justement, nous le pouvons. N'est-ce pas ce que permet votre machine, Moïra ?»

Moïra Müller contemple un moment Narval sans répondre, peut-être surprise de voir que c'est à elle d'entrer en scène, puis elle incline la tête, comme à regret : «D'une certaine façon, oui. Créer nos rêves et être créés par eux. »

Mari va se planter devant la salle à la membrane opaque sans essayer de dissimuler son agacement : «Très bien, voyons de quoi il s'agit, alors.»

Narval lui jette un coup d'œil déconcerté – déçu ? Il n'a sans doute pas prévu d'arriver si vite au fait, mais il vient de bonne grâce activer la membrane. Le plastique perd sa rigidité et s'enroule sur lui-même en un arceau translucide.

L'appareillage n'est pas si spectaculaire. Un grand écran occupe tout le mur du fond, avec une petite console montée sur pied ; face à l'écran, deux grosses coques horizontales assez basses, à la moitié supérieure plus mince et translucide. Moïra Müller effleure une des coques dont le dessus se télescope avec lenteur, découvrant une couche qui dessine en creux une forme humaine, les bras légèrement écartés du corps ; le couvercle est également profilé intérieurement pour s'ajuster à un corps humain. Des senseurs miroitent partout en myriades de constellations énigmatiques.

Narval fait jouer le mécanisme de l'autre coque et Caroly l'inspecte, les mains dans le dos, mimant quelque Sherlock Holmes gâteux : «Un sarcophage mâle et un sarcophage femelle… un peu trop élémentaire, mon cher Watson.

— Des sarcophages ?» fait Sygne Evelyeet en fronçant son joli nez. Elle passe la main sur le matériau souple de la couche et du couvercle : bioplastique : «On se couche tout nu là-dedans, alors ?

— Il y a diverses procédures possibles», dit Moïra Müller. Son calme est bel et bien de la prudence, désormais ; elle est aux aguets, comme si la réaction des éventuels utilisateurs à l'aspect de son invention lui importait autant que l'usage qu'on peut en faire. Et en effet, la connotation "sarcophage" est fâcheuse, elle doit en avoir conscience, car elle ajoute : « Je travaille sur un modèle plus souple de type scaphandre. Dans ce modèle-ci, l'ordi est intégré à la coque, ce qui simplifiait les choses.

— Et cette machine fabrique des rêves ? demande Astorias avec une moue sceptique.

— Cette machine vous fait vivre les situations que vous suggère votre fantaisie, et vous aide à les modifier et à en jouer à votre guise. »

Les mots-clés sont évidemment "votre fantaisie" et "à votre guise".

« Vous proposez un scénario, ou une image de départ, dans le cadre des matrices disponibles. L'ordi les illustre à partir du programme sélectionné. Vous réagissez aux stimuli sensoriels que le programme vous transmet par les senseurs, et à partir de ces premières réactions enregistrées et interprétées, l'ordi peut affiner les données, multiplier et préciser les détails. La simulation – comme la stimulation – devient de plus en plus réelle pour l'utilisateur.

— L'onironaute, suggère Narval en souriant.

— Si vous voulez. L'état de conscience initial n'a rien à voir avec le rêve. On ne dort pas. On est pleinement conscient.

— Mais on ne le reste sûrement pas », remarque Mari.

Moïra Müller se tourne vers elle, attentive.

« Que se passe-t-il quand la simulation, et la stimulation, devient trop réelle ? »

Moïra Müller hoche la tête comme si Mari venait elle-même de répondre à une question difficile : « Il y a un interrupteur que le sujet lui-même peut activer. Et d'autres, automatiques, des mécanismes de sécurité. D'abord, on peut prédéterminer la durée de l'expérience. Ensuite, dès que le niveau total de stress atteint un certain seuil – programmable aussi, dans certaines limites – la stimulation sensorielle cesse. L'ordi garde évidemment tout en mémoire, on peut revoir ce qui a précédé l'interruption, décider de poursuivre ou non, après avoir modifié les données ou non.

— Des scénarios à géométrie variable, c'est pour vous, ça, Astorias ! », fait Caroly en riant.

Moïra Müller n'a pas entièrement répondu à la question ; Mari insiste : « Le programme satisfait d'abord aux demandes délibérées et répond aux réactions physiques et physiologiques de l'utilisateur. Mais on a aussi des réactions involontaires. Jusqu'où cela peut-il aller, Moïra ? »

L'idée ne semblait pas avoir effleuré Narval, qui proteste presque : « On peut continuer tout du long à contrôler le processus, Stell. »

Moïra considère Mari comme si, encore une fois, elle évaluait sa souplesse mentale : « Narval a raison : on peut constamment refuser les modifications proposées par la matrice. » Elle semble réfléchir un moment, reprend avec plus de lenteur : « Mais vous n'avez pas tort, Stella. En interaction totale, le programme répond aux demandes de l'utilisateur telles qu'exprimées par les variations de l'activité neurophysiologique, par exemple. L'ordi matérialise ces demandes par des stimuli en constante évolution comme elles. L'utilisateur peut ainsi être amené à explorer des couches de plus en plus profondes de… ses fantaisies. »

Mari traduit de façon volontairement polémique, pour voir la réaction de l'autre : « Bref, on finit par tomber dans une transe profonde, plongé dans la contemplation béate de ses rêves exaucés. »

Moïra Müller la surprend par un vrai sourire amusé, presque un clin d'œil : « C'est une possibilité. Mais nos fantaisies, voyez-vous, ne sont pas toujours ce que nous croyons. Le plaisir que nous en retirons habituellement vient surtout du fait que ce sont des potentialités, non des actualités. Et leur réalisation n'est pas forcément une expérience propre à nous plonger dans la béatitude. Quant à la transe profonde, pensez plutôt aux états de conscience décrits par les mystiques.

— Une machine à illumination religieuse ? » s'exclame Caroly avec une horreur feinte.

« Il y a des possibilités certaines du côté de la contemplation. Mais je crois que le plus intéressant, ce sont les possibilités d'apprentissage et de création, d'apprentissage par la création. »

Et pendant un bref instant, une autre Moïra apparaît : intense, passionnée.

« Moïra est une prosélyte dans l'âme, en réalité. Et si on faisait une démonstration ? » remarque Narval avec un petit haussement de sourcils, écartant le sujet importun de son air le plus charmeur. Moïra Müller va pianoter sur la console, et l'écran mural s'illumine.

« Le prochain modèle sera à interface vocale, le cas échéant, mais pour l'instant j'ai préféré consacrer le maximum de capacité de traitement aux matrices. On remplit les cases vides avec les données choisies dans les sommaires : époque, lieu, personnages, décor, style… Il n'est pas nécessaire pour la matrice d'être très détaillée au départ, en fait : ce sont les réactions de l'utilisateur qui vont réellement la préciser. L'ordi dispose de matrices secondaires, formes, couleurs, sons, et il peut les modifier presque à l'infini pour répondre aux demandes de l'utilisateur. Prenons par exemple…

— Contemporain. Aventures spatiales. Deux personnages, un homme, une femme », propose aussitôt Narval. Puis, tourné vers Mari, l'air câlin : « On peut jouer à deux, Stell. Tu joues avec moi ? C'est mon anniversaire aussi. »

Ils se regardent un moment. Mari hésite entre l'irritation et la stupéfaction. C'est ça ? C'est pour l'amener là qu'il l'a manipulée toute la journée, en utilisant même Ari ? Pour la faire participer à une simulation électronique plus ou moins baroque ?

« Comment joue-t-on à deux ? » demande Caroly, peut-être pour combler le silence. « Ce doit être un peu différent ? »

Moïra Müller hoche la tête : « D'abord, on met le système sur DUO » – ce qu'elle fait d'un doigt rapide – « Une fois déterminée la matrice initiale, on détermine le mode de participation de chacun des utilisateurs. En interaction totale, vous êtes en circuit rétroactif avec votre programme de stimulation sensorielle et, dans une moindre mesure, avec celui de l'autre utilisateur. Vous percevez ses émotions – du moins l'ordi vous traduit-il ainsi ses réactions neurophysiologiques. Et il perçoit les vôtres. »

Elle fait une pause et, en captant son rapide coup d'œil, Mari voit bien que l'inventeuse a compris la situation, et avant elle. C'est cela que veut Narval, bien sûr, l'interaction totale : *je suis toi, tu es moi, enfin complets ensemble.*

Mari demande : « Interaction primaire, c'est quoi ? »

Narval, tout près de l'écran, ne se retourne pas pour la regarder. Peut-être est-ce le seul moment de véritable incertitude dans toute sa belle mise en scène… Peut-être a-t-elle réellement un choix ?

« Vous observez sur l'écran le déroulement du scénario élaboré par l'autre utilisateur, et vous pouvez faire des commentaires, des modifications, au fur et à mesure. L'ordi les transmet à l'autre sujet, qui y réagit comme à n'importe quelles données fournies par le programme, sauf, évidemment, que celles-ci viennent de l'extérieur et peuvent être très… contrariantes. Dans ce cas, seul l'utilisateur en interaction totale peut choisir de modifier ou non le scénario. L'interaction secondaire permet d'intervenir dans le scénario une fois qu'il a été élaboré par l'un ou l'autre, ou les deux. Dans ces deux cas, vous ne participez pas au circuit de rétroaction neurophysiologique. Vous voyez et entendez l'histoire comme un film, c'est tout.

— En interaction secondaire, on double l'ordi, en quelque sorte.

— Non. Le programme, lui, se contente de répondre aux réactions du sujet, d'harmoniser le plus étroitement possible l'offre et la demande, si vous voulez. »

Alors qu'un utilisateur en interaction secondaire peut s'employer à dissocier l'offre et la demande – en obligeant l'autre utilisateur à prendre en compte n'importe quelle modification du scénario… Mari se penche vers la console et tape : INTERACTION SECONDAIRE.

Narval ne réagit pas tout de suite. Elle ne voit que son profil tourné vers l'écran, en ombre chinoise. Il murmure, pour elle seule : « Ce n'est pas du jeu, Stell. »

Et, de nouveau stupéfaite de l'intensité de sa propre réaction, elle croise les bras pour se retenir de lui crier qu'elle ne veut pas de ses jeux, qu'ils ne sont plus des enfants, que c'est fini, fini ! Et en même temps, une petite voix lui demande : *Qu'est-ce qui est fini ? N'es-tu pas revenue ? N'es-tu pas avec Narval ?*

Il tape lui aussi INTERACTION SECONDAIRE.

Ce n'est certainement pas le scénario qu'il a dû préparer, mais aucun des invités ne s'en rendra compte – sauf peut-être Moïra Müller. Mais même l'inventeuse ne peut savoir à quel point cette ébauche de scénario ne concerne qu'eux deux.

Dans un vaisseau spatial de fantaisie, appelé le Ténébreux II, *vivent deux jeunes vagabonds de l'espace.*

(Le *Ténébreux I* est le bateau qu'ils ont construit, Narval et elle, à sept ou huit ans, une caisse inesthétique mais qui tenait l'eau. Ils en étaient ravis, surtout après avoir constaté l'horreur de leur gouvernante en les voyant flotter à quelques encablures du rivage.) *Le garçon se nomme Stephen et la fille Ethel.* (Des prénoms que seuls connaissent leurs parents et l'état civil : ils s'en sont choisi d'autres à peu près à la même époque où ils ont construit le *Ténébreux I*). *Stephen passe son temps à observer les étoiles avec une énorme et anachronique longue vue.*

« Ah-HA, Narval ! » fait quand même Sandra, une de leurs amies d'adolescence qui a connu cette passion de Narval pour l'astronomie. (Les nuits entières à guetter une ouverture dans les nuages, et les collections de films et de photos, et les projets grandioses pour quand ils seraient dans Lagrange 5. Et les années d'études à l'Institut, en Australie, et l'avis laconique les informant qu'ils n'étaient pas admissibles.)

Ethel fabrique des automates quasi vivants, chats miniatures, dragons, hommes volants. (Son vieux rêve à elle, créer de la matière synthétique vivante, les histoires qu'elle racontait à Narval, serrée contre lui dans le *Ténébreux I* interdit de navigation et reconverti en mini caverne.) *Dans la salle de loisir se trouve un armillaire enclos dans un globe transparent, un modèle du système solaire, des sphères de pierres précieuses éternellement enchaînées dans leur mouvement fixe.* (Ils ont passé des heures tous les deux à perfectionner le dessin de cet armillaire, une lubie de Narval ; non seulement pour en rendre l'aspect extérieur, les diverses configurations astronomiques des sphères, mais aussi l'intérieur, tous les mécanismes. Des pages et des pages de plans minutieux, des semaines de travail. "Et tu sais, un jour, je le ferai fabriquer, et je te l'offrirai." Il a tout brûlé après leur rejet par le comité de sélection des Lagranges.)

Les images ont une qualité hypnotique : très nettes, surréelles et en même temps curieusement fragiles. Une fois choisie la matrice initiale, les matrices secondaires permettent de mettre plus précisément en place chaque élément. On en tape le nom et on garde le doigt sur la touche SCAN jusqu'à ce que l'image, à l'écran, corresponde à ce qu'on désire voir. La machine accomplit les permutations trop rapidement pour permettre à l'œil de percevoir séparément chaque opération, mais on voit l'image se métamorphoser, étrangement plastique, comme dessinée sur de l'eau. Les premières images ont été saluées par des commentaires amusés, mais tout le monde a fini par se taire, fasciné.

Pourquoi Mari est-elle si irritée ? Parce qu'elle est fascinée aussi, malgré elle ? Parce qu'elle sent la résonance en elle de ces images, parce qu'elle en comprend trop bien le message, et comme elles la poussent encore dans cette pente qui aboutit, inévitablement, à Narval ?

« À toi, Stell, tu n'as encore rien fait ! » dit-il en se tournant vers elle.

Prise au dépourvu, elle examine la scène qui se déroule sur l'écran, pour se donner le temps de réfléchir. Le garçon regarde dans sa longue-vue, la fille joue avec les créatures qu'elle a créées, les sphères de l'armillaire tournent. L'armillaire... elle ne se le rappelle pas exactement ainsi. Un instant, elle entre presque dans le jeu, tape la lettre A d'armillaire. Mais, comme doués d'une volonté propre, ses doigts tapent ensuite : *ATTAQUE DE PIRATES*.

Puis, comme si ces mots avaient ouvert une brèche dans une digue insoupçonnée, elle esquisse rapidement un scénario : *des pirates attaquent le* Ténébreux I *et l'obligent à se poser sur Terre, où il tombe dans le désert, Ethel et Stephen sont contraints de le quitter, sans vivres et sans eau, et sont secourus par des Touaregs bleus…*

« Mais ce n'est plus du tout la même chose ! proteste Narval. Il faut collaborer, au moins, sinon on ne peut pas jouer ! »

Elle se retient de répliquer : Eh bien, ne jouons pas, alors ! Mais une lourde lassitude l'a envahie. À quoi bon lui résister ainsi ? Il s'est donné tellement de mal. Il l'aime. Et elle, elle se conduit comme une petite fille capricieuse qui n'est jamais contente de rien – et elle ne comprend même pas vraiment pourquoi. Elle se force à sourire : « Eh bien, tu peux collaborer avec moi, toi… »

Un bref, très bref instant, elle croit qu'il va laisser transparaître quelque chose – de la déception, du reproche, de la colère, même. La machine a commencé à répondre à la demande, une alarme se met à résonner dans le *Ténébreux I*, le garçon et la fille courent vers le poste de commande. Narval tape VAISSEAU PIRATE et se met immédiatement à transformer le vaisseau spatial proposé par l'ordi en un archaïque galion espagnol, avec sirène en proue, canons, voiles gonflées et, claquant au plus haut mât, le drapeau à tête de mort. Tout le monde se met à rire. Narval a repris les commandes, il a une réputation à défendre, il ne va pas laisser démolir sa soirée (mais elle n'avait rien voulu démolir ?). Après la séquence de l'attaque, tout le monde se met de la partie, faisant des suggestions bouffonnes que Narval adapte avec brio. Mari s'est mise un peu en retrait, et lui aussi, au bout d'un moment, laisse sa place à Astorias qui veut essayer – comme tout le monde. Mari s'éloigne vers le buffet, il la suit.

« Eh bien, cet… oniroscope est un succès », dit-il en la rejoignant. Il verse du champagne dans deux coupes, lui en tend une en la regardant droit dans les yeux : « Bon anniversaire, Stell. »

Elle boit sans répondre.

◆

Après le départ des derniers invités, tard dans la nuit, Narval revient sur la terrasse ; machinalement, elle le suit. Contre la falaise, invisible, la mer continue son patient travail de sape. Le ciel semble vouloir se dégager au sud, un pan de nuit bleu marine où scintillent quelques étoiles, bientôt éclipsées par le dévoilement de la lune, croissante ou décroissante, mais lumineuse et mouvante, à contre-course des nuages. Narval contemple le croissant doré, la tête rejetée en arrière, et tout à coup Mari a envie de pleurer. Toutes ces nuits où ils se glissaient dehors pour observer le ciel ensemble, il n'y avait pas si longtemps – et maintenant Narval lui paraît tellement loin !

L'a-t-elle blessé en refusant de jouer avec lui ? Il ne le mérite pas. Il a fait tout son possible, c'est elle qui ne va pas. Elle n'a que lui au monde, il est la seule réalité, la seule certitude, et elle lui a fait de la peine. Elle passe ses bras autour de la taille de Narval, appuie sa tête contre son dos : « Narval, je suis désolée, je ne sais pas ce qui m'a pris, j'étais fatiguée. »

Comme il se retourne vite entre ses bras pour la serrer contre lui, lui caresser les cheveux, le visage ! « Tu n'es rentrée qu'hier, c'est normal, tu as perdu l'habitude. Il y avait encore trop de monde. Mais j'étais obligé, tu comprends, n'est-ce pas ? » Sa bouche effleure la sienne : « Viens, allons nous coucher. Je vais te faire un massage. Tu te rappelles ? »

Elle se rappelle trop bien. Elle se laisse entraîner dans sa chambre en essayant d'ignorer la petite étincelle d'appréhension qui vient de s'allumer en elle, toute prête à se transformer de nouveau en irritation. Il ne va sûrement pas… Pas ce soir, sûrement !

Mais ce n'est pas l'irritation qui surgit en premier, lorsqu'elle sent le massage se transformer en caresses, et le baiser de Narval effleurer sa nuque. L'incrédulité, d'abord, et une sorte de scandale : encore une erreur ? ! Peut-il se tromper à ce point ? (Sont-ils vraiment si loin l'un de l'autre ?) Elle roule sur le côté pour lui échapper : « Je suis fatiguée, Narval. » Mais c'est sa propre lâcheté qui l'irrite alors.

Et le sourire complice, amusé, assuré, de Narval, ensuite : « Mais tu en as envie. »

Et c'est vrai, elle a envie de faire l'amour, oh, il lit son corps comme un livre ouvert – son corps, sa surface. Mais à l'intérieur…

« Ce n'est peut-être pas de toi que j'ai envie. »

Elle n'avait pas l'intention d'être aussi agressive. Trop tard, c'est dit. Narval reste gracieusement appuyé sur un coude sans bouger, mais elle l'a bien senti devenir soudain plus dense, plus sombre. Sa voix est pourtant empreinte d'indulgence amusée lorsqu'il dit : « Exclusivement des grands blonds dorés, maintenant ? »

Elle se mord les lèvres pour ne pas répliquer, mais il continue déjà : « Le bel Ari, l'Homme de l'Espace, le Premier-né des Lagranges… Tu sais, ça ne déteint pas.

— Qu'est-ce que tu veux dire ?

— Oh, voyons, Stell, tu sais bien.

— Non ! »

Il pousse un soupir et s'étend de tout son long dans le lit, les mains sous la nuque « Stell, ma douce, vivre chez les Pionniers ne t'a pas réussi, alors. C'est si évident, voyons. Tu es allée au Nouveau-Sahara après notre rejet par les Lagranges. Et là, qui rencontres-tu ? Le premier citoyen à part entière de Lagrange 5. L'Espace par procuration, en quelque sorte. Mais toute son influence ne réussira jamais à te faire admettre là-haut, tu sais. »

Elle reste un moment interdite, puis réussit à dire d'une voix étranglée : « Je ne lui ai jamais demandé. Je n'y ai même pas pensé !

— Vraiment ? »

Pas d'intonation de défi ironique dans cette question, c'est l'ancien Narval, celui qu'elle connaît si bien, son jumeau, son autre soi-même. Il l'invite honnêtement à s'interroger, à se connaître, comme autrefois. Et tout à coup elle n'est plus aussi sûre de ce qu'elle a pensé, de ce qu'elle a ressenti avec Ari. Se peut-il… ? Narval se redresse et se penche vers elle, tendre et attentif : « Tu es fatiguée, nous le sommes tous les deux. Viens là, essayons juste de dormir un peu avant qu'il fasse jour. »

Elle se blottit contre lui, résignée. Le souffle de Narval, le grain de sa peau, son odeur, et déjà elle oublie le goût et la texture d'Ari. Pour les empêcher de se dissoudre, pour se racheter, pour se défendre (de quoi ?), elle murmure : « Tu sais, je ne crois pas que ç'ait été ça, pour Ari. » Sa voix lui parvient de loin, déjà un peu endormie si son cerveau veille encore. « J'ai mis une croix sur les Lagranges. Et puis d'abord… » – elle sourit contre son épaule, attendrie au souvenir de leurs promesses enfantines – « Qu'est-ce que j'y aurais fait sans toi ? C'était toi et moi, tu te rappelles ? Ou personne. »

Il reste un moment silencieux, et elle croit qu'il s'endort, mais il reprend : « Si Seiberg t'avait proposé d'aller là-haut, tu aurais refusé ? »

Ari ne l'aurait pas proposé. Lui-même n'était pas sûr de vouloir jamais retourner dans Lagrange 5. Mais il y a une inflexion si enfantine, si nue dans la voix de Narval qu'elle lui embrasse l'épaule en disant : « Oui. » Tout est effacé, ils sont ensemble de nouveau. Il se détend contre elle, en murmurant "Ah", un souffle satisfait. Puis, au bout d'un moment, d'une voix que la montée du sommeil entrecoupe : « Si tu avais été admise. Et pas moi. Tu serais restée ? »

Comme il a besoin d'être rassuré ! C'est une question un peu académique, maintenant (mais une petite partie de Mari se félicite de n'avoir pas eu à y répondre deux ans plus tôt). Elle peut bien répondre encore : « Oui. »

Encore le souffle rassuré – triomphant ? « Ah. Savais bien… Raison. De le faire. »

La formulation la retient au bord de la somnolence ; sent-elle que Narval a déjà passé cette frontière, qu'il parle pour ainsi dire déjà dans son sommeil, qu'il se fait à lui-même un aveu qu'elle ne devrait pas entendre ? « Faire quoi, Narval ?

— Résultats. Changés. Tu passais. Pas moi. »

QUOI ?

Au sursaut de Narval, elle comprend qu'elle a crié. Il répète d'une voix égarée, en se redressant : « Quoi ? Qu'est-ce qu'il y a ?

— Quels résultats changés ? Les tests pour Lagrange ? Je passais ? Qui a changé les résultats ? Toi ? » Tout en parlant, elle cherche l'interrupteur de la lampe, la lumière éclabousse brusquement Narval. « Tu as falsifié les résultats de mes tests ? Comment ? Réponds ! »

Il la regarde en clignant des yeux, n'essaie même pas de nier – pourquoi le ferait-il ? Il est si sûr d'avoir eu raison ! « J'ai réussi à avoir accès aux fichiers du comité de sélection. Je voulais savoir, c'était trop long d'attendre. Kito m'a aidé, ça l'amusait, je n'aurais pas pu sans lui. Après, on a modifié tes résultats. » Son visage change, une inflexion un peu plaintive se glisse dans sa voix : « Mais tu ne serais pas partie, de toute façon, tu viens de le dire ! Toi et moi, ou personne. Oui ?

— Tu aurais pu changer *tes* résultats. »

Mari reste interdite : c'est sa voix, ce grondement rauque ? Ce corps qui tremble, glacé de rage, noué de fureur : son corps ? Et elle quelque part ailleurs, stupéfaite, effrayée de cette vague déchaînée.

Narval tend vers elle une main implorante, maladroite : « Mais tu viens de le dire, tu viens de dire…

— *Tu n'avais pas le droit de choisir à ma place !* »

Son corps est debout près du lit et presque instantanément près du fauteuil où se trouvent ses vêtements, et la main sur la poignée de la porte pourrait arracher, pulvériser, au lieu d'ouvrir.

« Stell…

— *Je m'appelle Mari !* »

◆

Vers la fin de la matinée, elle revient à la villa prendre ses affaires. Elle va s'installer à l'hôtel n'importe où. Plus tard, Narval essaiera de se faire pardonner, d'expliquer, elle le sait bien – et elle l'écoutera, sans indulgence, mais elle est quand même capable de l'écouter ; sa première réaction était compréhensible : la fatigue, le choc… Elle est toujours furieuse, mais elle se l'est expliqué, c'est moins effrayant maintenant que cet irrésistible raz-de-marée sur le coup.

La villa est silencieuse. Sans doute Narval a-t-il ordonné qu'on ne vienne pas nettoyer avant l'après-midi, le temps de récupérer : tout est resté dans l'état de la veille. Dans sa propre chambre à l'étage, Mari bourre ses valises, l'oreille tendue (et s'il est là derrière elle, appuyé au chambranle de la porte, quand elle se retournera?). Elle les porte dans l'entrée. Toujours pas de Narval. Où se terre-t-il? Est-il parti, pour éviter l'affrontement – qu'elle croyait ne pas désirer, mais dont elle sent bien maintenant qu'elle est frustrée? Il ne se trouve pas non plus sur la terrasse. Elle redescend. Dans la luminescence moirée de la piscine, le sous-sol paraît désert parmi les débris de la réception, d'un silence exagéré, presque théâtral. Narval va-t-il surgir soudain, le visage défait, prêt pour la performance de sa vie?

Et puis elle voit que, dans la salle de l'oniroscope, l'écran est resté allumé – vide, mais animé par la danse aléatoire de l'électronique laissée à elle-même. Elle s'approche pour l'éteindre.

Sous la coque refermée d'une des couches, les contours d'un corps nu.

Immédiatement exaspérée, elle enfonce la touche d'ouverture. Puis, plus irritée encore, elle se dit qu'il aurait sans doute mieux valu passer par la console pour contacter Narval.

La coque ne bouge pas.

Si pâle sous les cheveux noirs. Respire-t-il? Mari agrippe le rebord de la couche. *Qu'est-ce qu'il a fait?* En transe. Depuis quand? Le sortir de là. Non, la console, passer par la console, bien sûr.

La console ne répond pas.

◆

« Interaction totale », dit Moïra Müller en se retournant vers Mari, après s'être relevée. « Il a déprogrammé tous les interrupteurs, toutes les sécurités.

Tout bloqué, sauf la deuxième unité. On ne peut pas arrêter la simulation de l'extérieur.

— Couper le courant, le sortir de la coque ?

— Il a dépassé la transe profonde, il est presque dans le coma. Il y resterait. Impossible de savoir quels dommages il a pu subir, s'il en a subi. On pourrait seulement les réparer depuis la simulation elle-même, le cas échéant.

— Mais on ne peut pas utiliser la console ! »

Moïra se laisse tomber sur le tabouret qu'elle a tiré près de la machine, se passe une main sur la figure : « Il a laissé une voie d'accès. » Calme, la voix, une constatation ; presque comme si elle l'avait prévu.

Pourquoi n'y a-t-il d'autre réponse que la colère ? De nouveau, le ressac brûlant submerge Mari, la laissant sans force. Puis, par bribes, elle recommence à penser. L'autre couche. Interaction totale. Il lui force la main, encore ! Elle s'oblige à répéter posément : « Comment ? » Elle sait ce que va répondre Moïra Müller, mais énoncé par elle cela n'aura plus le même sens, ce sera quelque chose de raisonnable, de nécessaire, pas cette intolérable contrainte, ce… ce viol !

« En entrant dans la simulation, en l'infléchissant, il doit être possible de le ramener petit à petit. Surtout s'il veut être ramené. Il ne reste que l'interaction totale, mais c'est aussi bien, ne serait-ce que pour contrôler les éventuels dommages.

— Quels dommages, à la fin ? Vous avez plutôt évité le sujet, hier. »

Moïra Müller hausse un peu les épaules. Évidemment, elle a évité le sujet : une fête, un cadeau d'anniversaire, un jeu. Elle regarde un moment dans le vide, les sourcils froncés : « Il y a… un continuum corps-esprit. L'effet placebo existe. On a fait des expériences au XIXe siècle, avec des hystériques sous hypnose. On leur suggérait qu'on leur brûlait la main, leur peau se couvrait de cloques presque instantanément. Les stigmatisés, aussi… »

Son regard se fixe sur Mari, dont elle doit constater l'expression perplexe, car elle secoue un peu la tête en soupirant : « Bref. Vous n'en avez jamais entendu parler, je sais. Mais croyez-moi sur parole, je l'ai constaté moi-même en testant la machine. Il existe en chacun de nous des inhibiteurs de cette rétroaction corps-esprit, sinon ce serait le chaos. Mais dans certains cas, ces inhibiteurs… peuvent être neutralisés. Compte tenu du fonctionnement du simulateur en interaction totale, et sans les mécanismes de sécurité… C'est ce qui se passe. Si on est blessé dans la simulation, on peut parfois l'être réellement.

— Et mourir si on y meurt ?

— Peut-être. » Elle a un petit sourire tordu : « Je n'ai évidemment pas poussé le test jusque-là. En tout cas, dans l'état de transe profonde où se trouve Nerval, la simulation peut produire des effets somatiques immédiats, durables et dangereux. »

Mari contemple la machine, soudain glacée : « Pour moi aussi ? »

Moïra Müller reste silencieuse un moment : « Vous serez en interaction totale aussi », remarque-t-elle enfin. Elle esquisse son petit sourire en biais, peut-être seulement embarrassé : « Mais votre frère veut qu'on aille le chercher, de toute évidence. Pensez-vous qu'il puisse arriver quoi que ce soit de grave sur ce plan… si c'est vous qui y allez ? »

Jusqu'à quel point cette femme comprend-elle ce qui se passe entre eux, qu'en sait-elle exactement ? Mari écarte cette pensée en haussant les épaules avec violence. « Évidemment non ! Mais un accident… »

Moïra Müller hoche la tête d'un air préoccupé : « C'est pour cela qu'il faudra être très attentive et prête à tout. Dans ces simulations, le corps est l'esprit, et inversement. N'importe quoi peut être ce corps-esprit, n'importe quel détail du décor.

— Mais comment se préparer à… n'importe quoi ?»

Le regard de Moïra Müller se perd de nouveau dans le lointain : «Oh, ce ne sera pas n'importe quoi.» Elle a encore ce drôle de petit sourire tordu, en murmurant plus bas : «Même s'il y a des fois où un cigare est un cigare, comme l'a si bien dit Freud.

— Qui ?»

L'autre soupire de nouveau : «Freud, un… médecin aliéniste de la fin du XIXᵉ siècle, lui aussi. Il avait des théories intéressantes sur la nature de la conscience, et en particulier celle des rêves. Une de ses patientes l'a abattu d'un coup de pistolet très tôt dans sa carrière, malheureusement. En tout cas, rappelez-vous que, dans ma machine, on est ce qu'on croit être. Ce qu'on craint comme ce qu'on désire. Et tout le reste peut le devenir. De surcroît, en interaction totale, les projections de chacun sont un matériau susceptible d'être manipulé par l'autre joueur. N'intervenez pas tout de suite, attendez. S'il vous en laisse la possibilité, repérez-vous, goûtez l'atmosphère, acclimatez-vous. Laissez Narval venir à vous, si c'est possible. Sinon, ne le brusquez pas. Même s'il sera sans doute prêt pour vous, même s'il a un avantage au départ, vous devez rester calme, en observant bien ce qui se présentera : vous pourrez sûrement y trouver des failles, des points de moindre résistance par où vous infiltrer et modifier les simulations.»

Mari a l'impression que des insectes lui courent sous la peau, elle frotte ses bras nus. «Mais si…» Elle a envie de dire "s'il est le plus fort", évite : «… s'il arrive quelque chose, si je me retrouve coincée là-dedans avec lui ?»

Moïra Müller la dévisage longuement : « Avez-vous une raison de penser que c'est ce que votre frère désire ? »

Mari se sent glacée. Un piège que lui tendrait Narval ? Non. Non, ce n'est pas possible !

Sans attendre sa réponse, Moïra Müller semble prendre une décision : « Je peux connecter un de mes casques d'essai au deuxième module de simulation, le vôtre. Être là comme moniteur. Ça ne remplacera pas les sécurités, mais ça peut offrir une certaine mesure de protection.

— Si vous êtes là, ne pourriez-vous…

— Je ne pourrai pas faire grand-chose et je devrai être très discrète. D'abord parce que je serai en inter-action extrêmement secondaire dans vos scénarios depuis l'extérieur, et ensuite… si Narval vous croit seule avec lui, cela vous confère un avantage, non ? »

Mari acquiesce, accablée. « Comment vous reconnaîtrai-je, alors ?

— Je devrai me fondre dans les simulations que Narval et vous produirez. Mais avec un peu d'attention, vous me reconnaîtrez, je vous le promets. »

Mari laisse le sens de ces paroles couler dans l'eau pesante et inerte de sa conscience puis, avec un effort, elle demande : « Combien de temps… les connexions ? Il ne va pas… se dégrader ?

— Il est là-dedans depuis environ dix heures. En interaction totale, sans sécurités… » Moïra Müller se mordille les lèvres d'un air songeur. « Mais il veut qu'on vienne le sortir de là, c'est l'hypothèse la plus vraisemblable. Je dirais qu'il doit s'être mis en stase, dans une sorte de boucle.

— Vous diriez. Vous avez essayé ? Vous l'avez fait ? Vous aviez prévu ça ? »

À peine des interrogations, à peine de la colère, Mari n'en a plus la force à présent, elle se sent hébétée devant l'inévitable. Moïra Müller se lève ; son calme à elle ne semble pas être aussi abattu : « Pas vraiment. J'avais prévu des procédures d'urgence en cas d'avaries diverses – on ne construit pas une machine comme celle-ci sans prévoir une porte dérobée. »

Elle caresse la coque de la deuxième couche d'un air absent, puis ses lèvres s'étirent en un sourire ironique : « Je n'ai pas voulu cela. Le cri de tous les inventeurs trahis, n'est-ce pas ? » Elle se secoue en prenant une grande inspiration : « J'en aurai pour deux heures environ. »

◆

Mari ouvre les yeux et sourit : le parfum d'orange qui l'a réveillée ne flottait pas seulement dans son rêve. Narval, nu, étendu sur le lit près d'elle en appui sur un coude, répond à son sourire tout en finissant d'éplucher le fruit odorant. Il le sépare en deux moitiés égales, lui en tend une : « Vacances, je sais, mais il ne faudrait quand même pas exagérer. Il est presque midi. »

Elle s'étire de tout son long en agrippant les montants du lit au-dessus de sa tête, torse arc-bouté. Narval se penche et pose la demi-orange dans le creux de ses côtes, sous ses seins. « Pas d'invites lascives, je vous prie ! Tu voulais faire de la voile. Debout ! »

Elle lui fait une grimace et mord dans un quartier d'orange qu'elle écrase ensuite entre sa langue et son palais pour le sucer comme un bonbon, en plissant un peu les yeux de plaisir. Son regard va à la fenêtre ouverte à deux battants sur la terrasse et le lacis des feuilles exactement dessinées dans la luminosité parfaite du ciel d'été. Vacances, oui, enfin, après tous ces mois de vertueuses études à l'Institut. Pas d'emploi du temps, le règne du seul caprice, de la fantaisie – et, avec Narval, la certitude de merveilleuses ou amusantes surprises en compagnie de leurs amis. Mais d'abord, comme chaque début de vacances, une semaine rien que pour eux deux, nager, paresser, se promener à cheval dans l'arrière-pays, faire l'amour, marcher sans rien dire, ou en discutant à l'infini de tout et de rien…

Un miaulement, le choc léger et doux quand les petites pattes chaudes atterrissent sur son ventre, et la boule de fourrure duveteuse oblitère le décor tandis que la chatonne s'installe sur la poitrine de Mari, tout près de son visage, en ronronnant avec une conviction qui la fait éclater de rire. Elle ébouriffe la collerette du petit animal et pose son nez sur le sien : «Ah non, on ne va pas faire de la voile, Déméter ne veut pas!»

Narval s'est redressé, les sourcils froncés.

«Quel nom idiot pour une chatte», dit-il enfin, sur un ton bizarre.

Pourquoi bizarre? Il devrait rire, faire semblant d'être contrarié. Ou même être vraiment contrarié. Mais il a parlé avec une sorte de lenteur… calculatrice. Qu'y a-t-il? Il n'aime pas Déméter? Il est jaloux? Mari pouffe de rire en soulevant la chatonne à bout de bras et souffle sur le poil un peu ondulé de son ventre blanc. Mais c'est vrai, c'est un drôle de nom pour une chatte. Mari a soudain une vision extrêmement claire d'un livre de contes grecs, on le lui a offert à Noël l'année de ses treize ans – qui donc, déjà? Une rareté coûteuse, ce gros vieux livre à la tranche dorée, avec ses gravures tarabiscotées – mais toutes ces histoires fascinantes, violentes, amours, vengeances, affrontements dont le sens semble toujours se dérober au moment où l'on croit le percevoir… Déméter. La mère de Coré-Perséphone qu'a traîtreusement enlevée le dieu des enfers, et qui essaie de l'en délivrer. Blanche et noire, Déméter, car elle refuse de rien laisser pousser sur la terre tant que sa fille ne lui sera pas rendue. «Une mère tigresse», avait conclu Moïra en souriant, après avoir ouvert le livre au hasard pour tomber sur cette histoire et la lire à haute voix. Voilà, c'était Moïra qui lui avait offert ce livre !

Moïra.

Mari se fige, glacée, le souffle coupé, les yeux dans les yeux dorés de la chatte qui cligne des paupières, lentement – délibérément ?

«Alors, on y va ou non ?» demande Narval en se léchant les doigts après son dernier quartier d'orange.

Mari pose la chatte sur le lit. Interaction totale. Narval ne peut-il entendre les battements désordonnés de son cœur ? Se doute-t-il… ?

Elle prend une grande inspiration. « Oui, Narval, allons-nous-en. Sortons de là, veux-tu ? Je ne suis pas fâchée, je t'assure. Retournons à la maison, Narval. » Elle entend la note plaintive et suppliante dans sa voix, n'en est même pas furieuse : elle n'éprouve que de la panique. Tout était si… réel. Elle n'est même pas sûre de n'être pas en train de rêver qu'elle rêve.

Narval la regarde fixement.

◆

Ça devrait sentir la mer – une mer évanouie depuis des dizaines de milliers d'années sous les sables du Sahara. Les facettes des cristaux salins qui tapissent les moindres recoins des parois répercutent sans fin le faisceau de la torche, myriades de pointillés tremblants. Ce qu'on éprouverait, peut-être, enfermé à l'intérieur d'un diamant ? Le conduit est assez haut dans cette section, mais il s'abaisse à l'autre extrémité en replis tortueux. Après la première réaction d'émerveillement,

Narval reprend sa route, obstiné. Le souffle d'air tiède lui dit que c'est le bon chemin. Il rampera s'il le faut.

Il le faut bientôt. D'abord à quatre pattes, puis presque à plat ventre, la torche entre les dents, coudes et genoux meurtris. Brûlures tranchantes : les arêtes des cristaux blessent la peau nue de ses épaules, de ses mollets, se prenant parfois dans l'étoffe de son pagne. Le souffle court, luttant contre sa terreur, il continue d'avancer. Le courant d'air tiède est toujours là, qui l'appelle.

Et se précise, tandis que les parois s'écartent et disparaissent, qu'il se redresse lui-même et peut de nouveau marcher comme un homme, debout, et, dans l'énorme obscurité de l'ultime caverne, lever le bras qui tient la torche à la flamme vacillante…

Il n'avait pas une lampe électrique tout à l'heure ?

Minuscule, presque perdue dans les ténèbres, la lueur de la torche éclaire à peine Narval. Il s'avance, et bientôt la flamme dessine en contrebas la berge d'un fleuve aux eaux huileuses et lentes. Narval attend, le bras toujours levé. Bientôt, une forme se dessine aux confins de la sphère délimitée par la lumière : une large barque noire, qui se dirige vers lui, sans voile, sans rames. À l'arrière de l'embarcation se devine peu à peu une silhouette immobile, dissimulée dans une grande cape au capuchon relevé.

La barque vient buter sur la rive contre laquelle elle se range. Narval ne bouge pas. Le nautonier invisible sous son capuchon ne bouge pas non plus, mais doit l'observer, car s'élève enfin une voix grave et éraillée, celle d'un être qui ne parle pas souvent : «Tu ne peux pas traverser.

— Je le dois.»

Un silence.

« Sais-tu ce qui se trouve de l'autre côté ? reprend la voix rauque.

— Mon étoile, qu'on m'a prise. »

Un autre silence.

« Que me donneras-tu ? »

Narval va ficher sa torche dans la proue de la barque puis revient prendre sa lyre posée à terre et en effleure les cordes. Une mélopée s'élève, bouleversante de nostalgie, de passion, de désir.

Il avait une lyre ?

Le nautonier s'est redressé dans sa barque. Son regard soudain brûlant est rivé sur Narval, deux points rouges dans la noirceur de la capuche.

« Monte, dit-il d'une voix brève, et ne cesse pas de jouer. »

La barque ne s'enfonce pas sous le poids de Narval quand il s'assied en face du nautonier tout en jouant. Elle se détache aussitôt de la rive et s'enfonce rapidement dans les ténèbres, illuminée par la torche dont la flamme semble se confondre avec les volutes de la musique.

Depuis quand joue-t-il de la lyre ?

Chaud. Il fait tellement chaud. Chaque souffle est une torture. Mari halète, à demi étendue sur les marches menant au trône. Elle sent la sueur qui lui coule au creux des reins sous la soie détrempée de sa tunique, entre les seins, sur le visage, irritante – elle lève machinalement les mains pour s'essuyer la joue, entend le cliquetis du métal tandis que son mouvement est presque aussitôt entravé. Elle s'affaisse un peu sur elle-même en se rappelant les chaînes. Captive. Condamnée à ne jamais revoir le jour, l'embrasement du soleil sur la mer, et Narval, debout à la proue de leur navire…

Mais il est là, Narval, maculé de terre et de sang, dressé devant le trône d'or rouge, sa crinière noire en désordre. De sa lyre s'échappent des accents déchirants. Entre les colonnes de la vaste salle d'audience règne un silence absolu. Immobiles, telle une fresque haute en couleur, tous ont les yeux rivés sur le musicien : dames et seigneurs de la cour infernale dans leurs sombres livrées étincelantes et, se pressant aux entrées sur tout le pourtour de la salle, bourreaux et damnés unis pour une fois dans la beauté et non dans l'horreur.

La musique se tait. Nul ne bouge. Osant à peine respirer, Mari tourne son regard vers le monarque des enfers. Il est assis, immobile lui aussi. Ses mains étreignent les accoudoirs massifs de son trône, sa tête blonde est ployée, ses yeux fermés. Sa peau couleur de miel est parcourue de frissons. Il redresse lentement la tête, et ses paupières découvrent ses iris couleur de saphir.

Ari ?

Il fait un geste en direction de Mari. Les chaînes tombent sur les marches de marbre noir, avec un son argentin.

« Va, dit-il dans un souffle. Comment pourrais-je jamais t'offrir une telle beauté, et un tel amour ? »

Ari ?

Mari se lève avec maladresse, hésitante. Elle regarde Narval qui la contemple, illuminé de joie, puis ses yeux parcourent la foule des assistants figés dans des poses d'extase. Qui cherche-t-elle ? Pourquoi cherche-t-elle ? Seul devrait l'occuper Narval, venu la délivrer.

Elle se retourne vers la haute silhouette du roi des enfers, mais il a fermé les yeux de nouveau, la nuque appuyée au dossier de son trône. Un grand chien est maintenant couché à ses pieds, si noir qu'on ne distingue aucun détail de sa silhouette, découpure de nuit. D'un geste distrait, le roi caresse la tête de la créature. Une de ses têtes. Elle en a trois, attachées à un cou serpentin qu'entoure un collier de lourdes perles d'ivoire. La tête de droite, aux yeux clos, se tend sous la caresse ; la tête de gauche, indifférente, lèche une des pattes étendues. Les yeux dorés de la tête du centre sont fixés sur Mari. Sur le front, juste au-dessus, comme sur la tête de certains chevaux, presque lumineux par contraste, un diamant de poils d'un blanc neigeux.

Moïra !

Les paupières de la tête tournée vers Mari battent une fois, lentement, délibérément.

Mari entend Narval s'avancer vers elle, sent sa main fraîche sur son épaule.

« Viens, Stella », dit la voix aimée, familière, haïe. « Nous pourrons être ensemble, maintenant. »

Sans bouger, elle contemple le visage du roi des enfers, étonnée, satisfaite, de sentir la fureur qui point en elle. Ari. Ouvre les yeux, Ari.

Les yeux de saphir s'entrouvrent avec lenteur, comme à regret, se fixent sur elle.

Elle pourrait les faire étinceler d'amour et de désir, ces yeux, elle le sait soudain avec certitude. Elle pourrait… Ici, elle peut…

Jouer avec Narval. Comme Narval.

Mais elle comprend si bien, maintenant, elle doit enfin l'admettre pour de bon : Ari n'y est pour rien. Un prétexte, un symptôme, Ari. Et elle croyait s'être échappée ! Mais c'était entre Narval et elle que cela se passait, que cela se passe toujours.

Elle répond enfin à Narval, mais c'est une protestation : « Non ! » Et à mesure qu'elle se retourne, parce qu'elle se retourne, la salle aux lambris écarlates s'efface, les colonnes disparaissent, et les dames aux ténébreux atours et les seigneurs aux traits ciselés de

statue. Aux portes, bourreaux et victimes se dis-
solvent dans un brouillard laiteux qui vire presque
aussitôt au noir, un noir piqué d'éclats fixes de l'autre
côté de baies transparentes. Mari, le cœur brûlant de
rage et de chagrin, s'approche et, bras en croix, se
plaque contre la paroi pour contempler l'Espace à
jamais perdu.

◆

Un homme nu est couché sur le dos au bord d'un
petit étang sous les saules, dans la nuit. Au-dessus de
l'étang, le ciel est un souffle d'étoiles où flotte la
luminosité nourricière de la Voie lactée.

Appuyée au tronc du plus grand saule, à quelque
distance, Mari ne bouge pas. Elle sait qui est cet
homme. Il a renoncé à une partie de ses illusions, ou
bien elle est désormais aussi forte que lui : pour la
première fois, elle sait aussi où elle se trouve et qui
elle est vraiment. Qu'il ne l'appelle pas Stella ici ! Qu'il
n'essaie pas de plaider avec elle !

Soudain, la lune pleine jaillit à l'orient, qui éteindra
bientôt les astres. Quelque part dans les collines envi-
ronnantes montent aussi des bouffées de musique et
des cris exultants : on chante, on danse, un festival
bat son plein. Des stridulations de cigales raient la
pénombre chaude où, à travers le parfum des asphodèles, s'exaspèrent des senteurs de menthe et de résine.

L'homme s'est redressé, mais il ne semble pas
conscient de la présence de Mari. Il regarde la lune
s'arracher à la cage des arbres puis, quand elle est
assez haute, il se retourne sur le ventre et se penche
au-dessus de l'eau immobile où se dessine son propre
reflet. Il retient son souffle et, avec lenteur, il baisse
la tête jusqu'à ce que ses lèvres touchent la surface

de l'eau. Le reflet se brise. L'homme se redresse, en appui sur les coudes, le menton dans les mains, les yeux rivés sur les ondulations liquides qui se diffusent peu à peu en se perdant à la surface de l'étang, déformant la lune en éclats. Lorsque l'étang a retrouvé son calme, l'homme recommence son manège.

La lune monte toujours, énorme et blême au-dessus des collines où résonne la fête sauvage.

Mari s'approche d'un pas vif que la mousse rend muet. Elle parle – elle peut bien faire cette concession : « Narval ! »

Il ne se retourne pas. Il doit pourtant bien savoir qu'elle est là. Il se penche de nouveau vers le miroir sombre.

Ce n'est pas le visage de Narval. C'est son visage à elle. Qui se déforme et s'enfuit au large de l'étang pour se recomposer petit à petit quand l'eau s'apaise après le baiser.

Mari cherche des yeux autour d'elle, n'importe quoi, un caillou, un morceau de branche… Rien. Elle arrache une poignée d'herbe, la jette sur le reflet.

L'herbe disparaît avant d'avoir atteint l'eau.

Mari se laisse tomber à genoux près de Narval, lui prend les épaules, le secoue : « Je suis moi, Narval, tu m'entends ? Je m'appelle Mari ! Ça suffit, tu m'entends ? C'est fini ! Tu ne comprendras donc jamais ? »

Il se laisse faire sans réagir. Elle se rend compte qu'il pleure en silence et elle le lâche comme si ces larmes devaient la brûler. De l'autre côté de l'étang, dans la pente de la colline, à travers oliviers et pins, s'approchent des éclats de sourde lumière : des torches dansantes.

Elle se relève. « Vas-tu rester là à pleurnicher ? » lance-t-elle d'un ton mordant. Il reste étendu sans bouger, si blanc, si nu dans la pénombre, elle a envie de lui lancer des coups de pied pour l'obliger à lui faire face.

Dans la colline, le rythme saccadé des sistres se précise, soutenant avec les tambours et les tambourins les mélodies perçantes des flûtes. De temps à autre des ululements joyeux s'élèvent vers la face de la lune, des voix pourtant humaines. Des silhouettes se dessinent le long de l'étang, cabriolant dans la lueur fumante des torches. Des femmes, demi nues.

« Mais relève-toi, à la fin ! » hurle Mari.

Il semble vouloir obéir : il s'agenouille, nuque renversée pour la contempler, bouche entrouverte, les traits convulsés d'une émotion qu'elle ne veut pas déchiffrer. Puis il se penche vers l'étang et plonge dans l'eau ses mains en coupe. Quand il se retourne vers elle, doigts écartés sur une impossible sphère de liquide argenté, Mari peut y voir son propre visage, déformé par l'anamorphose.

On s'est mis à chanter à mesure qu'on s'approche d'eux en faisant le tour de l'étang. Des chants suraigus, entrecoupés de cris, des paroles incompréhensibles, mais urgentes, sur un rythme haletant.

Avec un cri de rage inarticulé, Mari fait voler d'un revers de main la sphère argentée. Mais elle s'élève sans se défaire, de plus en plus haut, jusqu'à oblitérer la lune elle-même – et maintenant, c'est le visage de Narval qui contemple Mari depuis le ciel, désespéré, implorant.

Elle le frappe.

Ou elle croit le frapper. Comment pourrait-elle frapper le ciel ? Mais elle frappe, à poing fermé, elle sent l'impact du coup contre ses jointures, la douleur qui se propage dans son bras, elle voit la tête de Narval rejetée en arrière, la courbe exacte des cheveux lisses soulevés par le recul.

Un grondement bas résonne derrière eux. Mari se retourne. Une foule s'est rassemblée dans la clairière près de l'étang. Sistres, tambours et flûtes se sont tus. Tous ces corps pressés, on n'arrive pas à voir de visages. Plus de torches, et la lumière de la lune s'est assourdie derrière des nuages. Ici et là, le contour d'une chevelure défaite, un sein érigé, une main levée aux longs ongles pointus, des poings serrés.

Une silhouette se détache des autres. Une femme aux cheveux clairs, à la tunique déchirée, le front ceint d'un bandeau, un sistre à la main. Son visage est une tache d'ombre.

« Homme, que fais-tu dans la clairière sacrée ? »

Mari s'écarte de Narval. Il saigne du nez, un trait noir sur sa peau trop blanche. Il ne la quitte pas des yeux, sans prêter attention à la prêtresse.

« Ne sais-tu quel en est le prix ? poursuit la femme. Qui oses-tu adorer ici, en cette nuit de la déesse ? »

Narval lève une main vers Mari qui n'a pas cessé de reculer. Il implore d'une voix rauque : « Stella… »

La prêtresse abat sur lui son sistre. Les baguettes de bois sonore se brisent avec un claquement dans le cadre fracassé.

La foule se porte en avant, une vague obscure qui se referme sur Narval. Pas un mot, pas un cri, rien que le bruit mat des coups, et puis d'autres bruits, plus liquides, tandis qu'on arrache la peau, la chair, les entrailles, que sang et humeurs jaillissent du corps déchiré.

Puis le nœud sombre se défait, toujours en silence. Les silhouettes se redressent et s'éloignent une à une le long de l'étang. Avant de disparaître à leur tour dans l'ombre des bois, du même mouvement, les trois dernières se retournent pour regarder Mari par-dessus leur épaule. Et sous la lune revenue, elle peut enfin voir leur visage maculé de sang. Chacun de ces visages.

Le sien.

◆

Elle s'enfuit à travers les ronces et les épines, giflée par les branches rugueuses qui lui arrachent les cheveux au passage, jusque dans le marais aux reflets d'étain où la vase l'aspire à chaque enjambée, où des nuages d'insectes s'abattent sur elle. Le ciel est noir, étouffé de nuages. Parfois un vaste éclair les illumine d'un bord à l'autre de l'horizon, et le tonnerre gronde des paroles incompréhensibles mais menaçantes. Derrière elle, on court, on vole, elle sent sur sa nuque le souffle féroce des divinités de la justice. Cet homme à la peau blanche, aux cheveux noirs, près de l'étang sacré, elle l'a tué, pourquoi l'a-t-elle tué, elle ne se rappelle pas, elle ne se rappelle rien, ni son nom ni le sien, elle court, terrifiée, avec pour seule mémoire, devant l'œil intérieur sans paupière, le témoignage de son crime inscrit dans l'herbe écarlate. Elle court mais elle sait qu'elle ne peut s'enfuir, elle est prisonnière, où qu'elle aille les Furies la rattraperont, les dieux sont partout autour d'elle, dans chaque tronc tordu, dans chaque rocher, dans l'air même qu'elle respire à chaque souffle torturé.

Elle trébuche enfin, elle roule dans une pente raide, elle tombe, griffée par des arbustes, et s'écrase dans un déluge de cailloux sur une surface molle et humide. Pendant un instant béni, elle ne sent plus rien. Mais la conscience revient. Elle garde les yeux clos, referme un poing sur du sable humide et froid. Cette odeur puissante et amère, c'est celle de l'océan. Ce bruissement patient, tout près, c'est une vague éternellement ramenée sur le rivage. Ces cris aigres qui se font écho aux alentours, rebondissant sur des rocs, c'est le salut des oiseaux à la fausse aurore. Mais si elle ouvre les yeux, verra-t-elle les Furies accroupies autour d'elle, le feu brûlant de leur regard, leurs talons acérés ?

Elle se retourne sur le ventre. La douleur, malgré elle, lui fait ouvrir les yeux, le temps de voir qu'elle est seule devant l'horizon marin. Elle se redresse à genoux. Son corps est une vaste meurtrissure. Des plaques de sable rigide, telle une armure, lui couvrent la poitrine, le ventre, les bras. Une odeur de charnier l'environne. Elle contemple ses mains, les voit noires à travers le sable, comme le reste de son corps. Du sang. Elle est couverte de sang.

Avec un gémissement étranglé, elle se précipite dans la mer à quatre pattes, en trébuchant.

La vague s'écarte devant elle et la fuit, la laissant isolée au milieu d'un cercle de galets.

Elle se jette vers la rive en hoquetant de terreur incrédule, roule sur le sable. Regarde, hébétée, se reformer l'arc de la vague.

Enfin, avec des gestes d'automate, elle gratte les plaques de sable. Et quand elle a terminé, elle se frotte encore, avec du sable, insensible à la douleur, pour effacer la pellicule noire qui s'incruste encore ici et là sur sa peau à vif, sous ses ongles qu'elle lime contre un rocher jusqu'à ce qu'ils aient disparu, mais elle ne sent rien, même lorsque la pulpe de la première phalange se met à saigner ; elle n'entend même pas sa propre voix qui marmonne des supplications incohérentes, montant parfois dans un hurlement vers le ciel où le jour va bien finir par apparaître, et alors, il n'y aura plus nulle part où se cacher.

Dans la lueur diffuse qui annonce l'aurore, elle peut voir que la marée monte, des vagues poussées par le vent mais qui refuseraient de l'emporter. L'univers tout entier sait son crime. La seule idée d'affronter l'immensité accusatrice du ciel et de la mer la remplit de terreur. Mieux vaut retourner dans la forêt, où les ombres, au moins, dureront un peu plus longtemps.

Un nouveau désespoir l'envahit bientôt, cependant. Extrêmement abrupte sans être verticale, la pente est un mélange de terre et de rocaille amarré par des touffes de buissons et des petits arbustes obstinés. La chute était facile dans la nuit. Mais comment remonter ? Elle s'essaie, malgré ses doigts en sang, ses pieds meurtris. En vain. Il lui faudrait de quoi s'ancrer dans la terre, entre les pierres, pour assurer ses prises. Elle cherche sur la plage grignotée par la marée. Quelques morceaux de bois spongieux, des brindilles, des algues, des fragments de coquilles et de coquillages… Et puis, au milieu de toutes ces lignes brisées, une forme régulière et pointue se détache sur le sable. Une corne en spirale, longue comme ses deux mains, relique d'un mammifère marin dont elle a oublié le nom, tronquée aux deux extrémités, mais le bout le plus pointu l'est peut-être assez ? Elle l'empoigne et, doigts serrés sur la torsade d'ivoire, elle va l'enfoncer au-dessus de sa tête dans la pente, à bout de bras, s'y suspend sans grand espoir… La corne tient bon ! Il en faudrait une autre. Mais cet éclat de rocher devrait faire l'affaire, comme un grossier poignard préhistorique. Il suffit d'en enrouler une extrémité dans un morceau de tunique déchirée.

Et la torture de l'ascension peut commencer.

Quand elle arrive en haut, le ciel s'enflamme au levant, le soleil s'apprête à bondir vers le jour. Elle s'accorde à peine de jouir pour un moment, en reprenant son souffle et en laissant s'apaiser ses muscles brûlants, de la possibilité bénie de l'horizontalité. Elle se relève en titubant et se dirige vers la lisière sombre de la forêt.

Elle ne court plus, elle marche. Où qu'elle aille, elle ne pourra pas s'enfuir. Elle est captive à jamais. À travers les ramures des arbres, le ciel vibre d'une lumière toujours plus intense, le chant des oiseaux s'exalte. Elle marche, indifférente aux doigts acérés des ronciers. Elle s'enfonce entre les troncs pressés en espérant les crocs et les griffes d'un ours ou d'un chat sauvage, puisque les Furies ne fondront pas sur elle du haut du ciel justicier.

En longeant un marais, elle s'agenouille, plonge dans la boue ses mains en coupe. La boue ne la fuit pas, elle. Elle s'en couvre le visage de plusieurs couches. Nul ne doit plus jamais le voir, puisqu'elle ne sait plus son nom. Ainsi peut-être nul ne devinera, en l'apercevant, l'horreur impie de son acte. Sinon les dieux, qui voient tout et l'ont condamnée à demeurer vivante.

Et voici qu'elle débouche dans une clairière entourée de saules et d'aulnes, et elle s'immobilise, glacée d'appréhension. L'eau moirée d'un petit étang frissonne sous la brise au milieu de la clairière. Et sur l'herbe, au bord de l'étang…

Rien. Pas une trace. L'herbe pousse dru, bien droite, couleur d'émeraude.

Elle lance partout des regards égarés. N'est-ce pas le même endroit ? A-t-elle rêvé ? Qu'a-t-elle rêvé ?

Un battement d'ailes feutrées la fait se retourner, le cœur dans la gorge. Dans une branche du grand saule vient de se poser une silhouette blanche aux contours familiers. Court bec crochu, deux aigrettes noires en cornes sur le crâne, de grands yeux dorés : une chouette, emblème nocturne de Pallas Athéné, déesse de la sagesse.

Il fait jour. Dans la clairière sacrée.

Tête ployée entre ses cheveux défaits mêlés de brindilles et de feuilles, elle tombe à genoux, n'osant pas même murmurer une prière. Sous son masque de boue qui durcit, au-delà de l'espoir, au-delà de la peur, elle attend.

« Parle ! » dit la chouette. Cette voix de femme, qui emplit tout l'espace, est-ce celle de la déesse ?

Visage presque pétrifié par la boue, elle se reprend à deux fois pour dire, d'une voix éraillée par trop de cris : « Il n'est plus là. Nous… je l'ai tué, mais il a disparu.

— Qui ? »

Encore plus bas, elle murmure : « Je ne sais pas. J'ai perdu mon nom. »

La tête de la chouette effectue une rotation rapide, les grands yeux dorés clignotent, solennels.

« Il est partout désormais. Tu dois en trouver tous les morceaux, les assembler et leur redonner vie avant le coucher du soleil, ou tu ne sortiras jamais d'ici. »

Elle contemple l'oiseau. L'espoir la déchire, nouvelle douleur. « Mais où… comment… ? » balbutie-t-elle.

L'oiseau bat des ailes. « Cherche l'étoile. »

Et la chouette s'envole dans un froufroutement blanc, se dérobant tel un fantôme derrière les branchages ondulants du saule.

De nouveau seule, elle lève d'abord les yeux, le cœur battant. Mais le soleil est levé, et le ciel déjà blanc de chaleur au-dessus de l'étang. Les rayons du dieu solaire se reflètent dans l'eau en milliers de points étincelants.

L'étoile.

Elle va vers la berge, tend vers l'eau une main hésitante. Voit la surface se creuser pour lui échapper encore. Des grenouilles surprises sautent dans les roseaux, un nuage de libellules se soulève en vibrant. Enhardie, elle pose un pied sur le lit de vase ainsi découvert. L'eau s'écarte davantage, un anneau qui monte et s'épaissit autour d'elle à mesure de son avancée. Nénuphars, lys et lentilles d'eau s'affaissent sur le fond mis à nu, tapis vert où elle peut marcher sans trop enfoncer. Près du centre de l'étang, là où scintillaient les étoiles du soleil, il y a deux grands poissons exactement semblables, allongés l'un près de l'autre.

D'abord, elle n'ose les toucher. Mais ils sont bien morts, yeux ternis, ouïes immobiles. Elle s'en saisit, revient au rivage en les traînant derrière elle, étonnée : ils sont si lourds ! Et, quand elle les dépose enfin dans l'herbe, elle comprend pourquoi : ce ne sont plus des poissons mais deux jambes de marbre blanc, des jambes aux genoux nerveux de jeune homme, sectionnées au pli de l'aine.

Elle se retourne vers l'étang où l'eau a repris sa place sans bruit. Un nuage a couvert le soleil, aucun reflet ne brille désormais dans l'eau plombée.

L'œil attentif, elle fait alors le tour de la clairière. Des bûcherons sont passés par là. Au cœur d'un billot abandonné, éclair ancien ou maladie, un caprice du tissu ligneux a ouvert une fissure à cinq branches. Il faut l'arracher à la mousse et aux plantes grimpantes qui s'en sont emparées, à son trou de terre où grouillent des insectes fouisseurs affolés par la lumière. Une fois traîné au voisinage des jambes de marbre, c'est un juvénile torse de marbre aux muscles élégants, rattaché à un ventre plat et à des hanches étroites. Mais au bas-ventre comme sous le sein gauche, le marbre est endommagé : une cavité aux arêtes irrégulières.

Pattes raidies sous une touffe d'asphodèles, un écureuil repose, tout recroquevillé. Elle le prend, incertaine,

le sent s'alourdir dans sa main, ne reconnaît pas
d'abord ce qu'elle tient, puis étonnée, ne sourit pas,
car le masque de boue lui paralyse le visage : une fois
retourné dans le bon sens, c'est un pénis de marbre
au repos entre ses petites bourses rondes comme des
joues de bébé. Elle va le poser au confluent des cuisses
et de l'aine de marbre.

Elle cherche encore dans la clairière mais ne trouve
rien d'autre. Peut-être en suivant le chemin des Ménades ? Elle contourne l'étang, longeant les herbes
écrasées et les traces de pieds nus dans la terre humide. Mais la piste s'efface bientôt dans l'épaisse
couche d'aiguilles de pin qui recouvre l'humus syl-
vestre. Le vent bruit comme la mer à travers les
hautes frondaisons obscures, mais sans toucher les
buissons de fleurs écarlates qui s'abritent au pied
d'un grand rocher en forme de conque. Argentée par
le soleil, une toile d'araignée s'étire entre les feuilles
les plus hautes d'un buisson et le rocher. Au centre
des rayons en étoile qui sous-tendent la fragile spirale,
deux araignées immobiles, pattes demi-étendues.

Incertaine, elle les cueille à l'aide d'une feuille et
d'une brindille de bois. Mais elles sont bien mortes
elles aussi. Et quand elle les effleure du doigt sur leur
lit de feuille, elles deviennent deux mains de marbre
aux paumes offertes.

Elle les range dans son sac – fugitivement étonnée
d'avoir un sac, mais c'est plutôt un baluchon ; ne
l'a-t-elle pas fabriqué avec les restes de sa tunique
déchirée ? – et elle continue à chercher aux alentours
avec une ardeur renouvelée. Les bras ne doivent pas
être bien loin, sûrement.

Des fragments de poterie jonchent le sol, de plus
en plus nombreux à mesure qu'elle avance. Elle en
ramasse un ; quelques gouttes en tombent sur sa

main, sombres et odorantes : du vin. Reliques du festival de la veille ? Voici une anse d'amphore, et une autre. Entre elles, presque intact, le col de l'amphore, encerclé d'une frise alternant lune et étoiles.

La première anse, effleurée avec espoir, devient un bras replié ; l'autre aussi, en un geste symétrique : leurs mains absentes se croiseraient.

Peut-elle se permettre d'espérer ? Les mains sont là dans son baluchon, et il n'est pas midi au soleil ! Elle décide de retourner à la clairière sacrée pour se débarrasser de son fardeau.

Dans l'herbe, la statue est presque complète : bras repliés, mains croisées à plat sur la poitrine, jambes étendues, sexe au repos.

Mais il manque la tête.

Elle s'affole, tandis que le soleil atteint son zénith puis commence à décliner au couchant. Rien d'autre dans la clairière, et où chercher dans la forêt immense ? Après avoir une fois de plus retracé en vain les pas des Ménades enfuies, accablée, elle contemple les tronçons de marbre disposés dans l'herbe. Qui prier ? Comment oserait-elle prier ? C'en est fait. L'homme aux cheveux noirs est mort pour toujours, et elle ne retrouvera jamais son nom. Elle restera prisonnière entre les miroirs fatals de la forêt, du ciel et de la mer qui lui renverront à jamais l'image de son crime, et de son châtiment. Y a-t-il même eu un temps où elle n'était pas ici ? La liberté perdue, n'est-ce pas une autre illusion ?

Elle se jette par terre en gémissant de rage et de terreur et, la corne torsadée et l'éclat de roc revenus dans ses mains crispées, elle lacère le sol au hasard, mais c'est elle qu'elle voudrait déchirer.

Le poignard de roc se brise. Le poignard de corne heurte le marbre dur et le choc le lui arrache des doigts.

Il roule et s'arrête. Ce n'est plus la corne noire mais une sphère aux contours bosselés. Une sphère de pierre blanche.

Avec un hoquet de stupeur, elle rampe jusqu'à la tête miraculeuse, s'en saisit, cherche avidement le visage qui va se révéler… Mais sous les cheveux coupés en casque lisse au ras des sourcils, il n'y a rien qu'une surface sans relief, comme si le sculpteur n'avait jamais terminé son œuvre.

Elle la laisse échapper de ses mains sans force et se retourne sur le dos, vide de cris.

Dans le ciel, juste au-dessus d'elle entre les frondaisons tremblantes des saules, scintille la première étoile, celle qui n'attend pas la disparition du soleil pour annoncer la nuit.

Une ombre blanche l'oblitère un instant, dans un froufroutement familier.

« Tu m'as menti ! » s'écrie-t-elle alors en se redressant, au-delà de toute terreur à présent. « Tous les morceaux sont là, mais il est toujours mort, et je ne sais pas mon nom ! »

L'oiseau d'Athéné vient se poser sur la tête sans visage, qui roule un peu sous son poids puis s'immobilise. La chouette replie posément ses ailes.

« Le soleil n'est pas encore couché sous la mer, dit-elle de sa voix sereine. Et il n'a pas de visage parce qu'il manque encore un morceau. »

La lumière rasante, avant de quitter la clairière, dessine brièvement un trou d'ombre sur la poitrine de marbre. À la place du cœur.

Elle se redresse, écarte de son visage ses cheveux en broussaille. « Et où le retrouverai-je ? lance-t-elle avec encore une ombre de défi.

— Tu es toujours sous l'étoile, répond la chouette sans se troubler.

—La clairière ? Il est ici ? » Elle jette un rapide coup d'œil autour d'elle, sans rien voir de nouveau dans la clairière qu'a maintenant fuie le soleil. Elle a l'impression qu'elle en connaît chaque brin d'herbe, chaque brindille, chaque insecte, comme si elle les avait faits elle-même.

Elle se retourne vers la chouette, avec lassitude : « S'il est ici, il est trop bien caché, je ne le retrouverai pas. »

La chouette tourne la tête, à droite, à gauche, mais son œil doré la fixe toujours. « Peut-être dois-tu le trouver, et non le retrouver, dit-elle.

— C'est la même chose.

— Pas forcément. Quelquefois, on trouve ce qui n'existait pas auparavant. Quelqu'un a créé ce marbre. Ne peux-tu lui créer à ton tour un cœur et un visage ?

— Avec quoi ? rétorque-t-elle.

— N'en as-tu pas un ? » dit la chouette.

Et l'oiseau s'envole au-dessus de l'étang pour disparaître dans les ombres qui encerclent la clairière.

Elle fait quelques pas en direction de l'étang, mais sa protestation s'éteint sur ses lèvres. Le ciel est toujours illuminé, mais la nuance en vire à un bleu-vert délicat, fragile, qu'elle connaît trop bien : là-bas, dans la mer couleur de vin, l'orbe du soleil finit de couler.

N'en as-tu pas un ? Doit-elle donc s'arracher le cœur pour faire revivre l'homme aux cheveux noirs ? Justice, réparation, une vie pour une vie ? Une vague de révolte la secoue. Se détruire pour le recréer ? Non ! Ce ne peut être ce que voulait dire l'oiseau divin. *Quelqu'un a créé ce marbre...*

Elle contemple l'herbe arrachée, les blessures qu'elle a infligées à la clairière. Dans l'un des sillons, l'eau suinte déjà en remontant, amollissant la terre noire.

Elle s'accroupit, y enfouit ses mains, en prend une, deux, trois poignées qu'elle rassemble et pétrit

après en avoir ôté les brindilles d'herbes et de racines. Qui mieux que la terre mère pourrait aider à
créer un cœur ? Le souffle court, elle modèle gros-
sièrement les rondeurs irrégulières des chambres où
bat la vie. Puis, d'une main tremblante, elle dépose le
cœur de terre dans la poitrine pétrifiée.

Aucun souffle ne vient soulever le marbre. Et là
où devrait apparaître un visage, la pierre est toujours
aussi lisse.

Incrédule, elle reste un moment immobile, toujours
agenouillée, puis rejette la tête en arrière, les yeux au
ciel d'où la lumière se retire insensiblement. L'étoile
tremble toujours au-dessus de la clairière, plus brillante.
Elle voudrait hurler, mais le masque l'en empêche.

Un cœur, et un visage.

N'en as-tu pas un ?

Faut-il donc aussi créer un visage à cet homme ?
Mais comment ? Son propre visage est perdu sous la
boue durcie du masque, et même si l'eau ne la fuyait
pas, elle ne se reconnaîtrait pas dans son reflet, puisqu'elle ne sait plus son nom. Comment saurait-elle
quels traits donner au corps de marbre ?

Elle se met à pleurer.

Elle consent à l'offrande des larmes, pour la première fois. Dans le parfum des asphodèles et du
thym, au milieu du cercle des saules et des aulnes au
tendre feuillage vert, sous le ciel dont la nuance
exquise va bientôt se briser, dans toute la beauté du
jour qui va mourir pour laisser naître la nuit, elle
pleure. Pour le corps de marbre qui ne revivra jamais,
pour elle qui restera captive de sa propre mort vivante.

Elle pleure, et elle sent ses larmes sur ses joues.
D'un geste machinal, elle veut les essuyer. Sa main
touche la surface rugueuse du masque.

Mais elle sent ses larmes sur sa joue, et sa main.

Un éclair de terreur la traverse, alors qu'elle comprend à la fois le salut, et le châtiment ultime : seul le masque peut rendre au marbre son visage, et elle perdra son propre visage quand elle en arrachera le masque.

Elle reste figée, la main sur la joue, la tête toujours renversée en arrière, fixant l'étoile solitaire.

Puis, d'un seul mouvement, elle ôte le masque, une déchirure d'une douleur si intense que c'en est peut-être un plaisir, et elle le pose sur le visage de la statue.

Et dans la déchirure affluent les souvenirs.

La statue disparaît.

« Qui es-tu ? » demande la voix immense de l'oiseau divin, d'Athéné, de Moïra.

Elle s'entend répondre : « Je suis Stelmari. »

◆

« Narval ?

— Ici ! »

La voix vient du sous-sol. Mari pose son sac sans pouvoir s'empêcher de secouer un peu la tête, presque amusée. Elle descend les marches vers la luminosité bleue de la piscine, la contourne. Narval pianotait sur le clavier de la console, se retourne quand il l'entend arriver.

« Déjà ? Ton vol est à cinq heures.

— J'aime arriver en avance, tu sais bien. »

Et à l'autre arrivée, au bout du voyage, l'Australie et l'Institut. On peut revenir en arrière, quand on s'est trompé de chemin, lui a-t-elle dit ; il a hoché la tête et murmuré enfin : « Mais pas moi. Je suis à ma place. »

Il la dévisage avec tendresse, avec tristesse. Puis, sans rien ajouter, il lui effleure la joue droite, celle où se dessine en relief, juste sous la pommette, une minuscule étoile de mer aux branches sinueuses.

Il porte la même, sur le sein gauche.

« Vous avez eu de la chance », a simplement dit Moïra Müller en les aidant à sortir de sa machine, quinze jours plus tôt. Mari n'a pas demandé d'autres explications, l'inventeuse n'en a pas proposé. Mari a eu l'impression que, sans vouloir l'avouer, Moïra Muller était un peu dépassée par les capacités de sa machine.

Elle tourne la tête et embrasse légèrement les doigts de Narval. Puis, parce qu'elle sent que sa gorge va se nouer si elle ne parle pas, elle s'oblige à demander : «Tu faisais quoi ?»

Avec un léger haussement d'épaules, il dit « Un petit cadeau pour ton départ », et il appuie sur la touche qui met l'écran mural en fonction.

Un *Ténébreux II*, bien sûr.

Elle se retient de secouer la tête, encore une fois moins agacée qu'indulgente.

Et puis elle se laisse prendre elle aussi à la création magique – elle a atteint le haut point des eaux, à partir duquel la marée ne peut que refluer. Elle examine l'image. Narval en semble satisfait et s'occupe d'un autre détail, mais elle ne le veut pas ainsi, leur *Ténébreux*. Sur une impulsion, elle tape ARMILLAIRE, et appuie à son tour sur SCAN. Les dimensions s'altèrent subtilement, les sphères changent d'aspect et de position.

«Tu crois ?» dit Narval.

Elle lui jette un coup d'œil : son intonation était si sérieuse, si enfantine… Il contemple l'écran, le visage lavé de tout calcul, la bouche entrouverte, la langue un peu pointée entre les dents de devant, tellement Stephen tout d'un coup… Stephen qui n'a jamais quitté Narval, ne le quittera jamais. Et elle… elle, elle n'est plus Mari ni Stella, non, plus seulement. Elle aura un autre nom à l'Institut, une autre histoire. Pas meilleure, pas plus vraie que leur rêve de l'Espace, simplement différente – une continuation, non un renoncement. Comme la falaise en train de s'écrouler n'est pas étrangère à la falaise intacte, comme la mer au milieu du désert est la sœur de la rose des sables : une chaîne, les métamorphoses paradoxales de la vie.

« Je ne me le rappelais pas exactement comme ça », dit Narval en examinant l'image de l'armillaire.

— À vrai dire, moi non plus.

— On continue à chercher, alors ? » Mais il n'a pas l'air de trop y croire.

« Quelle importance ? Nous nous en souvenons tous les deux, c'est l'essentiel. »

Au bout d'un petit moment, il murmure : « On peut faire des choses extraordinaires avec cette machine.

— Oui.

— Mais tu ne veux pas essayer.

— Bien sûr que si. Avec Moïra, à l'Institut. »

Il soupire encore. Il voudrait dire, sûrement, "mais pas ici, avec moi". Au moins, il ne dit pas non plus "Tu as peur", mais il le pense sûrement encore. Il croit encore qu'il l'a perdue. Il finira bien par comprendre. En réalité, elle n'aurait plus peur de le rencontrer au cœur du rêve électronique, même en interaction totale. Elle sait qu'elle ne se perdra plus. Il n'est pas sa moitié ni son envers, mais son frère Stephen qui a voulu devenir Narval, et elle… elle va continuer à devenir.

L'image de l'armillaire est de nouveau fixe. Elle appuie sur une touche : « On peut enfin les voir bouger pour de bon, nos petites boules. »

Les sphères s'animent à l'intérieur du globe transparent. Une Lune d'opaline commence sa transition entre un Soleil de topaze brûlée et une Terre de saphir et d'émeraude. « Et puis, au fond, on n'a pas vraiment besoin des axes. » Elle supprime les tiges qui maintiennent tout le système, mais les planètes poursuivent leur danse précise autour du centre. « Et le globe non plus » – elles tournent à présent suspendues en l'air dans la salle de loisir du vaisseau imaginaire de Narval, des balles lancées par un jongleur invisible. Narval se met à rire, pris au jeu – et si ce n'est pas vraiment celui auquel elle joue, elle, quelle importance ? Il finira peut-être par apprendre, puisqu'elle a appris.

Et peut-être sait-il déjà, sans le savoir, puisqu'il dit : « On n'a pas besoin du vaisseau, alors ! » et l'intérieur amoureusement élaboré du *Ténébreux II* s'efface, et les sphères de pierres précieuses continuent à tournoyer dans l'Espace infiniment noir, infiniment lumineux, infiniment flexible.

(1984-2000)

BAND OHNE ENDE

À Claude, et Françoise, et Danielle

L'immeuble a été cerné, le quartier évacué : on ne prend pas de risques avec un amok. Véhicules blindés, uniformes bleus et verts (la police *et* l'armée), des fusils mitrailleurs et des fusils à lunette (contre un métame ! Ridicule !), friture intermittente des communications radio – le grand jeu. Pour un seul métame. Mais pas n'importe quel métame : un amok. Et moi, idiote, en voyant le cordon de police, j'ai proposé mes services. Après tout, c'est notre travail aussi, contrôler les métames.

En me rendant ma carte, l'officier de police ébauche un petit salut très raide, le salut de qui n'est pas sûr de devoir saluer : «Il est au dernier étage, Séra Berger.»

Avec une carabine, et cinquante kilos de plastic.

L'immeuble est ancien, lézardé, réparé de bric et de broc, comme presque tout le quartier. Des flaques partout, les restes de la dernière marée qui a poussé comme d'habitude la Seine dans les rues. Paris, une ville interminablement mourante pour un amok qui veut mourir. Mais non, il a attendu, il a demandé qu'on lui envoie quelqu'un. Peut-être devrais-je attendre le spécialiste qu'ils ont envoyé chercher à Baïblanca ? Mais ça va bien prendre encore une heure. N'importe quoi peut arriver en une heure. Non, je vais lui tenir compagnie, au moins : il ne doit pas rester seul.

« Son dossier », me dit l'officier en me tendant la fiche transmise depuis Lagrange 2. Surprise : la photo est celle d'une jeune femme et non d'un homme. *Joanie Bordes, née à Paris...* Bordes, je connais ce nom : une des premières métamorphes. *Spécialités... États de service...* Impressionnant. Et aucune alerte avant aujourd'hui. Elle a plus de quarante ans, pourtant, et statistiquement... En tout cas, si c'est la première fois, elle est sans doute récupérable ? Je rends la fiche à l'officier qui la plie pour la glisser dans sa combinaison pare-balles. Il fait ensuite en direction de l'immeuble un petit mouvement embarrassé qui signifie : c'est à vous, maintenant. Il semble persuadé que je sais ce que j'ai à faire, que je dois avoir l'habitude. Si seulement ! Je n'en sais guère plus que lui, en réalité, mais il ne le croirait sans doute pas. Pourquoi a-t-il fallu que je passe dans ce quartier ?

Je m'avance dans les flaques : « Bordes, je voudrais vous parler ! » Le claquement sec d'un coup de feu, un choc à la cuisse gauche, je vacille mais j'étais préparée. Elle ne tire pas pour tuer, en tout cas, sans doute est-ce un bon signe. Je me secoue, la balle retombe sur la chaussée avec un petit bruit métallique. « Je peux venir, Bordes ? Vous avez demandé quelqu'un ! » Encore un coup de feu, le choc dans l'autre jambe, puis le silence : on sait désormais là-haut que je suis une métame aussi.

J'entre dans l'immeuble, je commence à grimper les marches. Huit étages. Si elle ne s'est pas déjà fait sauter, elle ne va pas le faire maintenant ? Elle a demandé à parler à quelqu'un. Ou bien c'est l'autre sorte d'amok, la folie meurtrière, et elle veut seulement qu'un autre métame arrive pour se faire sauter avec ?

Mais elle n'aurait pas attendu, elle ne se serait pas laissé cerner, elle aurait commencé à massacrer tout le monde dans la rue. Cinquième étage. Si elle se fait sauter maintenant, je ne risque encore rien. Et même à son étage. Mais une fois près d'elle, même préparée… Ne pas y penser. À quoi bon. C'est notre travail aussi. Les risques du métier.

Je m'arrête sur le dernier palier ; une porte ouverte sur un appartement miteux, « Bordes ?

— Ici. »

La voix est masculine, et calme. Une fois au fond de l'appartement, là où il y a de la lumière, je m'immobilise sur le pas de la porte d'une petite chambre mansardée aux volets fermés, sortie tout droit du vingtième siècle finissant. Ou plutôt qui n'en est jamais sortie. Affiches de guitaristes aux murs, un terminal antique sur un petit bureau métallique. Une chaise peinte en rouge. Un lit étroit sous des étagères où s'entassent livres croulants et disques ternis. Partout une épaisse couche de poussière collante.

Un homme est assis sur le lit, la carabine posée près de lui, crosse à terre. Des cartouches d'explosifs attachées sur le torse, autour du cou et des cuisses. Mais ses mains pendent entre ses jambes, loin du détonateur. Maigre, blême, barbe de deux jours, des yeux très bleus, surprenants dans toute cette pâleur. Il fait un petit geste englobant la pièce : « C'était ma chambre. »

Condamnée depuis son départ, évidemment, au moins trente ans auparavant. Je désigne la chaise rouge : « Je peux m'asseoir ? Je m'appelle Paula Berger. »

Il me surprend : « La spécialiste sous-marine. Oui. Moi, c'est Jean. »

Je risque : « Depuis longtemps ? »

Un petit sourire las : « Bien assez. » Il m'observe avec une attention bizarre. « Jamais rencontré d'amok, hein ? »

Suis-je si transparente ? Il me semblait pourtant bien me contrôler. Et je suis trop loin de lui pour qu'il puisse me percevoir, de toute façon. Je cherche encore une réponse quand il tapote le lit près de lui : « Venez là. N'ayez pas peur. Je suis peut-être amok mais ça ne concerne que moi, je ne vous ferai rien. Venez. Si vous n'en avez jamais rencontré, c'est l'occasion. »

Je vais m'asseoir à l'autre bout du lit. Je ne me suis jamais autant contrôlée. Qu'est-ce que je peux lui dire ? Qu'est-ce que je peux faire ? Nous restons là un moment sans bouger dans notre aura mutuelle, la communication muette, inévitable, des métames : nous ne pouvons totalement masquer la dynamique électro-chimique de nos émotions. Et même à cette distance, les siennes sont parfaitement claires : une immense lassitude, au-delà de toute colère. Et il est amok ? Ce n'est pas ça, être amok ! Il est bien plus calme que moi !

« Pas ce qu'on nous apprend, hein ? » À peine de l'ironie ; l'agressivité est lointaine, comme étouffée de résignation, et ce n'est pas contre moi qu'elle est dirigée. Comme ce n'est pas vraiment à moi qu'il dit, sans attendre ma réponse : « Tellement de choses qui ne sont pas ce qu'on nous apprend… » Puis le regard bleu se fixe de nouveau sur moi : « Déjà pensé qu'il y a des choses à apprendre par soi-même, petite fille ? »

J'ignore quelle réponse il attend, alors je dis : « J'ai vingt-huit ans, vous savez.

— Ça ne fait rien. J'étais une petite fille aussi, il y a trois ans, dans Lagrange 4. Bien propre, bien sage, bien élevée. Quinze ans, vingt-huit, quarante-cinq, c'est pareil. Il y a des choses qu'il faut apprendre par soi-même.

— Et vous les avez apprises ? Vous êtes adulte, maintenant ? Parce que vous êtes devenu un homme, parce que vous êtes venu habiter sur Terre ? Expliquez-moi.

— Peut-être. Peut-être… »

Je me hasarde à murmurer : « Il faut être vivant, pour apprendre. »

Il a un sourire inattendu : « Bon argument. » Puis le sourire s'efface et il secoue la tête comme s'il ne voulait pas se laisser entraîner dans une discussion.

« Pourquoi avez-vous demandé à voir quelqu'un ? » N'importe quoi pour l'obliger à rester avec moi. Il ne hausse pas les épaules, il me dévisage, les sourcils un peu froncés comme s'il se posait lui aussi la question. Pour la première fois il y a comme une hésitation en lui, une brèche. Je m'y lance : « Vous devriez enlever tout ça, ce serait plus confortable pour parler. »

Ce n'était pas ce qu'il fallait dire. Les yeux bleus se perdent à travers moi : « Parler… » Maintenant il hausse les épaules. Avec un effort, je m'assieds plus près de lui, sans trop contrôler mes émotions cette fois, pour lui laisser pleinement percevoir ma désolation, ma compassion, mon désir de l'aider. Naïvement : il est trop loin, au-delà de tout appel à la solidarité humaine. Je m'entends dire pourtant, maladroitement : « Vous avez demandé quelqu'un. Ce n'est pas une fatalité, vous savez, nous ne sommes pas obligés… »

Et là je coince, et de nouveau, inattendu, il sourit : « De nous tuer. Non. On peut tuer les autres, aussi. »

Si calme. Si las. Si loin. Mais je dois continuer, même si je m'enferre : « Pas obligé d'être amok. De rester amok. Dans Lagrange 4…

— Ah, Lagrange 4 ! On peut se faire soigner, dans Lagrange 4, c'est ce qu'ils vous apprennent, hein ? Oui, jusqu'à la prochaine fois. Et la prochaine. Jamais pensé que c'est seulement parce que c'est plus facile de se tuer dans Lagrange 4 ? Une explosion dans le vide de l'espace. Pas tellement plus propre, mais tellement plus discret. Se faire soigner ! »

Il s'anime, mais je le préférais lointain : quelque chose pointe en lui qui ressemble plus franchement à de la colère. Je répète faiblement : « Vous avez demandé quelqu'un. Quelqu'un va venir. Pourquoi faire ça ? Attendez. Pourquoi voulez-vous faire ça ?

— Ah, mais je ne *veux* pas ! Je suis amok. Je suis fou. Mon corps est fou. Fatalité biologique programmée. C'est ce qu'ils nous apprennent, non ?

— Ce n'est pas programmé, ce n'est pas une fatalité ! »

Est-ce sa colère qui déteint sur moi ? Je m'éloigne un peu pour échapper à son aura. Mais déjà son animation retombe : « Non, ce n'est pas une fatalité », murmure-t-il avec une soudaine gentillesse détachée. « Mais ce peut être un choix. Nous avons le droit de faire ce que nous voulons. Déjà pensé à ça, petite fille ? Tout ce que nous voulons. Quand nous le voulons. »

Il est vraiment amok, alors. A-t-il senti mon recul intérieur ? « C'est *ma* vie, *ma* mort. Pas la leur, marmonne-t-il. Désolé, petite fille. Pas très chic, au fond, d'avoir demandé quelqu'un. Expliquer… inutile. Désolé. »

Il s'éloigne, sans bouger, à mesure que les silences deviennent plus longs entre chaque fragment de phrase. Et tout à coup je m'entends dire, tout bas, venu des tripes : « Ne faites pas ça ! » Et c'est une supplication, et il doit entendre comme moi ce que je dis en réalité : *Ne me faites pas ça.* Je lui serre le bras, je ne m'étais pas rendu compte que je lui avais pris le bras. Il desserre mes doigts l'un après l'autre, il se lève en m'entraînant à sa suite, une traction douce mais ferme, il me conduit à la porte, il me pousse dans l'appartement, avec bonté, et il a hâte, comme rêveusement, de finir, d'en finir, de mourir. Je résiste encore, retournée vers lui, il faut que je reste, il ne se fera pas sauter si je reste ! Mais il secoue la tête, il pose une main sur sa poitrine parmi les cartouches d'explosifs : « C'est ma vie, petite fille. » Et après une légère pause, comme une concession – à qui ? – « La tienne t'appartient, hein ? Penses-y. » Il rentre dans la chambre, il referme la porte. Je tends la main vers la poignée, j'entends le lit grincer… et je fais volte-face, je bondis dans l'escalier, je cours, je cours, je fuis.

◆

Le premier appel de Lagrange 4 m'attend sur le terminal de ma chambre, à l'hôtel. Pas n'importe qui : Nakumura en personne, le superviseur de mon district. Il ne demande pas ce qui s'est passé – le policier a dû expédier son rapport, de toute façon – mais il demande quand je rentre.

Je m'entends répondre : « Pas tout de suite », et j'en suis encore étonnée quand je vois le visage de Nakumura prendre une expression soucieuse, oh, si fugitivement, après le bref délai habituel des communications entre la Terre et Lagrange 4. Puis, aimable, attentif, juste pas trop : « Quand ? »

Je réalise pleinement ce que j'ai dit, alors, et je décide de m'y tenir. (Mais peut-on considérer comme une volonté cette impulsion, cette espèce d'entêtement massif à travers le brouillard ?) « Pas tout de suite. Je ne sais pas. J'ai besoin de vacances. Changer d'air. De décor. Un peu. »

Je m'entends devenir incohérente et je tends la main pour mettre fin à la communication, mais Nakumura parle déjà : il n'a pas dû attendre ma réponse. « J'ai une communication pour toi. Marian Bauer. Je te la passe. »

Le visage de Marian remplace celui de Nakumura. J'ai confusément peur de ce qu'elle va dire, mais elle ne parle pas tout de suite, bien sûr. Ses yeux fatigués me dévisagent, gravement, affectueusement. Une pensée fugitive, brûlante : elle a presque le même âge que Joanie-Jean Bordes, elles sont de la même génération, la première, la moins stable ; est-ce qu'elle aussi… Je pose la main sur le poussoir.

« Si tu passes à Baïblanca, tu pourrais aller saluer les Iguerra de ma part, dit Marian. Tu as l'adresse ? »

Ramenée à une conversation réelle par le miracle de sa voix tranquille, je note l'adresse, constate que je la connaissais déjà, dis même que je reviendrai sans doute dans une ou deux semaines. Quand l'écran s'éteint, je suis de nouveau Paula Berger, une métame normale, normalement en vacances pour quelque temps sur Terre avec la bénédiction de Lagrange 4. Et non Paula Berger, métame peut-être en rupture de contrat à la conduite erratique, en train de devenir peut-être…

Je sais que j'aurais dû retourner à Lagrange après cet épisode, même si ma période de travail est terminée. Rapport, entrevues, parler avec Nakumura ou quelque autre psy. (Et Marian. Et Marian.) Je comprends parfaitement le bien-fondé de la procédure. Mais je n'ai pas envie de rentrer. Vivre ça toute seule, comme une grande, je suis une grande fille. Pas une petite fille.

En me surprenant à penser cela, je me fige. Et puis, comme plus tôt avec Nakumura, je m'entête. Je me répète, délibérément et à haute voix : « Une grande fille. Et c'est ma vie à moi. » Qui a prétendu le contraire, de toute façon ?

Je me décide alors : un contrôle physique complet.
J'aurais dû le faire plus tôt. Éliminer les toxines,
détendre les muscles, reprendre possession de mon
corps. La tentation est forte de me pourvoir d'un calme
artificiel. Naturel, puisque provenant de substances
habituellement sécrétées par le cerveau. Mais artificiel :
je n'ai pas envie de me calmer ainsi, de me neutraliser.
Il est arrivé quelque chose, dans ma vie à moi, et je
veux savoir quoi. Et je décide en me couchant que je
ne jouerai certainement pas au petit jeu habituel chez
les normaux, se demander ce qui vient d'abord, la
chimie ou l'émotion. Lorsqu'on est métame, on sait
bien que ce n'est pas si simple.

◆

Le lendemain matin, quand je me réveille, je
m'étonne d'avoir si facilement et si bien dormi. Je
m'étonne, mais j'en suis satisfaite. J'ai eu raison de
rester sur Terre. Je peux très bien m'en tirer toute seule.
C'est triste, ce qui est arrivé, c'est horrible même, et
il y aura des séquelles, je suis sûre de ne pas me faire
d'illusions sur mon calme. Mais je peux m'en tirer
toute seule. Je vais passer quelques jours à me promener – délivrée du service pour un temps – et je vais
penser à tout cela, tranquillement, raisonnablement.
Je vérifie l'état de mon crédit – excellent, bien sûr : on
ne dépense presque rien dans Lagrange 4 et le travail
sur Terre est très correctement rémunéré. Je me sens
tout à coup amusée, bizarrement légère : j'avais besoin
de vacances, de toute façon. Un peu de dépenses, un
peu de fantaisie !

Et brusquement, devant l'œil intérieur, le visage
maigre de Joanie-Jean, les yeux si bleus, la douce
obstination lasse. Je dois faire un effort pour ne pas

me détourner du souvenir, mais c'est normal. Oui, c'est ma vie, et oui, j'y pense. J'ai tendance à me sentir coupable, mais ça aussi c'est normal. Ce n'est pas de ma faute, en réalité. Je me suis trouvée au mauvais moment au mauvais endroit. Rester n'aurait rien changé. Bordes était vraiment amok. Son appel à l'aide était un remords de dernière minute, un geste vide avant le geste final. Même un spécialiste n'aurait rien pu. La première génération de métames… Il n'en reste presque plus, d'ailleurs. La mutation n'était pas encore stabilisée. Triste, mais ce n'est pas de ma faute.

◆

Baïblanca, c'est inévitable : de Paris, je ne suis pas si loin de la capitale de l'Eurafrique. Baïblanca sur sa côte rocheuse, à l'extrême sud de l'Espagne, un pied de nez aux eaux qui ne monteront pas jusque-là, du moins on l'espère. La baie superbe, la Promenade du Bord de Mer sous les grands arbres. Toujours un peu humide sous le ciel toujours un peu brouillé, gris-bleu pour la pluie, orangé sourd pour les poussières d'éruptions volcaniques apportées par les vents. Et ce caractère irréel de toute cité construite en peu de temps par la volonté des humains et non par les caprices séculaires de l'histoire. Un peu trop soigneusement aléatoire, la répartition des zones urbaines, des esplanades et des jardins, les étangs, les cascades, les canaux. Baïblanca : l'obstination magnifique des humains à survivre malgré tout.

Mais un alibi, Baïblanca, un masque, comme les autres nouvelles capitales du monde. Ce qui reste du monde : vérolé de zones sinistrées à cause des humains ou de la nature, lentement grignoté par les océans qui montent, secoué par les séismes, chaque jour, ici ou

là, comme des haussements d'épaules de la Terre
agacée. Je songe à ces deux faces de Baïblanca en
regardant la ville depuis la fenêtre de ma chambre à
l'hôtel (une charmante vieille chose fin-de-siècle soigneusement reconstituée près du quartier des ambassades ; j'ai visité la nôtre, pour rassurer la Centrale
sur mon état d'esprit). Je me sens un peu perdue
devant cette immensité urbaine. Lagrange 4, si on ne
la quittait régulièrement pour aller travailler sur Terre
ou dans l'espace, aurait tendance à rendre un peu
agoraphobe. Ou devrait-on dire "convexiphobe" ? Et
pourtant, quand je me suis réveillée là-haut pour la
première fois, j'étais plutôt "concaviphobe" : j'avais
passé mes onze premières années sur Terre. Et je ne
savais même pas où j'étais, en plus. Le choc, le coma,
la navette jusqu'à Lagrange 4, je ne me rappelais
rien. J'étais sûre d'avoir été très malade, j'étais tellement fatiguée. Et puis, j'ouvre les yeux, cette grande
baie vitrée qui occupe tout le mur d'en face, et des
formes, des couleurs – des arbres, des maisons –, et ce
large ruban bleu qui serpente entre champs et maisons
et que le regard suit machinalement jusqu'à l'horizon
et il n'y a pas d'horizon ! Le regard *monte* vers le ciel
et il n'y a pas de ciel mais un damier incurvé, d'autres
champs, d'autres maisons, et le ruban bleu qui se
recourbe et n'en finit plus et *revient*… J'avais vu des
photos et des films, bien sûr, mais ce n'était pas la
même chose. Accrochée aux draps, malade de vertige,
jusqu'à ce qu'on vienne me décrocher, m'expliquer,
me rassurer. Marian, justement, qui accueille tous les
nouveaux. Lagrange 4, la station des métames. J'avais
eu la maladie des métames. *J'étais* une métame ! Je
me suis roulée en boule sous les draps, je ne voulais
plus entendre la voix affectueuse de Marian, je ne
voulais pas être calmée, je n'ai rien mangé pendant
une semaine.

Je ne savais pas encore que les métames ne peuvent pas mourir aussi facilement. Il y faut l'explosion, l'électrocution ou l'incinération prolongées, le traumatisme massif qui dépasse en exigence énergétique la capacité obstinée de nos cellules à se régénérer. Pas de mort discrète pour les métames en effet, pauvre Joanie-Jean ! Même le saut dans le vide spatial n'y suffit pas, le corps s'ajuste automatiquement, court-circuitant la volonté. Il faut des explosifs, là aussi.

Je me détourne de la fenêtre pour revenir ranger mes affaires de toilette dans la salle de bains entièrement tapissée de panneaux de liège d'un luxe archaïque. Quand j'en ai terminé, je me plante devant le terminal élégamment dissimulé dans un faux annuaire relié vrai cuir, et je consulte le registre "Tourisme" pour savoir par où je vais commencer. Mais je m'arrête en cours de procédure : commencer quoi, d'abord ? Hier, quitter Paris, venir ici, c'était facile de continuer une fois le mouvement amorcé. Mais est-ce pour faire du tourisme que je suis venue ?

Bon, que s'est-il donc passé, à Paris ? J'ai rencontré un métame en amok. C'était la première fois. Il s'est fait sauter, je n'ai pas pu l'en empêcher. Je me sens coupable, même si ce n'est pas ma faute. On ne nous prépare pas vraiment à ce genre d'éventualité. On nous explique le processus qui conduit éventuellement à l'amok, bien entendu, du moins ce qu'on en sait : *(l'immeuble)* le niveau de sérotonine augmente pour une raison mal définie mais le déséquilibre est automatiquement corrigé par le corps *(l'immeuble brusquement éparpillé)*, puis le niveau de sérotonine recommence à augmenter et le corps rétablit encore l'équilibre *(l'immeuble brusquement éparpillé mais encore debout tous les morceaux)*, mais de correction en correction il semble que le plan, l'hypothétique image globale du corps selon laquelle les cellules s'autorégulent, se trouve altéré et la correction est de plus en plus faible, jusqu'à ce que *(l'immeuble brusquement éparpillé, encore debout, tous les morceaux un instant suspendus les uns à côté des autres avant de s'écraser dans un nuage de poussière, et après la chute, le souffle, le choc, parmi les gravats…)*.

Je n'arrive pas à faire le point. Il est trop tôt, sans doute. Je suis encore trop près. Ne pas essayer d'y penser, alors (penser à quoi, au fait ?). Penser à autre chose, en tout cas. Visiter Baïblanca.

◆

Il n'y a pas de métames à Baïblanca. Non qu'aucun métame n'y soit en résidence ; plusieurs s'y trouvent toujours en service, sans compter ceux qui ont choisi d'y vivre. Mais pour Baïblanca, les métames n'existent pas. Ni dans les médias, ni dans les conversations, à peine dans les infothèques. Pas étonnant. Dans Lagrange 4, on peut facilement oublier les normaux, ils ne sont pas très nombreux non plus. Quoique proportionnellement plus nombreux que nous sur Terre, où les dix ou vingt mille métames constamment en activité disparaissent parmi les masses des normaux, encore assez respectables malgré la baisse de la natalité et les coupes claires causées par les catastrophes et accidents divers. C'est ainsi que nous devons être, nous, les métames : utiles, efficaces, présents – mais invisibles, indécelables, oubliés. Les plus normaux possible. Jusqu'au moment où l'on a besoin de nous pour les tâches dangereuses et difficiles, les tâches surtout qui seraient bien trop coûteuses, impossibles, s'il fallait protéger un personnel humain normal. Dans les zones contaminées. Sous l'eau, dans l'espace. Au cours des émeutes. *Ou pour contrôler les amoks.* Oui, ça aussi. Des forcenés… normaux aussi, d'ailleurs. Ou capturer vivantes des bêtes féroces.

Je me trouve au zoo, maintenant, ou plutôt dans le "Parc naturel" de Baïblanca, le plus artificiel qui soit, comme ses homologues ailleurs. Des animaux sauvages y sont installés dans des dômes qui leur restituent un environnement parfaitement contrôlé. On oublie vite la présence des dômes à la transparence sans défaut. Celui qui emprisonne la volière est le plus facile à oublier : le plus grand (DU MONDE ! clame une pancarte). Je n'ai pas oublié par contre le coût phénoménal du Parc, une autre pancarte affichée à l'entrée. Étrange, pour un Lagrangien, cette obsession des chiffres, cette fierté des Terriens à évoquer le prix de leur survie. Et qu'auraient-ils donc pu faire d'autre, achever de se détruire ? Ils ont fait ce qu'ils devaient faire, rien de spécial à cela, nous le faisons tout le temps, nous, les métames. Lorsqu'ils se sont vus menacés non par les caprices humains de crises financières et politiques, mais bien par la mauvaise humeur généralisée de la planète, ils se sont brusquement réveillés. Ils ont accéléré la construction des deux stations de Lagrange, ils ont rebâti leurs principales cités au-dessus des eaux montantes et ils sont partis à la conquête de leurs zones dévastées. Ils se disputent toujours, ils se bousculent encore, ils se massacrent parfois, mais plus tout à fait comme avant. Avoir vu la moitié de la Californie ravagée en une seule journée leur a sans doute redonné un sens plus exact des proportions humaines. Et chaque tremblement de terre, chaque volcan réveillé, chaque ville définitivement abandonnée aux marées les oblige à se les rappeler.

Je me surprends à regarder les gens qui m'entourent avec une sorte de sévérité souriante, comme s'ils étaient des enfants. Allons bon, le syndrome de l'Ange Gardien ! Nous n'y échappons pas, les métames, quand nous sommes sur Terre. Bien que citoyens des Lagranges désormais, et non de la Terre, à force de faire ce dont les normaux sont incapables, à force de réparer, souvent, leurs bévues, nous finissons par développer malgré tout une vision un peu… parentale. Curieux tout de même, ce syndrome, alors que nous nous reproduisons si peu. Les normaux nous suffisent, sans doute, comme enfants. Et d'ailleurs, nos enfants sont des normaux, et le restent : les métames ne produisent pas de futurs petits métames. Comme s'il jouait à cache-cache avec les scientifiques, cet hypothétique complexe génique encore non identifié qui nous rend capables de métamorphose, mais refuse obstinément ce talent à nos enfants…

Qu'est-ce que cette nostalgie soudaine de la parentitude à vingt-huit ans, Paula Berger ? Pas difficile, si tu veux contribuer à la renaissance de la race humaine : tu retournes à Lagrange 4 et Michel ou Iwo se feront un plaisir de collaborer.

Et qu'est-ce que cette manie de s'apostropher, tout à coup ? Mais il y a beaucoup d'enfants parmi les promeneurs, d'abord. Et puis, je me sens soudain bizarrement spectatrice des animaux comme des humains, humaine et métame, dedans, dehors, double. Un oiseau se pose sur une branche devant moi, juste de l'autre côté de la paroi presque invisible, et il me regarde de son petit œil vif en battant des ailes par intermittence pour garder l'équilibre sur la branche.

« *Regardez ! Hé ! regardez, je vole !* »
Je lève la tête avec les autres et je reste pétrifiée comme eux : Muhad, nu comme un ver, et il vole. Il plane, plutôt : deux grandes ailes membraneuses lui

sortent des côtés depuis les chevilles jusqu'au creux des aisselles, continuant le long des bras jusqu'aux poignets et aux doigts. Une courbe vertigineuse l'amène sur nous, il redresse au ras de nos têtes, nous nous éparpillons. Il va se poser sur le toit plat du gymnase et nous contemple avec satisfaction. Il a dû s'entraîner, ce n'est sûrement pas la première fois qu'il se livre à ce genre d'acrobatie. Et il ne m'a rien dit? Brûlante de chagrin et de ressentiment, d'inquiétude aussi, je rejette la tête en arrière pour le regarder, comme les autres, en haut de son perchoir.

« Arrête et descend ! » crie Michel, le chef à quinze ans. « Oui, renchérit Lisa, descend ! Si jamais Naku te pince, tu vas le sentir passer ! »

Muhad étend les bras, saute du toit (nous retenons notre souffle) et se pose après un gracieux vol plané. Il nous regarde avec défi ; maintenant que la peau des membranes n'est plus irriguée par le sang qui la rendait rigide, elle retombe autour de lui comme une cape. Il est tellement beau ainsi, nu, arrogant, métamorphosé, et pourtant c'est bien son corps et je détourne les yeux, les joues brûlantes, honteuse de la flèche de désir qui m'a traversée. Comment a-t-il pu faire ça, comment a-t-il pu me faire ça ? « Et alors, dit-il, qu'est-ce qu'ils peuvent bien contre nous, les normaux ? Ils ne vont pas me balancer dans le vide avec une charge d'explosifs dans le cul, non ? »

Un long silence choqué. Et puis, sans nous consulter, nous nous rapprochons de Muhad, resserrant autour de lui le cercle de nos auras réprobatrices. Il ne pourra pas nous résister bien longtemps ; il n'essaie même pas, d'ailleurs. Son regard cherche le mien : « Qu'y a-t-il de si mal à se transformer comme on veut ? » Je détourne les yeux. « On est des métames, non, c'est à ça que ça sert, non ?

— Pas comme ça, dit Lisa.

— On n'est pas des animaux de cirque, dit Thomas.

— On ne se métamorphose pas à tout bout de champ pour s'amuser », dit Yoko.

Et finalement Michel, les bras croisés, fort de l'assentiment général : « On le fait quand c'est nécessaire, comme c'est nécessaire. Pour servir. Les normaux ont besoin de nous. Nous ne devons pas être égoïstes. Nous sommes des Exceptionnels, et l'Exception doit servir la Règle. »

Devant moi, la branche est déserte depuis longtemps. Je n'ai pas vu l'oiseau s'en aller. Muhad. Pourquoi penser à Muhad maintenant ? Il y a des éternités... Muhad, yeux vifs, mains douces, Muhad, mon premier. Muhad, qui a été écarté peu après de notre section (et je ne lui avais plus adressé la parole depuis l'incident). Et dont personne n'a jamais demandé ce qu'il était devenu. Nous le savions. Nous croyions le savoir. *Avec une charge d'explosifs dans le cul,* oh, l'image grotesque qui revenait dans mes cauchemars... En réalité, il s'est fait sauter des années plus tard, en mission quelque part dans les astéroïdes, par accident. Par accident ? C'est ce que disait son dossier quand je l'ai consulté, en tout cas. Il en meurt par accident, des métames, c'est rare, mais ça arrive. Pourquoi penser à Muhad ? Faire une chose pareille, il devait bien le savoir, comment je réagirais ! Il devait bien le savoir. *Joanie-Jean.* Que pouvais-je faire, que pouvais-je dire ? Il avait pris sa décision, il ne m'en avait même pas parlé, je n'aurais pas pu l'en empêcher. *Le désarmer, c'était impensable, il se serait fait sauter tout de suite.* Le convaincre... mais de quoi ? Je ne sais même pas pourquoi il a fait ça. Il était amok, ce n'était pas sa faute, ce n'était pas ma faute,

personne n'y était pour rien, *l'immeuble éparpillé
encore debout, les morceaux un instant suspendus
immobiles, et le bruit, le souffle, le choc, et dans les
gravats les morceaux de* NON *les surprenants yeux
bleus, la pression douce et ferme décrochant mes
doigts l'un après l'autre, ne faites pas ça* NON, NON, *il
n'est pas encore temps d'y penser,* JE NE VEUX PAS Y
PENSER !

Brouillée derrière mes larmes, une lourde forêt
équatoriale, désordre luxuriant de feuilles et de fleurs,
le dôme des panthères. Insolite dans tout ce vert, une
tache noire drapée sur une branche. Dédaigneuse,
impériale, une panthère qui ouvre un œil, bâille méti-
culeusement, crocs blancs, langue frisée, et se lève,
se déplie, disparaît, élastique, entre les lianes. Et moi,
stupide, pétrifiée autour d'une idée jaillie je ne sais
d'où : y en a-t-il, des métames, dans le parc, ou
d'autres parcs, ou les dernières vraies forêts ? Vivant
une vie d'animal, coupés de la race humaine ? *(Libres ?)*

Je retourne à l'hôtel, bouleversée, furieuse de ne
pas comprendre pourquoi. "Réfléchir à tout ça tranquillement, raisonnablement, je peux passer au travers
par mes propres moyens" : vraiment ? Et pourtant, je
n'ai vraiment pas l'intention de retourner maintenant
dans Lagrange 4. J'appelle l'entraînement à la rescousse, je me calme. Où toute cette débâcle a-t-elle
commencé, déjà ? Le souvenir de Muhad. Très bien,
alors, Muhad.

Muhad. Sa question, nous n'y avions pas répondu,
en fin de compte. Tout ce que nous avions répondu,
c'était, mais nous l'ignorions alors, la leçon que les
inlassables bandes hypnopédiques répétaient dans
notre sommeil. *L'Exception doit servir la Règle.*
Normal, qu'on nous l'apprenne : des enfants, munis
d'un tel pouvoir, il faut bien leur donner des cadres,

des garde-fous. L'Exception doit servir la Règle. Et le reste… est hors la loi, tabou. Amok.

Mais Muhad était-il amok, ce jour-là ? Non. Et Bordes, au fond, qu'a-t-il donc dit d'autre ? "Faire tout ce que nous voulons. Quand nous voulons."

Et moi, étais-je amok, pendant ce bref instant où j'ai regardé la panthère s'évanouir dans sa fausse forêt, où j'ai imaginé être une panthère se glissant, sauvage, en son royaume ? Et puisque j'en suis à me souvenir, que dire de ces fois où, observant avec l'indulgence sévère de l'Ange Gardien les normaux qui passaient dans la rue, je me suis demandé quel serait sur eux l'effet d'une soudaine révélation de ce que j'étais, une métamorphose publique ?

Mais je ne l'ai jamais fait. C'étaient des impulsions aussitôt écartées avec un sourire. (Amusé ? Terrifié ?) La métamorphose à volonté, c'est la folie, l'amok, la mort. C'est ce qu'ils nous disent, et ils ont raison. Et Bordes s'est fait sauter, et je n'ai pas pu l'en empêcher, mais c'est stupide, à la fin, ce n'était pas ma faute !

Avoir vu Bordes, l'avoir approché, l'avoir perçu… Et je n'arrive pas à me remettre ? Mais ce n'est pas contagieux, l'amok !

Partagée entre le rire et l'exaspération, j'arrache mes habits et je me plante devant le grand miroir de la salle de bains. Devenir amok par crainte de le devenir, alors, c'est ça qui me guette ? Es-tu amok, Berger, as-tu envie d'abandonner la race humaine pour bondir dans une savane, as-tu envie de te métamorphoser dans l'anarchie totale du bon plaisir, de devenir une autre, un monstre, n'importe quoi ? Non. Alors, *prouve-le*.

Je me concentre et, minutieusement, détail par détail, dedans, dehors, je me métamorphose.

◆

Même après une métamorphose partielle, je suis toujours affamée ; et celle-ci en est une intégrale comme je n'en ai pas essayé depuis quinze ans, depuis l'unique métamorphose totale exigée de nous pour l'examen, à la fin de l'entraînement intensif. Je descends dîner à l'un des restaurants de l'hôtel, satisfaite – soulagée : je me suis transformée en dehors du service, je me suis vue transformée, je peux le rester et continuer à fonctionner normalement en public. En ai-je jamais douté ?

Après le dîner, séduite par la douceur de l'air, je vais me promener sous les arcades illuminées des galeries marchandes qui entourent l'hôtel. Et comme ma combinaison me serre un peu aux entournures, je finis par m'acheter d'autres vêtements plus conformes à mon nouveau physique. Au bout d'une heure, je suis habituée à entendre vendeurs et vendeuses m'appeler "Ser", et à leur répondre comme il convient sans être surprise de ma nouvelle voix masculine. Quand je rentre finalement à l'hôtel, je m'écroule dans un fauteuil, en proie à un fou rire inattendu. Puis je défais les paquets et j'essaie le costume, une extravagance tout en daim crème (synthétique, tout de même), mi-combinaison mi-collant, largement ouvert sur la poitrine. Cela se porte avec une cape doublée de soie aux irisations mauves et des sandales lacées haut, à talon bottier. Extraordinaire. On a moins d'imagination vestimentaire dans Lagrange 4, surtout pour les hommes. Et, comme le disait le vendeur, on dirait que ce costume a été fait pour moi. Reprise par le fou rire, j'admire dans le miroir cet assez bel homme, ma foi, pas très grand mais bien proportionné, mince et délié, visage anguleux fermement modelé, nez un peu aquilin, yeux largement fendus sous les paupières lourdes, iris d'un bleu surprenant.

D'un bleu surprenant.

Je ne sais pas si c'est la ressemblance qui me frappe d'abord, ou d'avoir pensé : *Mais j'y prends du plaisir !*

Et, curieusement, la ressemblance avec Joanie-Jean, je pourrais presque m'en accommoder, la comprendre, la réduire. Mais pas le plaisir.

Pas le *plaisir* ?

Je vais me réfugier dans un fauteuil, loin du miroir, désorientée. Mains glacées et pourtant en sueur. La matière synthétique du costume me colle au corps comme une seconde peau. Du plaisir. Pourquoi ne m'est-il jamais réellement venu à l'esprit qu'on peut avoir du plaisir à se transformer ? Je n'en éprouve jamais quand je me transforme pour le service, c'est juste… le service. Faire ce qui doit être fait. Et se transformer pour rien, en dehors du service, c'est… ça ne se fait pas. Non, ce n'est pas l'amok, pas encore, mais la porte ouverte, la pente, le commencement, peut-être. C'est ce qu'ils nous apprennent.

Nous l'apprennent-ils, vraiment ? Non. Quelque part, à un moment donné, cela ne nous a pas été *dit* mais nous l'avons appris. L'équivalence-réflexe : la métamorphose gratuite, c'est l'amok, la folie, la mort. *L'Exception doit servir la Règle*, la litanie des bandes hypno, et les remarques faussement négligentes des instructeurs, *on ne se sert pas d'un don pareil pour faire joujou.* Et pourquoi pas ? Et puis, je ne voulais pas jouer, je voulais seulement voir. Voir par moi-même. Suis-je amok pour autant ?

Par moi-même. C'est ce que Joanie-Jean voulait dire, alors ? Et le résultat, c'est l'amok ? Notre conditionnement, cette camisole, alors, c'est le seul salut ?

Mais pour qui ? Pour nous, vraiment ? (Ou pour les normaux ?)

Et le plaisir : une menace, l'anarchie, la mort ?

Mais *pour qui* ?

Se poser cette question, est-ce déjà être amok ? Le sait-on, d'abord, si on est amok ? Mais on n'est jamais fou pour soi-même. Si je suis amok, je ne peux pas le savoir. Je peux bien vérifier mon niveau de sérotonine, il se sera rétabli de lui-même si c'est seulement le commencement, je n'ai aucun moyen de savoir… *Je*. Qui ça, *moi* ? La petite fille confiante de Lagrange 4 ou cette… créature en costume de daim crème qui me regarde par les yeux de Joanie-Jean ?

Je me fais quelque chose, alors, que je ne me suis jamais permis en dehors de l'entraînement : je m'endors, là dans le fauteuil. Débranchée, neutralisée, effacée, délibérément remise à plus tard.

◆

Au réveil, il fait jour, et le terminal signale un message. Au passage, une image dans le miroir et le stupide étonnement de ne pas être redevenue moi-même (qui ?). Mais la métamorphose totale est un acte volontaire, pas de la magie, il y faut tout un entraînement long et difficile, et c'est là qu'ils nous tiennent, on ne se donnerait pas toute cette peine simplement pour se faire *plaisir*, n'est-ce pas ? Et je n'en éprouve pas de plaisir, non, le plaisir est mort sous les yeux de Joanie-Jean. *Petite fille.* Il avait raison, bien sûr. Une petite fille bien conditionnée, incapable de comprendre, incapable de voir, juste bonne à reculer avec horreur devant qui essaie de lui parler, de lui *dire*… et bien sûr Joanie-Jean avait demandé quelqu'un, mais à quoi bon, à quoi bon parler à une petite fille bien conditionnée ? Il vaut mieux la pousser dehors et ensuite *l'immeuble en miettes encore debout*… NON.

Se pencher sur l'écran clignotant du terminal.

SÉRA DOMÉNICA IGUERRA SERAIT
HONORÉE DE COMPTER SER BERGER
PARMI SES INVITÉS CE SOIR À SA
DEMEURE. TENUE DE SOIRÉE S'IL
VOUS AGRÉE. À PARTIR DE 19 H 00,
119 PROMENADE DE LA BAIE,
QUARTIER DES AMBASSADES

Ser Berger : les nouvelles voyagent vite à Baïblanca. Je n'ai même pas remarqué la filature. Même pas pensé que l'ambassade me ferait filer, et pourtant c'est évident, sans doute la routine. Mais je n'ai pas l'habitude d'être en situation…

… irrégulière. Mais pas en amok : on n'inviterait pas un amok à une soirée mondaine, n'est-ce pas ? Merci, Séra Iguerra.

J'examine *Ser* Berger : je m'examine. Le costume n'a pas un pli malgré la nuit passée dans le fauteuil ; la doublure de la cape a moins bien tenu le coup. J'appelle le service aux chambres pour la donner à repasser et je me rends compte alors qu'il est près de cinq heures de l'après-midi. Dommage de ne pas avoir dormi un peu plus longtemps… Mais je sais comment passer le temps qui me restent : je me plante devant le miroir et je *répète* Ser Berger.

Je réussis même à arriver à la soirée avec l'indispensable demi-heure de retard.

◆

Superbe propriété sur la Promenade de la Baie, les Iguerra, non loin de l'ambassade où j'ai rencontré Miguel Iguerra hier dans ses fonctions d'attaché consulaire. Une propriété capable d'accueillir plus de trois cents personnes en paraissant modérément remplie. Illuminée comme un ancien paquebot de croisière, avec des serviteurs en livrée aux portes pour vous

accueillir. Pas de cartons d'invitation : apparemment,
à Baïblanca, dans les soirées de ce genre, on vous
reconnaît à la porte ou vous n'êtes pas assez connu
pour avoir été invité. Le maître d'hôtel m'identifie à
l'entrée, je ne lui demande pas comment, et il m'indique la droite du grand hall. Mais déjà une femme
aux cheveux blancs scintillants flotte vers moi, sculp-
turalement déshabillée par sa combinaison de lumex
qui ne lui laisse pourtant à découvert que le visage et
les mains. Le contraste est piquant avec Iguerra derrière
elle, plutôt petit, nerveux et brun de poil à l'espagnole,
gestes toujours un peu coupants. Et cette femme (sa
femme, je suppose), au contraire ample, lente, sinueuse.
C'est elle qui accueille les invités, Iguerra semble
avoir été simplement emporté dans son sillage. Il me
salue avec urbanité, mais Doménica Iguerra a une
poignée de main voluptueuse, un regard enveloppant,
précis, évaluateur. Accompagné cependant d'une ombre
exactement mesurée de complicité. Et moi, luttant
pour être à la hauteur : Doménica Iguerra est une métame.

J'aurais pu m'en douter : des amis de Marian. Mais
Iguerra est un *normal* ! J'ai entendu parler de couples
de ce genre, bien entendu. Mais pas au cœur même
de l'ambassade des Lagranges en Eurafrique !

« Ser Berger, quel plaisir de vous avoir parmi nous
ce soir ! »

Parfaitement contrôlée, Doménica Iguerra. Y a-t-il
une ombre d'ironie dans son sourire ? Je réplique :
« Quelle agréable surprise pour moi d'en avoir été
jugé digne.

— Mais j'espère bien que toute cette soirée sera
une agréable surprise autant pour vous que pour tous
nos amis.

— Avec une hôtesse telle que vous, je n'en doute
pas une seconde. »

Elle a un sourire franchement amusé et se tourne vers son mari : « Il est parfait, vraiment. Je te l'enlève, Miguel, vous parlerez de choses ennuyeuses plus tard. »

Passant son bras sous le mien, elle m'entraîne vers des petites tables-bouquets où se trouvent boissons et amuse-gueule.

« Des choses ennuyeuses pour qui ?

— Oh, vous savez bien, ces histoires d'hommes, la politique. » Et, sans pause mais sur un ton totalement différent, sérieux : « Savez-vous pourquoi je vous ai invité ?

— Pour prouver à Lagrange 4 que je ne suis pas amok ?

— Entre autres, oui. Ils manquent tellement d'imagination ! Ils voient de l'amok partout dès qu'on se permet une fantaisie. Même la simple curiosité.

— La métamorphose est une chose trop sérieuse pour laisser les métamorphes jouer avec, c'est évident. »

Mon intonation est plus raide que je ne le voulais. Doménica Iguerra me considère un moment en silence. « Nous sommes à Baïblanca, ici, c'est un peu différent, dit-elle enfin. Vous avez visité, je crois ?

— Le zoo.

— C'est une autre sorte de zoo, ici. J'espère que vous vous en doutez ? » Elle me déshabille d'un rapide coup d'œil : « Pour peu que vous aimiez jouer, vous allez être la coqueluche de la soirée. Vous avez des talents intéressants, de toute évidence. » C'est dit avec un lent sourire gourmand, tellement bien *joué* que je ne peux m'empêcher de rire. Elle sourit : « Bien, c'est ainsi qu'il faut le prendre. Riez-leur au nez, désamorcez leur sérieux – avec tout le respect qui leur est dû, bien sûr. »

Je désigne du menton la foule rutilante qui flotte entre les tables : « À qui, aux fauves ?

— Eux ? » Elle a un petit rire bref. « Je parlais des obsédés de Lagrange 4, comme Nakumura. » Elle m'examine un moment : « Il est peut-être un peu tôt », murmure-t-elle comme pour elle-même. « Mais il faut bien commencer quelque part. À apprendre par soi-même. Venez me trouver si vous avez un problème, d'accord ? N'hésitez pas.

— Vous allez être très occupée.

— Pas pour vous. »

Nous nous regardons un moment en silence. Elle a des yeux très ordinaires, très humains sous son maquillage extravagant. Dans ce regard passe ce que nous ne dirons pas, le nom de Marian et la requête qu'elle a sans doute faite à Doménica Iguerra de s'occuper de moi, même si je ne la contactais pas (surtout si je ne la contactais pas ?). Puis un pétillement d'humour : « Vous serez plus occupé que moi. Mais croyez-moi, ce sont dans l'ensemble d'assez pauvres fauves. Ils ne tiennent guère devant nos dents. La plupart ne demandent d'ailleurs qu'à être dévorés, mais c'est ce qui les rend parfois dangereux. » Redevenue sérieuse, elle pose une main sur mon bras : « Ne me manquez pas. J'ai parié sur vous. Et ne vous manquez pas à vous-même : si vous avez envie de partir, si c'est trop, partez.

— Avec qui avez-vous parié ? Et quoi ? »

Sa main s'appesantit sur mon bras, ses émotions aussi deviennent plus pressantes : « Avec moi. Que vous passeriez l'épreuve, comme moi. » Puis la pression se transforme en une petite tape-caresse : « Jouez bien. » Et elle s'éloigne, tel un beau navire.

Comme à un signal, des spectateurs arrivent, se transforment d'une réplique en partenaires potentiels, et je commence à jouer.

◆

À quel moment est-ce que je cesse de croire que je m'amuse? Lorsque je réalise qu'il y a autour de moi autant d'hommes que de femmes, avec les mêmes approches séductrices auxquelles je réponds de la même façon? Ou bien lorsque je me rends finalement compte que je ne réponds justement pas du tout de la même façon, et que pourtant, à mesure que le temps passe, les femmes sont toujours aussi nombreuses que les hommes autour de moi? Tous ces gens sont-ils des *pervers*?!

Et toi, Berger? Ce sont les *hommes* qui t'intéressent manifestement davantage, *Ser* Berger.

Je dissimule un rire incrédule derrière une coupe de vin pétillant. Tout ce chassé-croisé de désirs malentendus! Ces gens se doutent visiblement de ma métamorphose récente. Qui cherchent-ils en moi sinon ce que je ne suis pas? Les uns la femme que j'ai été, les autres l'homme que je feins d'être. Et moi, fidèle à ma nature première sinon à mon corps présent, comment interprètent-ils ma préférence pour les hommes? Comme une homosexualité latente, enfin paradoxalement avouée?

L'absurdité de la chose me rend un instant mon sérieux: "homosexualité", quel sens peut bien avoir ce mot pour des métames?

Mais le fait est qu'il en a bel et bien un pour moi, exactement comme pour les normaux qui me font si assidûment la cour.

(Les *quoi*?)

Je repose mon verre. Ma main tremble. Au jeu du menteur, dans cette stupide parade de la séduction, c'est moi qui perds. J'ai tendance à me tourner vers

les hommes, en effet, mais pas forcément parce que
les femmes me plaisent moins : parce que dans
l'oreiller de ce qui me sert de conscience, une autre
bande déroule son conditionnement monotone. Norme
sur norme : celle du métame, celle du sexe originel,
puisque je suis née femme et qu'on a fini de m'y clouer.
C'est cela, Berger, j'ai la réponse à ma question : une
momie creuse, parfaitement délimitée par les bandelettes de Lagrange 4, le conditionnement d'abord subi
sans le savoir, puis accepté, justifié, chéri : le salut,
oui, le salut ! N'est-ce pas ce que Joanie-Jean a appris ?
Une fois les liens défaits, ce n'est pas la liberté mais
le vide, *l'immeuble éparpillé immobile, les morceaux
suspendus avant l'effondrement ultime, c'est ma vie,
petite fille, tout ce qui me reste, en finir* ?

Je me retourne, je cherche la sortie des yeux. Mais
un murmure surpris m'arrête : les lumières viennent
de s'éteindre dans le hall. Et peu à peu, le silence se
fait, et la voix s'élève.

Elle monte dans le noir, d'abord. Elle est la noirceur
et peu à peu délimite une étendue encore invisible, la
rassemble pour lui donner un poids, un sens : un centre.
Elle y établit comme une circulation et un mouvement se fait jour : se fait lumière, fugitive d'abord,
phosphorescences, miroitements, qui s'affirment peu
à peu et deviennent couleurs. On s'aperçoit alors que
la voix ne disait rien. Elle chantait, simplement, psal-
modiait un son profond, vital, d'avant la parole. Tout
un cortège d'échos lui dessine une perspective, soudain,
un espace : un volume, le corps d'où elle naît, visible
à présent dans les couleurs lumineuses qu'il suscite
sur la scène à chacun de ses mouvements. C'est à partir
de lui que se déploient maintenant les dimensions,
largeur, hauteur, profondeur, avec la musique née de
sa danse pour les occuper. Et avec la musique la voix

parle, ou chante, pleure, rit, chuchote ou gémit, murmure, crie. Et le corps explore son royaume, innocent,
joyeux, joueur, comme dans l'aube d'une vie nouvellement consciente d'elle-même.

Insensiblement, dans ses arabesques colorées, il se
rapproche du devant de la scène. La voix, presque
indiscernable jusque-là de toutes les musiques suscitées
par les gestes, s'en détache peu à peu, modulant une
phrase ascendante qui tourne, revient, se précise : une
question, un appel. L'espace n'est plus cette invisible
bulle élastique qui se déplaçait au gré du corps et de
ses symphonies : il s'est déployé, il a perdu ses limites,
il est immense et mystérieux et habité. La voix, redevenue son parmi les autres, et le corps, couleurs en
mouvement, semblent dire à présent avec curiosité,
avec joie, avec crainte : *Vous ? Moi ? Ici ? Là ?*

Les gestes se font plus lents, plus rares, plus nets.
L'espace cesse de pulser en vagues changeantes, il
s'organise en directions rigoureuses : verticales, horizontales, obliques de teintes pures et sans mélange.
Un bref instant, tout paraît en équilibre. Et puis un
léger trébuchement, une infime discordance… Qui
s'effacent aussitôt dans la célébration obstinée de
l'ordre. Mais reviennent, un tremblement, un glis-
sement, et les couleurs s'affolent en une spirale sac-
cadée, les lignes de l'espace se resserrent en prison,
le corps se recroqueville, la voix s'éteint, les lumières
disparaissent.

Noir.

Explosion ! Lumière blanche, feu primal, la purifi-
cation du cri originel, mort et naissance au même
creuset. Le corps se tend, immobile entre la terre et le
ciel, et les couleurs ressuscitées jaillissent au travers
des barreaux de l'espace, et la musique se libère en une
énorme vague sonore qui s'apaise bientôt, humaine,

s'organise autour de rythmes d'abord simples, le battement linéaire du cœur, la dualité du souffle, dedans, dehors. De plus en plus complexe ensuite, se mouvant les unes dans les autres sans heurt, et c'est le crépitement incessant des neurones, la trépidation affairée des cellules, la danse infinie des molécules là où le corps et l'univers échangent leurs frontières. Et lorsque les symphonies, peu à peu, s'éteignent, lorsque lumière et couleurs, peu à peu, retournent au noir autour du corps immobile, dans l'espace presque invisible dont le centre va s'effacer, c'est la voix qui demeure, glissant à la psalmodie profonde, au son unique longuement soutenu, à l'affirmation sereine : *Vous. Moi. Ici. Là. Ensemble.*

Silence. Puis les applaudissements, qui se transforment en vacarme de cris et de sifflements, comme si on voulait noyer dans le bruit le choc de ce qu'on vient d'éprouver. Les lumières se rallument ; par les grandes doubles fenêtres ouvertes, on se hâte de se répandre sur la terrasse où attendent d'autres divertissements plus inoffensifs.

Il fait nuit. Les lumières de la baie scintillent, humides, délimitant l'étendue obscure et menaçante de l'océan. Se diriger avec nonchalance vers la balustrade de marbre luisant dans la pénombre, répondre aux sourires sans se laisser piéger dans une conversation, respirer enfin à l'écart. Ramener l'ordre dans ce corps troublé, distendre ces lèvres en un sourire ironique. Innombrables miracles de la technologie, ce spectacle : des senseurs sur le corps de l'artiste, des récepteurs dispersés dans la salle, reliés à des batteries d'ordinateurs, des synthétiseurs, des techniciens habiles. Les critiques ont raison, elle ira loin, cette petite Sirina Malvic. Bon travail, beau travail, efficace. Quelques minutes d'émotion, de rêve. Mais quelle importance ?

C'est passé. Ce n'était rien. Il vaut mieux retourner vers les lumières, les rires calculés, les absurdes joutes feutrées, répondre aux sourires, aux regards qui provoquent. Venez tâter de mes dents, fauves misérables, venez m'avouer qui vous êtes, comme si je ne savais pas ce que je suis. Vous ici, dans votre insignifiant espace de temps, et moi là, qu'y a-t-il de commun entre nous, la vie, la mort ? Non, surtout pas la mort.

◆

« Paul Berger.
— En quelque sorte. »
J'ai répondu avant même de me retourner et, pendant la seconde nécessaire à la volte-face, j'essaie d'imaginer quelle femme vient encore se prendre au mirage de Paul Berger, avec cette voix intime, voilée. Puis je réalise que ce n'était ni une apostrophe ni une question, seulement une constatation méditative.

Elle est presque comiquement différente de la femme imaginée. Si jeune, d'abord. Et plus petite, plus carrée que celle qui brillait tout à l'heure sur la scène. La voix même est un peu différente. Pas un visage de magazine mais une somme de manques et d'excès par rapport à cette norme idéale, effacés tout à l'heure par la scène mais à présent visibles, pas même atténués par un maquillage savant. Trop d'expressions sur ce visage trop nu, mobile, et les yeux ni dorés ni verts mais virant de l'une à l'autre teinte sous la frange bouclée qui ne doit pas assez à un coiffeur.

Une fraction de seconde pour absorber l'impact, puis s'en étonner : si claire, Sirina Malvic ! Mais elle a évidemment appris à contrôler en partie ses émotions en entraînant son corps : acrobate, danseuse, comédienne, chanteuse… Avec la rétroaction constante de l'électronique, ce n'est guère étonnant. Rien de comparable à une métame, mais très correct pour une normale. Elle n'est d'ailleurs "claire" qu'en contraste avec les autres invités. Et au second plan, le tumulte des émotions subconscientes est bien là, que nous percevons chez tous les normaux comme un perpétuel bruit blanc (bruit noir ?). Chez elle comme chez les autres, sûrement, la répulsion secrète, la fascination effrayée, les désirs innommés.

«Je suis Sirina Malvic.

— Quelle modestie de vous présenter. Ou bien me croyez-vous plus provincial que je ne le suis ?»

Un infime recul, un regard rapide : une réévaluation. Après avoir laissé s'étirer juste assez le silence, elle reprend : «On recommence au début, ou vous préférez vraiment que je vous laisse tranquille ?»

Aucune agressivité. Sous le calme conquis, plutôt même de l'embarras. Pourquoi lui montrer les dents avant qu'elle ne découvre les siennes ?

«Recommençons au début. Enchanté de vous rencontrer, Séra Malvic. À quand un spectacle dans les Lagranges ?

— J'y travaille justement en ce moment.

— Un secret, ou une nouvelle en primeur ?

— Un secret.

— Et vous confiez vos secrets à un inconnu.

— Vous n'êtes pas un inconnu.

— Vraiment ?

— Non, pas vraiment.» Un sourire pour souligner le double sens. Et sans la moindre coquetterie depuis le début ? Rafraîchissant.

«Que savez-vous donc de moi ?»

De nouveau le regard rapide, des yeux à la bouche aux yeux. Pèse-t-elle les diverses répliques possibles – et serait-elle rafraîchissante au point de dire tout à trac : « Vous êtes un métame, vous avez changé de sexe hier au lieu de retourner dans Lagrange 4 » ? Mais non, il me semble plutôt qu'elle m'évalue, comme si je lui avais posé une véritable question : « Vous êtes perdu, vous avez peur et vous voulez partir d'ici », dit-elle d'un trait.

Se détourner vers un serveur qui passe, transportant plateau et verres avec une grâce sous-marine, prendre deux coupes, en tendre une à la surprenante Sirina Malvic, avec un sourire enfin maîtrisé : « Et vous ?

— Je préfère rentrer chez moi après un spectacle, ou finir la soirée avec des amis. »

Je désigne la terrasse et le hall illuminés, les robes-bijoux, le brouhaha des rires sur la musique : « Pas d'amis, ici ?

— Pas plus que vous. Ou comme vous : beaucoup d'admirateurs, des consommateurs. Le style vampire.

— Pourquoi être restée, alors ? »

Un grand sourire embarrassé : « Pour vous. Il y a longtemps que je voulais rencontrer un métame. Mais vous êtes très… protégés. »

Elle part de plus loin que les autres, Sirina Malvic, mais au moins elle y vient plus directement. Je souris : « Il faudrait aller chez nous. »

Elle semble prendre une décision soudaine : « Le spectacle de ce soir… » Sa résolution vacille, s'affermit : « C'est celui que je prépare pour Lagrange 4. Il n'est pas encore tout à fait au point. Je devais faire autre chose, mais j'ai appris que vous étiez là. » Et elle serre les lèvres comme si elle en avait trop dit.

Je bois plusieurs gorgées sans même savoir ce que je bois. Au bout d'un moment, très délibérément, je hausse les épaules : « Et que leur voulez-vous, aux métames ? »

Elle se met à rire, comme une qui jette les précautions aux orties : « Échanger. Poser des questions.

Répondre à des questions, peut-être. » Une ultime
hésitation, puis la plongée : « Mon frère aîné était un
métame. Il n'y a pas survécu longtemps. Nous avions
un an de différence. »

Elle me surprend encore en ne continuant pas,
mais, en voyant son regard attentif sur moi, je devine
que la confidence a été calculée. Et pourtant complètement sincère. Pas si simple, alors, Sirina Malvic. Le
jeu devient plus intéressant. Trop intéressant ? Elle me
surprend encore : « Vous voyez tout de suite le tableau :
l'obsession, la curiosité insatiable à propos des métames, au grand scandale général puisque c'est un
sujet tabou chez les gens bien. Et finalement, au lieu
d'être une bonne petite fille et de faire beaucoup
d'enfants pour aider à reconstruire la race humaine,
Sirina devient, consternation, une artiste, parce que
c'est ce qu'elle a trouvé de mieux comme approxi-
mation de la métamorphose. »

Son sourire disparaît brusquement – mais pas un
instant son regard n'a été amusé, ne m'a lâché : « Je
vous choque. »

Pourquoi ne pas choisir l'arme de la sincérité, moi
aussi ? « Vous m'étonnez. Aucun métame ne songerait
à être un artiste.

— Justement, c'est vous qui me stupéfiez, les métames ! Pourquoi pas ? Dans ce domaine, vos possibilités sont tellement infinies… »

Je cherche dans mon verre une dernière gorgée qui
n'y est pas : « Personne n'est très à l'aise dans l'infini.

— Dans les limites non plus.

— Insatisfaite de votre art ? Vous y êtes pourtant
d'une remarquable efficacité. »

Comme espéré, le mot la fait tressaillir mais elle se
contient, essaie un sourire : « Une artiste ne doit jamais
être satisfaite. Et puis, les interfaces entre l'humain et

l'électronique, c'est un point d'arrivée, pas de départ. Une limite. Le corps humain est la limite. Pas pour les métames. »

Je ne peux m'empêcher de rire et elle dépose sa coupe sur une table : « Voilà, vous êtes fâché. Partons, voulez-vous ? C'est trop Baïblanca, ici, on ne peut pas se rencontrer, seulement se heurter. Voulez-vous ? »

Je me suis repris, furieux de m'être laissé prendre : « Est-ce que je veux quoi ?

— Vous avez très bien compris ! » C'est elle qui est fâchée, maintenant. Et presque aussitôt, vulnérable sous l'humour : « Je suis trop directe, je sais. Je ne ferai pas long feu à Baïblanca. »

Si vive, si changeante : du mercure. Mais pas insaisissable. Seulement entière. Je pose à mon tour ma coupe. Elle ou une autre, pourquoi pas ? « Très bien, allons ailleurs. »

◆

Ailleurs, c'est tout près : au dernier étage de la demeure des Iguerra ; elle est leur invitée pour tout son séjour à Baïblanca. N'a-t-elle pas discuté avec Doménica Iguerra qui elle aussi, après tout, est une métame ? Mais sans doute Paul Berger fait-il mieux l'affaire pour ce que Sirina Malvic a en tête.

« Voulez-vous boire quelque chose ? » demande-t-elle en allumant des lampes dans toute la salle de séjour.

Il y a un tableau, à gauche de l'entrée, une grande reproduction de gravure sur bois protégée par un vitrage. Sur fond de sphères de toutes tailles, un visage d'homme à droite, un visage de femme à gauche. Ils sont creux, délimités par les boucles en spirale d'une longue bandelette qui se déroule, morcelant chaque visage en portions transversales. La bandelette n'est pas du tissu mais de la pierre ou du plâtre. Les visages aux yeux fixes, comme hallucinés, rappellent ceux, à la fois intenses et vides, de la statuaire classique.

« C'est un Escher, mon tableau fétiche. Je l'emporte partout avec moi », dit Sirina Malvic derrière moi, d'une voix un peu hésitante. « Comment le trouvez-vous ?

— Intéressant.

— Vous ne l'aimez pas. » Elle me dévisage lorsque je me retourne enfin ; elle semble déconcertée, attristée : « Je l'appelle "Métamorphe", pourtant. Ce n'est pas son véritable titre » – une tentative de sourire – « il n'y avait pas de métames à l'époque d'Escher. » Et, plus bas, lentement : « Vous ne l'aimez pas. Nous n'y voyons pas la même chose, n'est-ce pas ? »

Je me mets à rire furieusement, à nu, mais je n'ai plus d'autre réponse. Son visage se contracte : « Pourquoi êtes-vous venu avec moi ? Vous n'avez pas envie de parler. »

Parler ! « Et de quoi donc voulez-vous *parler* ? »

Elle bat des paupières, mais ne recule pas devant l'attaque : « Du spectacle, pour commencer. C'était… pour vous. Les autres n'ont pas vraiment compris. Trop direct, trop brut, ils ont dit. Mais vous, je pensais… j'espérais… » Et, soudain passionnée : « Qu'est-ce que vous avez vu ? Qu'est-ce qu'un métame a vu ? »

Je me maîtrise un peu mieux, cette fois : « Que vous voudriez être une métame. »

Elle se tourne vers le tableau – satisfaite ? « J'en suis une, à ma façon. J'essaie. D'être plus large, plus souple, plus humaine. Non ?

— Non.

— Ce n'est pas cela, être métame ?

— L'inverse.

— Mais vous pouvez être tout, tout le monde !

— Personne. Rien. »

Et tout à coup je n'ai plus de force, plus de colère. Je vais me laisser tomber sur le canapé. Paula Berger a trop bu et elle est fatiguée, très fatiguée. Trop fatiguée même pour forcer le corps de Paul Berger à ne plus être fatigué. Je ferme les yeux.

Sirina Malvic s'est assise près de moi ; sa petite voix obstinée reprend : « Ce n'est pas vrai. Vous êtes quelqu'un. Vous êtes là. »

Cette petite fille est attendrissante, au fond. Je murmure : « Qui est là ? Croyez-vous donc le savoir ?

— Et vous ? ! »

La réplique est venue avec une force inattendue. Et sur un tel ton, si *sévère*... Je rouvre les yeux pour la regarder : « Savez-vous... » À quoi bon ? À quoi bon ? Mais il faut faire un effort, cette petite fille le mérite peut-être. «... comment on appelle Lagrange 4 dans les cercles bien informés ? "Protée". Pour "Programme Total d'Éducation des Exceptionnels". Une antiphrase. Pour "Programme Total d'Élimination par Endoctrinement". »

Dans le silence qui suit, je laisse mes yeux se refermer. Mais la petite voix proteste encore : « Et il n'y avait personne avant, personne pendant l'endoctrinement, personne après ? ! Vous vous êtes pourtant bien métamorphosé récemment, non ?

— Je suis amok. » Si facile à dire, à admettre enfin. Je répète avec une sorte de satisfaction : « Amok.

— Parce que vous vous êtes métamorphosé ? ! Mais c'est normal pour un métamorphe ! Vous êtes normal ! »

Son indignation me tourne vers elle. Transfigurée de passion, la petite Sirina, si sûre d'avoir raison. Combien de fois a-t-elle imaginé cette conversation avec le frère disparu ? Je lui souris gentiment : « Vous, vous êtes une normale.

— Je suis bien plus amok que vous ! Je veux pouvoir changer, être tout ce que je veux, être tout, et je ne peux rien ou pas grand-chose. Et si vous, vous pouvez le faire et ne le faites pas, alors oui, vous êtes fou ! Mais c'est votre projet Protée qui est fou, avec ses petites normes de normaux, vous ne le voyez donc pas ? C'est à vous d'inventer vos propres lois, vos propres règles. Vous avez tout le temps pour ça, deux, trois, dix vies, peut-être, y avez-vous pensé ? Aucun métame n'est encore mort de mort naturelle, et l'amok n'est pas une fatalité, *y avez-vous pensé* ? Vous ne voyez pas ce qu'ils vous font ? Vous ne voyez pas comme ils ont peur de vous ? ! »

« Maman, c'est moi, Paulie. »

Je la reconnais à peine, elle a tellement maigri ! Ou plutôt, c'est comme si elle avait rapetissé de partout : la peau cireuse est bien tendue, dessinant le squelette avec une précision bizarre. Et ce regard terne qui se pose sur moi. Est-elle déjà si mal ? Ne me reconnaît-elle pas ? Je n'ai pas changé à ce point en cinq ans. Et je leur ai envoyé des photos, même s'ils ont cessé de répondre à mes lettres.

Elle fronce les sourcils, une vague lueur vacille dans ses yeux, s'affirme, et sa bouche s'ouvre. Sur un cri, un appel strident. Aussitôt une dégringolade dans l'escalier, une silhouette dégingandée sur le pas de la porte, une question inquiète qui s'arrête net quand François me voit.

« Enlève-la ! glapit maman. Emmène-la ! » Elle a fermé les yeux et secoue la tête de droite à gauche sur l'oreiller. François me prend le bras rudement, et pourtant avec une étrange réticence, me tire de la chambre dans le couloir. Je ne résiste pas. Je répète stupidement "Mais c'est moi, maman, c'est Paulie", tout du long, même quand la porte se referme en claquant.

François m'a lâchée et danse lourdement d'un pied sur l'autre devant moi, lèvre mordue, yeux qui se dérobent. Comme il a grandi ! Il me dépasse d'une bonne tête.

« Qu'est-ce qui t'a pris de venir ici ? ! » dit-il d'une voix sourde, comme s'il n'osait pas vraiment manifester sa colère. Je le dévisage, incrédule, et il ajoute : « Je croyais qu'ils ne vous laissaient pas sortir avant que vous ne soyez… dressés. »

Un petit rictus sur le dernier mot, de… dégoût ? Mais je ne relève pas, je vois maintenant à quel point je me suis trompée en insistant pour venir, à quel point Marian avait raison. Je dis quand même : « Je voulais la voir, c'est tout, la voir avant… » Et malgré moi ma voix se brise.

Mais l'expression de mon frère devient seulement plus butée, rancunière : « Et lui mettre ta bonne santé sous le nez ! Ton éternelle bonne santé ! Elle n'avait vraiment pas besoin de ça. Personne n'a besoin de ça ! On n'a pas besoin de toi ! Va-t'en ! »

Mais il ne me pousse pas dehors, cette fois. Il donne un grand coup de poing dans le mur – parce qu'il n'ose pas me frapper ? – et remonte l'escalier quatre à quatre, en trébuchant sur le palier. La porte de sa chambre claque.

Pendant un instant, un très bref instant, pour ne pas avoir aussi mal, j'ai envie de crier très fort des choses très stupides comme : "Je ne mourrai jamais, jamais, et vous pouvez tous crever, et c'est bien fait pour vous !" Mais je ne suis plus une petite fille, j'ai seize ans, et je sors, très digne, sans pleurer, avec un morceau de phrase apprise qui me tourne dans la tête, curieusement apaisante : *le fardeau du métame. C'est le fardeau du métame.*

Elle est tout près de moi, Sirina Malvic. Je ne l'ai pas vue bouger. Elle a posé une main sur mon bras. *Vous ne voyez pas comme ils ont peur de vous.* Parce que nous pouvons vivre très longtemps ? Parce que nous pouvons survivre à presque tout ce qui les tue ? Bien sûr que je le vois, bien sûr que je le sais. Ça fait partie des leçons de Lagrange 4. Les leçons explicites de Lagrange 4. *Le fardeau du métame* : je serai vivante quand vous serez morts. Et l'autre leçon en dessous, la leçon implicite : je serai *peut-être* vivante quand vous serez morts. Peut-être : il y a l'amok, la roulette russe, la justice aveugle de l'amok. C'est peut-être ça, le germe, le premier pas dans la pente de l'amok, penser *je serai vivante quand vous serez morts,* et la culpabilité, le terrible remords jamais admis. Ou, alors, la terreur secrète : se savoir potentiellement immortel, et pourtant menacé par l'incompréhensible dérègle-ment de l'amok. Et ils doivent le savoir, les habiles de Lagrange 4. Ils doivent bien le savoir, que toutes leurs bandelettes rendent seulement l'explosion plus certaine. La fatalité, c'est peut-être nous qui la pro-grammons, ils ne font que la canaliser. Plus j'essaie d'être sage dans mes bandelettes, plus la colère s'agite en dessous, la frustration, la terreur. Moins je meurs, plus je meurs. Car c'est cela, n'est-ce pas, Joanie-Jean, c'est cela qui m'est arrivé, pas la mort, j'en connaissais l'existence, pas même ta mort, mais la mienne, ma mort à moi, toujours déniée et revenant toujours, et comme je t'ai haïe de me la rappeler ainsi, comme j'aurais voulu que tu te sois déjà fait sauter, que tu n'aies jamais existé, et c'est cela peut-être que tu as senti, Joanie-Jean, c'était vraiment ma faute, *Vous ne voyez pas comme ils ont peur de vous.* Mais nous avons bien plus peur, nous nous haïssons bien plus encore nous-mêmes !

Je regarde la main de Sirina Malvic sur mon bras. Une petite main brune, au dessin bien net. Elle est juste posée là, légère, pour dire… quoi ? *Vous ici, moi là, ensemble ?* Je la prends entre deux doigts, je fais jouer le poignet pour la retourner paume en l'air et elle se laisse faire, docile. Je commence à serrer : « Mais vous, vous n'avez pas peur. »

Elle ne s'est pas raidie. Son regard ne lâche pas le mien : « Moins que vous, peut-être. J'ai moins de possibilités de choix dans ma petite vie. Mais vous, vous êtes tellement libre, ce doit être effrayant, quelquefois. » Et, doucement, calmement : « Vous me faites mal.

— Je pourrais vous tuer.

— Vous n'êtes pas obligé de vous tuer non plus. »

Je la lâche, je me lève. *Vous n'êtes pas obligé de vous tuer non plus.* Et quoi d'autre ? Les fauves lamentables de Baïblanca ou d'ailleurs ? *Que vous passeriez l'épreuve, comme moi,* et pour une Doménica Iguerra qui l'a passée, combien de Joanie-Jean Bordes ? Ils ne nous aiment pas, ils ont peur de nous, ils nous envient, et qu'y a-t-il de commun entre nous : la mort, surtout la mort ?

(Explosion. Lumière blanche, feu primal… naissance et mort au même creuset ?)

Elle n'a pas bougé, Sirina Malvic, elle me regarde depuis le canapé, ses petites mains brunes croisées sur ses cuisses. Un pas, deux pas vers la porte, tendre une main vers la poignée, mais le tableau attire invinciblement le regard, le regard une fois pris est obligé de suivre la bande. Il tourne, monte, descend, remonte, recommence. Les bandelettes portent les traits du visage, et une fois défaites, *l'immeuble faussement debout déjà éclaté les morceaux suspendus arrêtés côte à côte le temps ralenti et l'affaissement la chute*

*le nuage de poussière et après dans les gravats en
retournant les gravats chercher les* NON *mais la bande
dérape et se répète*, chercher les petits morceaux de
NON NON, *mais il faut bien entendre, il faut bien voir*
les petits morceaux de Joanie-Jean pas encore tout à
fait morts les petits morceaux de Joanie-Jean commençaient à se cicatriser les petits morceaux de
Joanie-Jean est-ce qu'ils rampaient les uns vers les
autres sous les débris les… quelque part dans ma mémoire François frappe le mur du poing et je lance mon
poing dans la dernière bande, elle a dit ce qu'elle
avait à dire, enfin, la dernière bande, de toutes mes
forces.

◆

Au bout d'un moment, Sirina Malvic quitte la
pièce : elle sait qu'elle peut s'en aller, maintenant. Au
passage, légère, sa main sur mon bras. Je n'entends
pas la porte se refermer, elle l'a fait si doucement, la
porte est seulement poussée. Je regarde le tableau qui
s'est décroché sous le choc et repose appuyé contre
le mur, un peu incliné. La vitre s'est brisée, le cadre
est intact. La reproduction elle-même ne porte pas de
trace de l'impact. Des morceaux de verre sont tombés
sans bruit dans la moquette. Le dernier tour de la
bandelette qui constitue le cou de l'homme, en bas et
à droite, se continue vers la gauche pour devenir le
cou de la femme, puis remonte en spirale jusqu'au
crâne dont la dernière portion-bandelette vient sans
discontinuité modeler sur le vide, en haut et à droite,
le sommet du crâne de l'homme. À travers chaque
visage-bandelette, on aperçoit le fond noir du tableau.
Mais ce n'est pas réellement un vide : il y a les
sphères, la danse infinie, parfaite, éternelle. Certaines

flottent même devant les visages, au premier plan. Le titre de la gravure est inscrit en plusieurs langues dans un petit cartouche blanc sur le côté droit, en bas : BAND. BOND OF UNION. BAND OHNE ENDE. LIEN INFINI. *Bande sans fin* ou *Trait d'union ?* Le titre n'a pas le même sens dans toutes les langues.

Et Sirina Malvic l'appelle "Métamorphe", ce tableau.

Je m'accroupis. Dans les morceaux de verre encore attachés au cadre, échardes aiguës ou surfaces plus larges à la géométrie irrégulière mais tranchante, je vois un visage éparpillé ressemblant à quelqu'un que j'ai brièvement connu. Je ramasse les plus gros éclats de verre sur la moquette, puis je vais chercher la corbeille qui se trouve près du canapé pour la porter près du tableau. Le premier morceau de verre qui tient encore au cadre cède facilement. Le deuxième résiste : je l'empoigne à pleines mains, je tire en cisaillant, il se détache. Lorsque j'ai fini avec les autres morceaux, j'inspecte la moquette ; il reste un gros éclat qui m'a échappé tout à l'heure. Je le ramasse, je le retourne entre mes doigts. Mes doigts qui ne saignent pas, bien sûr, ce conditionnement-là est si profond que c'est un automatisme. Une "seconde nature". Distraitement d'abord, je promène l'arête tranchante contre ma paume. Et puis plus fort, en désirant la blessure. La chair s'ouvre comme une petite bouche. Un effort supplémentaire contre le réflexe acquis, et je laisse le sang couler : la bouche devient rouge, s'emplit, déborde. Accueillir la douleur à présent, volontaire elle aussi… Je tends la main pour regarder couler les premières gouttes de sang. Et l'autre main pour les intercepter avant qu'elles ne tombent sur la moquette. Elles s'accumulent au creux de la paume intacte. Et pourquoi pas ? Modifier la perméabilité des cellules de la peau, des vaisseaux sanguins eux-mêmes : maintenant, le sang est lentement réabsorbé au fur et à mesure, comme dans des sables mouvants. Pompé de mon cœur à mon bras à ma main. Et de nouveau aspiré par le réseau obéissant des vaisseaux, des veines, des artères, de mon autre main à mon autre bras jusqu'à mon cœur. Circuit fermé. Clôture complète. *Band ohne ende.*

Mais je laisse retomber la main entaillée et je regarde le sang goutter sur la moquette. Il faut quelques secondes pour que les fibres commencent à s'en imbiber. Il y aura une tache. Une, deux, trois gouttes de sang, cela suffit : une offrande. *Bond of union.*

Je prends le tableau et je le replace sur ses attaches magnétiques. Surimposé aux morceaux de visage à l'expression lointaine, vaguement indulgente, sur le papier de la reproduction brillant dans la lumière, je vois bouger un reflet de visage. Bonjour, adieu, Joanie-Jean. *Ta vie t'appartient, penses-y.* Oui. Merci. Pardon. Et bonjour, et adieu, Paul Berger. C'est moi, je crois, qui vais ouvrir la porte.

11-12-13 novembre 1982

DANS LA FOSSE

Puis-je vous aider ? Depuis que vous êtes entré, vous jetez autour de vous des regards un peu déconcertés. Vous semblez penser que le décor a changé. Mais je ne me rappelle pas vous avoir déjà vu chez nous. Je m'en souviendrais, d'abord parce que votre physique est assez… j'épargnerai votre modestie : assez frappant. Je n'oublierais pas un tel visage. Et ensuite, je suis ici depuis assez longtemps pour connaître tout le monde. D'ailleurs ce sont toujours les mêmes qui viennent. Qui reviennent.

Mais certainement, même les nouveaux comme vous. Ne trouvez-vous pas que tout le monde ici a un petit air de famille ? Ah, mais c'est que vous êtes un véritable nouveau. Non, ce n'est pas une contradiction. Il n'y a pas de contradiction possible ici, voyez-vous.

Merci, je prendrai la même chose que vous. C'est la spécialité de la maison, cet alcool qui change de couleur avec la chaleur de la main qui le berce. Vous avez le sang froid, à ce que je vois, mais moi, voyez… Je vais vous faire une confidence : c'est la boisson que choisissent tous les nouveaux. Le nom les attire. Ma clairvoyance de tout à l'heure à votre sujet était un peu surdéterminée, vous voyez.

Pourquoi les anciens ne boivent pas de *Caméléon*? D'abord parce qu'il n'y a pas d'anciens ici. Un autre paradoxe, si vous voulez: pas de nouveaux, mais jamais d'anciens. Ou alors le patron. C'est le grand maigre, là-bas, près de l'orchestre, celui qui ne bouge pas. Il s'assied à cette table et il reste là toute la soirée. Je ne sais pas s'il écoute la musique, mais il entend assurément quelque chose. Techniquement, il est sourd: il n'a pas d'oreilles. Mais enfin, à notre époque, cela n'a jamais empêché personne d'apprécier la musique, n'est-ce pas. Non, il n'a pas de prothèses. Il éprouve quelque méfiance à l'égard des miracles électroniques, et puis, il n'a pas envie qu'on aille lui trifouiller la cervelle pour lui poser des implants. La lumière est très tamisée, je sais, mais regardez-le bien. En effet, c'est un mutant léger: il vient d'une Zone 3. Mais si, "léger": pour nous, ici, léger. Il est encore tôt, mais puisque vous avez de si bons yeux, regardez mieux – les gens, pas le décor. Vous comprenez ce que je veux dire, maintenant, n'est-ce pas?

Je vois que vous avez l'esprit large, c'est bien. Vous souriez dans votre verre? Vous avez du moins l'apparence de la largeur d'esprit: un bon contrôle facial est parfois tout aussi recommandable, vous savez. Mais je ne crois pas que vous ayez été choqué par l'aspect de nos habitués. Je n'ai pas senti que vous étiez choqué. Je sens certaines choses, comme cela, de temps en temps. Rien de paranormal, rassurez-vous: simplement, à force de vivre ici, on finit par développer une sorte de sixième sens.

C'est comme pour elle, j'ai tout de suite su. Elle était là, devant le dôme des serpents, et... Mais je dérive.

Je vis ici, au troisième étage. Je suis guitariste et chanteur. Délicieusement anachronique, n'est-ce pas?

Mais il existe encore un public pour la voix et la dexté-
rité simplement humaines. Vous avez manqué mon
spectacle, il faudra revenir demain. Un deuxième *Caméléon*? Pourquoi pas? C'est vrai, je ne vous ai pas
dit pourquoi les habitués n'en prennent pas… Exact:
parce qu'ils en ont beaucoup pris, pour commencer.
Devinez donc le reste. Vous êtes là pour jouer un peu,
non? Vous savez bien que la Taverne est faite pour
cela.

Certainement, je me rappelle que vous n'êtes jamais
venu. Mais on vous a parlé de nous, c'est clair. Vous
sembliez trouver que le décor avait changé, vous
vous souvenez? C'est qu'il n'y a rien de vraiment
permanent ici, ni les êtres ni les aîtres. Quoi, ce jeu
de mots vous fait grimacer? J'en fais de meilleurs
quand je suis en forme, j'en conviens, mais il me faut
toujours un peu de temps pour m'échauffer. Votre
Caméléon, en tout cas, reste immuable dans votre
main. Le patron serait déçu s'il voyait cela – avec son
absence d'yeux. Ces perceptions-là passent également
par sa peau, c'est pour cela qu'il est toujours torse
nu. Mais il a une langue, rassurez-vous, et bien pendue.
Il ne s'en sert pas souvent, voilà tout.

Oui, le décor change souvent. Pas vraiment par
décision délibérée, plutôt une sorte de… tropisme
collectif. Les gars de l'orchestre, le patron, les clients,
chacun apporte des modifications. Un peu au hasard.
Chaises et tables changent de place, disparaissent,
d'autres font leur apparition. Quelqu'un se lance dans
des peintures murales, un autre trouve de nouvelles
tentures ou d'autres lampes. Les gars vont quelquefois
aux Puces, pendant la journée. Ou alors un client nous
parle des nouvelles magies technologiques qu'ils
inventent, Là-Haut ou ailleurs, il nous en apporte des
échantillons, on intègre comme on peut, ça déplace

d'autres choses, qui à leur tour… Une sorte de mouvement organique, brownien, si vous voyez ce que je veux dire. Oui, vous voyez? Je savais que j'avais affaire à un homme cultivé. Mais si, c'est dans votre aura. Toujours mon sixième sens. De la physiognomonie? Non, pas à la Taverne. Si on voulait déduire de leur visage la personnalité des gens, ici, on aurait quelques problèmes. Essayez donc avec la fille en rouge, à l'autre bout du bar. Mais oui, c'est un homme, un travesti, vous avez décidément une excellente vue. Il fait partie du spectacle de fin de soirée. Un charmant garçon. Et une fille superbe, vous verrez. Il se laisse un peu aller, en ce moment il n'est pas en représentation, mais pendant qu'il chante, on s'y croirait. Alors, vous comprenez, la physiognomonie…

Un mot difficile à prononcer, oui – ma langue s'embarrasserait-elle déjà? Pas après seulement deux *Caméléons*! Je vais en essayer un troisième. Vous trouvez que j'en bois beaucoup, pour un habitué? N'y voyez pas non plus de contradiction. Je vous l'ai dit, impossible de se contredire, ici. Parce qu'il n'y a pas de règles, tout simplement. C'est la Taverne de la Toison d'Or. Votre ami n'y est pas resté assez longtemps pour bien assimiler, sans doute. Il avait peut-être l'esprit moins large que vous?

Je ne suis pas certain que ç'ait été *un* ami. Je fais seulement le pari… Ah, vous voyez bien. Aucune règle à ce propos non plus, seulement la statistique.

Le nouveau décor est-il à votre goût? Je le trouve un peu sombre, quant à moi. J'aime bien le principe de la fosse, par contre. C'est encore ce qui change le moins d'une transformation du décor à l'autre, ici. Oui, tout le monde est dans la fosse, fort pertinente remarque: avec le présent système de gradins, c'est juste une question de degré.

Un jeu de mots un peu meilleur, quoique involontaire, pardonnez-le-moi. Encore un *Caméléon* et je serai à point… Pourquoi les habitués n'en boivent pas ? La question vous tracasse, décidément. Il n'y a aucune honte à être un nouveau ici, vous savez. Pas d'anciens, pas de nouveaux. D'ailleurs, quelqu'un a dit que le nouveau n'était que de l'ancien oublié. Ou quelqu'une, c'était à propos de mode féminine, je crois. C'est cela, reprenons en chœur un *Caméléon* et oublions cette fallacieuse problématique. L'ancien, le nouveau, qu'est-ce que ça peut bien vouloir dire à Baïblanca, je vous le demande.

Je sais que vous n'êtes pas de Baïblanca, c'était une façon de parler ; je ne me permettrais pas de vous demander quoi que ce soit de personnel, pas à ce stade de la soirée, en tout cas. Vous ne me demandez pas, vous, comment je sais que vous n'êtes pas d'ici ? Bien ! Vous commencez à comprendre les règles du jeu.

Vous souriez encore : vous croyez m'avoir surpris dans une autre contradiction. Pas de règles, disais-je tout à l'heure. Mais des règles qui se transforment par consentement mutuel, dans un jeu, ce ne sont pas des règles, n'est-ce pas ? Pas des lois. Ou alors les seules convenables pour des êtres humains : changeantes.

Vous regardez autour de vous avec une expression bien étrange. Sceptique ? "Êtres humains", l'expression vous paraît inappropriée ? Ou vous demandez-vous si par hasard les gens qui viennent à la Taverne ne seraient pas les seuls que je considérerais comme des êtres humains ? Vous n'êtes pas si loin du compte, quoique ce soit une position un peu extrême. Tout le monde peut venir à la Toison d'Or, voyez-vous. Mais tout le monde n'y vient pas. Ou n'y revient pas. Votre ami, par exemple. Il est resté Là-Haut, il n'a pas voulu vous accompagner. Il reviendra peut-être, remarquez. Sans vous. Je ne suis pas sectaire, il y a toujours un espace pour la rédemption, comme disait le prêcheur, un de nos habitués. Non, il n'est pas parti. Ou alors définitivement : un Zone 6, même les magiciens de Là-Haut ne pouvaient pas grand-chose pour lui.

Là-Haut ? Oh, pas seulement la haute ville : tout le reste de Baïblanca. Une question d'altitude morale, oui, vous avez saisi. Tout le monde y est si vertueux, si respectueux des lois, si immuablement pur. Vous trouvez, vous aussi ? Mais voyez-vous, la plupart de ceux qui nous rendent visite – les spectateurs, pas les acteurs – sont pourtant de Là-Haut. Rien d'étonnant à cela, en effet. Mais je ne crois pas qu'il s'agisse de l'opposition habituelle. C'est ce qu'ils pensent, eux : la fascination des bas-fonds, un petit passage par la turpitude pour se conforter dans sa propre vertu. Des romantiques, quand on y pense, délicieusement naïfs. C'est-à-dire des êtres de mauvaise foi. Quand ils retournent Là-Haut, dans leurs belles maisons, sur la Promenade du Bord de Mer, par exemple, ils s'imaginent que c'est terminé, jusqu'à la prochaine visite. Mais nous sommes tous dans la fosse, n'est-ce pas. Le mouvement brownien qui transforme sans cesse la Taverne en elle-même ne s'arrête pas à nos murs. Si j'avais assez bu pour devenir philosophe, je dirais que nous sommes la vraie Baïblanca – le cœur secret invisible, le creuset où toute matière humaine vient se tremper ou être détruite pour renaître, et repartir, et revenir. Quelquefois, revenir. Elle n'est pas encore revenue, elle… Mais je ne crois pas avoir assez bu pour vous en parler. Chaque chose en son temps. D'ailleurs le *Caméléon* ne saoule pas vraiment, surtout un vieil habitué comme moi. Être ivre, c'est une question de choix. Je n'ai pas l'air vieux ? C'est aussi une question de choix.

Non, rassurez-vous, je ne suis pas un métame : c'est bien mon véritable visage, je suis né et mourrai avec sans en avoir jamais changé. Les métames aussi, d'ailleurs, naissent avec une face bien à eux et meurent parfois sans en avoir jamais changé. Mais il n'en est pas encore mort de mort naturelle, je crois. De toute façon, ceux de la première génération n'ont qu'une quarantaine d'années. Il faudra attendre encore un peu pour savoir s'ils sont immortels.

Le sujet ne vous choque pas, j'espère ? Nous ne sommes pas Là-Haut, où parler des métames est toujours un peu indécent – même dans les soirées sophistiquées où l'on s'arrache les quelques métames qui osent s'y risquer. Non ? Je savais bien que vous étiez un esprit libéral. Et puis, vous n'êtes pas de Baïblanca, n'est-ce pas. Vous venez de plus haut, du vrai là-haut sans majuscules, de l'espace. Toujours rien de magique dans ma clairvoyance, c'est la façon dont vous bougez : pas de gestes brusques, du lié dans le mouvement, l'habitude de l'apesanteur dans l'espace. Les astéroïdes ou Lagrange 5. Vous voulez que je choisisse ? Disons Lagrange 5 pour l'instant. Eh non, je ne vous dirai pas pourquoi "pour l'instant". Mais je peux vous dire pourquoi une des Lagranges, au moins : les Astéros ne viennent presque jamais sur Terre, et lorsqu'ils y viennent, ce n'est pas pour chercher la Toison d'Or.

C'est le patron qui a choisi ce nom pour la Taverne, bien avant que je n'y arrive. Lui, il est vieux, en effet, bien qu'il soit difficile d'en décider avec cette peau qui ressemble à du cuir. Je suis là depuis une dizaine d'années, mais la Taverne a quarante ans ou plus. Presque contemporaine de la fondation de Baïblanca, un endroit quasi historique. La Toison d'Or, c'est la fourrure au-dessus du bar. Une créature mutante que Ted a trouvée dans sa Zone, de toute évidence. Une sorte de grand singe, en effet, et pourtant Ted ne venait pas d'une Zone tropicale. Il vient de Nordamérique. Ted, pas d'autre nom à ma connaissance. Moi, c'est Karel. Enchanté, Philippe. Rien que le prénom, s'il vous plaît, une seule poignée pour attraper les gens, c'est suffisant, non? L'état civil… Je préfère l'état incivil, l'état natif, si vous préférez. Vrai qu'un prénom fait déjà bien civilisé, mais il faut bien différencier un peu tous les Moi-Je.

Moi? Je viens… de partout. Ou de pas mal d'endroits. Un bourlingueur, un vagabond. Déraciné? Si vous voulez, mais je trouve le terme un peu excessif. Les eaux ont monté, c'est tout. On a reconstruit le village un peu plus loin, et un peu plus loin, et un jour il n'y a plus eu assez de gens pour le reconstruire. Dans le nord-ouest de la France, mais quelle importance, il n'y a plus que de l'eau, maintenant. Nous n'étions pas assez importants pour mériter une digue, mais de toute façon on voit où en sont la plupart des digues, à présent. L'espace? Les Lagranges, c'était pour ceux qui valaient quelque chose. Les Astéroïdes… Moi, vous savez, j'étais fils, petit-fils et arrière-petit-fils de pêcheur. Il n'y a pas grand-chose à pêcher dans l'espace, quand on n'a pas de qualifications. Et puis, l'espace, c'est pour les gens vertueux, qui ont le sens des lois.

Vous en venez et pourtant vous êtes ici? Mais qui vous dit que vous y retournerez? Les pièges de la Terre, vous savez… La Taverne? Non, la Taverne n'est pas un piège. Je vous l'ai dit tout à l'heure, c'est un creuset, ou une pierre de touche, si vous n'aimez pas les métaphores ignées.

Un mot savant, igné? Oh, je ne suis qu'un autodidacte, vous savez. Un amateur d'antiquités, tout au plus. Mais vous, pour venir d'une Lagrange, vous devez être un homme savant. Non, vous vous êtes simplement retrouvé là-haut un jour ? Et qu'est-ce qui vous amène à Baïblanca ? Tourisme ? Affaires ? Les deux. Heureux homme.

Comment, n'êtes-vous pas heureux ? Mais on ne répond pas à cette sorte de question, n'est-ce pas. Je vais vous dire, même : ce n'en était pas une. Si vous vous trouvez à la Taverne, c'est que vous n'êtes pas tout à fait… je dirai "ajusté", pour ne pas être indiscret. Pas de honte à cela : le désajustement est le commencement de la sagesse. Pour nous, en tout cas, ici à la Toison d'Or.

Moi ? Moi, je vis ici, mon cher, c'est donc que j'ai trouvé une place. Un ajustement ? Peut-être. Un point d'équilibre, en tout cas, entre deux chutes. Un statut, passager : il n'est pas désagréable, quelquefois, de représenter la permanence pour autrui, de faire partie des meubles, d'être celui qui est toujours là quand on *revient. Quand* on revient. Elle n'est jamais revenue, en effet. Mais cela ne veut pas dire qu'elle ne reviendra jamais. Le mouvement brownien a de ces miracles, vous savez. Je revois passer de temps en temps des visages que je n'ai pas vus depuis des années… Oh non, je ne l'attends pas depuis dix ans ! Je ne jurerais même pas que je l'attends. Et voyez-vous, si jamais elle revient, je ne la reconnaîtrai peut-être pas. Pas tout de suite, en tout cas. Il y en a comme ça. Mais ils finissent toujours par venir me parler, je suis toujours reconnaissable, moi. Et puis, je parle plus facilement que Ted. Ils viennent comparer leur temps passé et le mien, se refaire une histoire. À quoi bon changer, n'est-ce pas, si on n'a personne à qui confronter son changement, aucun moyen d'évaluer la distance parcourue ?

C'est pour cela que je n'aime pas Baïblanca. Cette ville n'a pas le sens des distances : construite de toutes pièces pour prouver que rien n'a changé, ne changera. Pas d'histoire, pas de passé, rien qu'une ville neuve à en crever, même maintenant, plus de cinquante ans après sa fondation. Belle, là n'est pas la question. Mais une beauté tellement concertée, le triomphe du contrôle, l'environnement humain total, pas moyen d'y échapper. Les parcs, les aires résidentielles, les rues piétonnes, les avenues, les cascades et les canaux, le jeu des masses, des lignes, des formes, ah, le lever du soleil sur le Parlement, sa symphonie de reflets et d'ombres, une grande œuvre, comme toute cette ville, vous ne trouvez pas ? Continuellement esthétique, jusqu'à la nausée. Et la Promenade du Bord de Mer, ce pied de nez à l'océan qui monte, cette superbe affirmation de l'obstination humaine à survivre malgré tout, comme ils disent dans les dépliants touristiques ! Avez-vous vu la plaque commémorative, au milieu de la Promenade, avec le coût total de la ville ? Vous avez sûrement vu celle du Parc, alors, on ne peut pas la manquer, à l'entrée. Vous n'êtes pas encore allé au Parc. Vous avez préféré le zoo humain, alors ?

Non, nous ne nous considérons pas ainsi, à la Taverne. Nous aurions plutôt un complexe de supériorité. Je sais, il s'agit souvent de l'inversion d'une infériorité, mais pourquoi pas ? J'aime les retournements, ils peuvent toujours fonctionner dans les deux sens. Vous devriez vraiment aller au Parc. Le zoo est fascinant. Vous n'avez que des animaux domestiques, sur les Lagranges… Je devrais dire *dans* les Lagranges. Quand j'étais petit, je me rappelle, j'avais du mal à imaginer comment vous pouviez vivre ainsi dans un monde concave, la tête en bas, comme des mouches. Mais vous voyez, j'ai appris. C'est aussi un retournement, cela, concave/convexe, le haut/le bas, cette relativité de l'espace. J'aime beaucoup. J'aime encore plus que les métames aient finalement été installés dans une des Lagranges, dans l'espace où tant de choses deviennent relatives, le haut/le bas et la fameuse verticalité humaine, pour commencer. Et la fameuse primauté de la forme sur l'être, toujours rationnellement déniée mais toujours indéracinable dans nos têtes. N'est-il pas significatif qu'on les envoie là-haut, les métamorphes, dès qu'on en repère un à la puberté ? Ils ne sont même pas encore sortis du coma qu'ils sont déjà dans une navette, en route pour Lagrange 4.

Vous semblez sceptique, encore. Vous me trouvez trop philosophe, peut-être ? Sans doute n'est-ce pas le sens de la relativité des choses humaines qui a fait réunir tous les métames sur, dans, Lagrange 4, avec leurs mentors normaux. Dirai-je leurs "gardiens" ? Ah, vous êtes d'accord, cette fois. Bien sûr, c'est pour les avoir tous sous la main. Et les conditionner à loisir, vous avez parfaitement raison, je vois que vous n'êtes pas dupe de la propagande officielle. Qui, remarquez bien, est vraie aussi : il vaut mieux confier ces enfants à des spécialistes plutôt que de les laisser en proie à leurs proches. On l'a bien constaté au début. Et il y a des métames adultes parmi les spécialistes, et même dans le conseil d'administration de Lagrange 4, paraît-il. Cependant, les motivations humaines étant fort complexes, je ne suis pas prêt à jurer que seules des raisons d'efficacité tactique et de contrôle aient fait envoyer les métames en résidence dans l'espace. J'aimerais qu'une sorte d'intuition poétique…

La répulsion ? Oui, aussi. Mais à ce compte, on les garderait là-haut en quarantaine, on ne les laisserait pas venir travailler sur Terre, si utiles soient-ils. On ne les voit guère, c'est juste. Ils sont si peu nombreux, une vingtaine de mille pour nos centaines de millions… Et puis, ils ne le crient pas sur les toits, qu'ils sont des métames. Ils ne se métamorphosent que pour leur travail, et même dans ce cas, ce n'est pas évident. Quelle remarquable discrétion. Le plus grand pouvoir que les humains aient jamais connu, la métamorphose totale et volontaire du corps humain, et quand on se promène dans les rues de Baïblanca ou d'ailleurs, en écoutant les gens et les nouvelles, on jurerait que cela n'existe pas. Mais c'est tout juste si le reste du monde existe, à Baïblanca, n'est-ce pas ? Les zones et leurs mutants, les aires de récupération avec leurs jolis déserts qu'on grignote si lentement – plus lentement que les eaux ne grignotent la terre, vous avez remarqué ? Et les ruines des tremblements de terre, il y en a toujours de nouvelles, elles sont visibles. Mais on ne voit rien de tout cela à Baïblanca, on n'y pense pas, ou alors en secret, honteusement, dans la solitude. Un de ces jours, vous verrez, ils en feront vraiment un délit d'opinion : "Entrave par défaitisme à la reconstruction de la race humaine."

Oui, buvons à la santé et à l'avenir de la race humaine, mais plus de *Caméléon*, si vous le voulez bien. N'importe quoi d'autre.

Vous fredonnez avec la musique. Bob Dylan, en effet. Le patron a récupéré tout ce qu'il a pu trouver, des disques antiques, des bandes, des CDs, et le matériel pour les faire jouer. Toujours le goût des antiquités. Mort depuis plus de cent ans, Dylan, et il ne reste rien des lieux où il a chanté : sous l'eau, New York et la côte californienne. Mais lui, il est toujours là, pour encore un moment. *The times, they are a-changin'*… Ils étaient touchants, ces gens-là, ne trouvez-vous pas ? Ils chantaient "Les temps changent" parce que les esprits changeaient. Rien de bien nouveau, pourtant, chaque génération en a toujours fait autant – celle-là, à vrai dire, criait plus fort et plus loin que les précédentes, grâce à l'électricité et à l'électronique. Que ne devrions-nous pas chanter, alors, nous pour qui c'est la Terre elle-même qui se transforme, la configuration des continents, le sol sous nos pieds – et le corps humain lui-même, oui, le corps humain… Mais il n'y a pas de Dylan parmi nous. Les esprits ne changent plus guère ; étrange, n'est-ce pas ? Ou pas si étrange : la réaction. Pas une très bonne idée, je le crains, de vouloir garder les mêmes vieilles visions du monde pour se rassurer quand tout s'écroule. Mais je peux le comprendre, ce besoin, oh oui, je peux le comprendre. La peur, l'angoisse… pathétique, tout cela, non ?

Moi, écrire des chansons ? Non, je suis un exécuteur, pas un créateur. On dit un exécutant, vous avez raison. Lapsus révélateur – ils le sont tous. Mais non, je me contente de chanter et je joue de la guitare. Bien, me dit-on. Rien à voir avec Dylan, mais pas désagréable. J'exécute, j'exécute… je ne sais pas ce que j'exécute. Nous sommes tous un peu nos propres exécuteurs, n'est-ce pas. Qu'est-ce que vous exécutez, vous, en venant ici ? Vous ne répondez pas, voilà une réponse assez éloquente.

Ah, la remarque vous irrite. Le terrorisme latent de ce genre de déclaration, "même si vous ne dites rien, vous parlez, même si vous n'agissez pas, c'est une action, même si vous ne choisissez rien, le choix a été fait"… Vieux clichés. Et vous savez ce qui est le plus horrible, avec les clichés ? C'est qu'ils sont tous vrais à un moment ou à un autre de notre vie, "Amour-toujours", ou "pourquoi-m'as-tu-quitté" ou "l'assassin-revient-toujours-sur-les-lieux-de-son-crime".

Non, elle n'est pas encore revenue, je vous l'ai déjà dit. Vous êtes d'une remarquable persévérance, digne d'un meilleur sort. Je vais bien finir par répondre à cette question qu'avec tant d'habile insistance vous ne me posez pas vraiment. Vous ne voulez pas encore parler de vous, il faut bien se défendre, n'est-ce pas ? Méfiez-vous, cependant, je ne raconterai peut-être pas réellement mon histoire. Nous sommes tous dans la fosse, comme vous le remarquiez si justement tout à l'heure. Et après tout, vous êtes bel et bien venu ici, à la Taverne de la Toison d'Or.

Je crois que Ted a réellement voulu faire allusion à la légende de Jason et des Argonautes. C'est un homme très cultivé, Ted, je veux dire un amateur vraiment éclairé d'antiquités – il m'a appris presque tout ce que je sais, vous devriez voir sa bibliothèque, il y en a pour une fortune en vrais vieux livres. Sans yeux et sans oreilles, mais pas sans cervelle, Ted, croyez-moi. Et pourvu d'un sens de l'humour assez particulier. L'histoire de Jason n'est pas seulement celle de la quête victorieuse de la Toison d'Or. Il y a Médée à l'autre bout, la magicienne, l'empoisonneuse, l'infanticide. Vous hochez la tête, c'est bien, il faudra que je vous présente à Ted, il aime parler de temps en temps avec un confrère en antiquités.

Quel rapport avec la fourrure au-dessus du bar ? Ah, mon cher, c'est une longue histoire et je ne me sens pas en veine de récits d'horreur, ce soir. Pas ce genre d'horreur-là, en tout cas. Oui, ce grand singe devait avoir un aspect bien humain lorsqu'il avait encore ses trois dimensions. Je vous laisse rêver sur le reste. Je vous présenterai Ted, promis, si vous lui plaisez il vous racontera cette histoire lui-même. Il soigne ses clients quand ils en valent la peine. Et ils en valent presque tous la peine. Regardez-les. C'est l'heure où ils commencent à arriver. La nuit tombe, ils sortent de chez eux, ils viennent ici – l'appel de la tribu, d'une certaine façon.

Il n'y a pas que des mutants, en effet. Vous voyez les deux qui viennent d'entrer, avec les robes pailletées ?

Ce sont des amis de Heinrich, la robe rouge qui vous a adressé ce charmant sourire tout à l'heure. Ils viennent assister à chacun de ses spectacles. Et la fille assise tout en bas de la fosse, au bord de la scène. C'est une véritable fille, non, pas une mutante, même si sa peau est écailleuse. Elle a choisi d'être ainsi pour quelque temps. Une métame ? Non, elle le regrette assez : chaque opération lui coûte une fortune. Elle en a les moyens, remarquez, c'est la fille du principal architecte de Baïblanca. Lui parler… je ne vous le conseillerais pas tellement : elle n'aime pas les hommes. Ou à la rigueur les travestis, ce en quoi, à ce que je sache, vous ne vous qualifiez pas ? Non, elle n'a pas essayé de changer de sexe, je ne crois pas qu'elle le fera. Elle se trouve très bien ainsi, voyez-vous. Jully, par contre, qui est en train d'installer ses instruments sur la scène, a changé de sexe trois fois. Lui aussi regrette de ne pas être un métame. Regretter de ne pas être un métame, se disent entre eux nos vertueux menteurs de Là-Haut, faut-il être descendu bas dans la perversion !

Ne faites pas cette tête. Votre ami a dû vous dire quelle est la réputation de la Taverne, ou vous n'y seriez pas venu. Je ne vous traite nullement de pervers, croyez-moi. Ce mot n'existe que pour ceux de Là-Haut. Le retournement, rappelez-vous : leur perversité est notre normalité, et nous en sommes, eh bien oui, assez fiers. Leur normalité notre perversité ? Mon cher Philippe, vous nous sous-estimez.

Des métames, oui, bien sûr, il en vient ici. Souvent. Et il en revient, quelquefois. Peut-être qu'elle reviendra. Et je ne la reconnaîtrai peut-être pas. Mais elle se fera reconnaître, j'en suis sûr, si elle revient. Elle viendra me trouver. Sûrement, si elle revient.

J'ai tout de suite su ce qu'elle était. C'était dans le Parc, devant le dôme des serpents. Elle était là depuis au moins un quart d'heure, immobile. Je regardais les serpents aussi. Ils me fascinent : cette lenteur, pourtant mortelle… ils sont comme l'eau. Et puis, ils changent de peau, n'est-ce pas ? Il y avait cette fille et sa fixité à côté de moi, j'ai fini par en prendre conscience. Et j'ai su ce qu'elle était. Une intuition, j'aime à le croire. Complètement immobile, surnaturellement immobile. Et pourtant prête à tomber au moindre souffle. J'ai hésité un long moment à lui parler – non parce que j'avais peur, elle semblait absolument incapable de violence, mais parce que je craignais qu'elle ne s'évanouisse, carrément. Elle n'était ni maigre ni pâle, elle ne paraissait pas l'air malade, mais il y avait cette… aura autour d'elle, cette atmosphère affamée, désespérée. J'ai dit une phrase idiote, du style "Ils sont beaux, n'est-ce pas ?" et elle m'a regardé. Elle avait les yeux d'un vert doré, comme un serpent, avec la même fixité, comment dire, impérieuse et méprisante à la fois. C'est peut-être cela qui m'a poussé à dire ensuite une chose qui m'a surpris moi-même : "On aurait envie de démolir le dôme pour les lâcher sur Baïblanca." Et alors, elle m'a vu. Nous nous sommes mis à parler de la ville, une conversation décousue. Elle semblait toujours un peu à côté, comme une qui a des questions à poser, qui les retient. Au bout d'un moment, je ne sais comment ça s'est fait, je l'ai amenée ici. Elle cherchait du travail, elle avait une jolie voix, j'étais musicien, on pourrait peut-être organiser quelque chose. Je venais d'être engagé ici et je savais que Ted cherchait à renouveler ses spectacles. Et puis, je me disais qu'elle intéresserait Ted – il a un faible pour les métames. Et s'il y avait un endroit où une métame aurait la paix, paradoxalement, ce serait à la Taverne.

Une métame en amok ? Oui, bien entendu, j'y ai pensé tout de suite. Une métame en rupture de contrat, en fuite, en folie, qui avait refusé de retourner dans Lagrange 4 après son mois de travail sur Terre : une amok. Qu'ils disent. Mais elle n'avait pas l'air folle, vous comprenez. Juste… perdue. Ce n'est pas ce qu'ils veulent nous faire croire, être amok. Ils essaient de nous faire peur, mais ce n'est pas forcément la folie furieuse, meurtrière. D'ailleurs la plupart des métames en amok ne tuent qu'eux-mêmes. Ça fait beaucoup de bruit et de dégâts matériels, mais se faire sauter, c'est bien la seule façon efficace qu'ils aient de se tuer, n'est-ce pas. Un inconvénient, en définitive, cette faculté qu'ils ont de se régénérer si vite…

Mais il ne s'agit pas de cela. Il s'agit de Bali. Elle s'appelait Bali, ne me demandez pas pourquoi : c'était le nouveau nom qu'elle s'était choisi dans Lagrange 4, à la manière des métames. Elle aimait la danse, les danses sinueuses d'Asie… L'île de Bali n'existe plus, c'est peut-être aussi pour cette raison qu'elle avait choisi ce nom. En tout cas, je l'ai amenée à Ted, elle lui a chanté quelque chose. Quand Ted a dit qu'il l'engageait, elle a répliqué "Je suis une métame". Sur quoi Ted a dit tranquillement "Je sais", et elle n'a plus rien dit tandis que je l'emmenais pour lui montrer où elle pourrait s'installer. Au moment où j'allais quitter la chambre, elle a dit : "Et si je suis amok ?" "Tout le monde est amok ici, je lui ai dit, ça ne se verra pas."

Pourquoi me regarder ainsi ? Vous trouvez que j'emploie ce mot bien à la légère ? Mais nous sommes l'envers de Baïblanca ici, rappelez-vous : nous disons tout haut ce que Baïblanca ose à peine penser tout bas, nous sommes tout haut ce que Baïblanca ose à peine rêver tout bas. La Taverne… Pourquoi croyez-vous qu'elle existe depuis si longtemps, qu'elle n'ait jamais été fermée ? C'est une œuvre de salubrité publique. Et même si on traduit par "abcès de fixation", il faut penser que même les abcès ont leur place dans l'ordre des choses. Les vertueux de Baïblanca ou de Lagrange 4 savent où trouver leurs métames plus ou moins branlants quand il en disparaît un des circuits autorisés. Ne cherchez pas dans la salle, vous ne les verriez pas : les agents de la Centrale sont d'excellents métamorphes à leur façon, ils savent se déguiser. Il y en a eu un tout le temps que Bali est restée ici, et nous ne nous en sommes aperçus qu'après.

Reprenez plutôt un cocktail, tenez, je vais vous en faire un moi-même. Je suis barman à mes heures : le temps de passer derrière le comptoir et presto, un autre rôle ! C'est aussi ce qui plaisait à Bali dans la Taverne : le mouvement brownien joue également en chacun de nous. Elle est restée environ six mois. Finalement, elle n'a jamais chanté comme prévu. Il fallait d'abord qu'elle se constitue un répertoire, nous devions répéter. Pendant les deux premières semaines, je m'attendais toujours à ce qu'elle soit partie quand je venais frapper à sa porte, le matin. Mais elle est restée. Elle a servi au comptoir, d'abord, puis dans la salle. Parler avec tout le monde, c'est ce qui l'intéressait. Elle a passé des heures entières à discuter avec Jully. Ou avec Fancy, la fille à la peau-écaille, qui n'était pas à écailles à l'époque, elle débutait, c'étaient seulement des tatouages, la variété phosphorescente, vous savez ? Fancy a même donné un spectacle pendant quelques semaines, on éteignait tous les projecteurs sauf le petit, et elle dansait. Mais elle s'en est lassée assez vite : on ne le croirait pas, mais c'est une timide, notre Fancy, en définitive. Bali lui plaisait bien, mais elle n'a jamais rien essayé avec elle. Elle savait que Bali était une métame, bien entendu, tout le monde le savait. Mais elle se contentait de la contempler de loin. Bali ne comprenait pas qu'on puisse *l'envier*, évidemment.

Envier une métame en amok ! Il lui a fallu du temps pour admettre qu'elle n'était ni plus ni moins amok que n'importe qui. Que ce n'était pas parce qu'elle avait refusé de retourner dans Lagrange 4, de rentrer bien sagement à la niche, qu'elle était amok. On a le droit de vouloir vivre sa vie, n'est-ce pas, et pour une métame, qu'est-ce d'autre que vouloir se métamorphoser comme on veut et pas comme l'apprend, l'exige, la Centrale ? Elle ne voulait rien d'autre, seulement… pouvoir jouer un peu. Explorer. Se chercher. En dehors de leurs normes de normaux. Oh, les normes sont là pour protéger les *métames*, pas les normaux, c'est ce qu'ils soutiennent mordicus, à Lagrange 4. Mais c'est évidemment l'inverse. Lagrange 4 est un zoo à sa façon n'est-ce pas, où des créatures potentiellement dange-reuses, parce que bien trop libres, sont aimablement neutralisées par dressage sans même s'en rendre compte la plupart du temps.

Non, vous n'êtes pas d'accord ? Ou trop ? Ce n'est pas grave, je vais éponger les dégâts. Et vous préparer un autre verre, c'est ma tournée.

Avez-vous remarqué comme on est sage, compré-hensif, perspicace, rétrospectivement ? Et je vous parle là d'une vaste rétrospective : c'était il y a près de dix ans. J'ai eu beaucoup de temps depuis pour aiguiser ma sagesse, ma perspicacité, ma compréhension. Ma tolérance. J'avais vingt-quatre ans, voyez-vous. Depuis quatre ans, je bourlinguais un peu partout, mon ar-chaïque guitare sur le dos, les petits travaux çà et là, l'errance… La révolte ? J'aimerais bien, mais je crains de ne pas avoir droit à une étiquette aussi romanti-quement décorative. J'étais… buté. Un perdant. Pas un perdant à panache, seulement un laissé-pour-compte, un remâcheur de ressentiment – un qui croyait à l'exis-tence de perdants et de gagnants. J'essayais de prendre

des postures romantiques, c'est sûr. Lorsque Ted m'a
engagé, par exemple, je ne lui en ai même pas été
reconnaissant : j'étais bien trop occupé à savourer ma
dégradation. Ted, la Taverne, les gens qui la fréquen-
taient, à ce moment-là, je les voyais comme les voient
les normaux. Pas comme un envers, mais comme un
fond, un cul-de-sac, au mieux pathétique, au pire ré-
pugnant.

Vous vous demandez pourquoi j'y avais amené
Bali ? D'abord parce que c'était le seul endroit où je
pouvais emmener quelqu'un : j'y habitais, tout simplement.

Pas si simple, évidemment. Elle avait l'air si perdu.
Elle était belle, aussi, vous ai-je dit qu'elle était belle ?
Et puis, oui, le danger. Une sorte de défi, un geste,
quelque chose en moi qui a dû dire : eh bien, tant qu'à
vivre parmi ces gens, autant y vivre à fond ! Leur
amener une métame, et une métame en amok, c'était
dans le ton. Ou du moins une qui devait être considérée, et qui se considérait certainement, comme telle.

Ce que je pensais des métames à l'époque… Je
crois que je n'y pensais pas, tout simplement – bien
soigneusement – comme la plupart des gens. Et pourtant, quand je l'ai vue, j'ai tout de suite su ce qu'elle
était. Mais c'était une sorte de conclusion logique dans
l'environnement de la Taverne : travestis, transsexuels,
lesbiennes, mutants et compagnie, il ne manquait plus
qu'une métame pour que le spectacle soit complet. Je
n'avais pas compris, à ce moment-là, que nous sommes
tous dans la fosse. Bali a compris plus vite que moi.

Amants, bien sûr. Trois ou quatre semaines après
son installation. Un soir, après avoir répété ses chansons, elle m'a gardé pour la nuit, et la nuit suivante
aussi, et ça s'est fait ainsi, sans en parler, naturellement.
Amoureux d'elle ? Non, bien sûr : je voulais voir si je
pouvais baiser une métame. Mais je l'aimais bien.

C'est ce que je me disais, bien entendu : que je voulais seulement voir si je pouvais, que je l'aimais bien, pas plus que ça. Ce que je pensais, ce que je ressentais réellement… Je ne le savais pas, je ne voulais pas le savoir, je ne l'ai pas su avant très longtemps.

Elle, amoureuse de moi ? Auriez-vous une mentalité de midinette, mon ami ? Ce n'était pas de cela qu'il s'agissait pour elle. Nous nous étions rencontrés par hasard, nous étions ensemble parce que, sans forcément bien le savoir, nous avions chacun quelque chose à nous dire à nous-mêmes. Je ne lui ai jamais posé de question, elle ne m'en a jamais posé non plus. Soigneusement.

Je ne sais plus comment ça a commencé. À mal tourner, je veux dire, évidemment. Elle ne s'était jamais métamorphosée devant moi, vous comprenez, devant personne. Elle discutait avec Jully, ou avec Fancy, ou avec d'autres. Même avec Ted, quelquefois. Mais jamais directement de ça. D'ailleurs, si Ted aime les métames, il n'aime guère en parler, ou alors dans les cas particuliers – quelque chose à voir avec la peau de ce grand singe au-dessus du bar. Et Bali n'en parlait pas non plus avec moi. Plus tard, je me suis rendu compte qu'elle avait essayé, une fois. Mais de façon tellement elliptique… Elle me surestimait : je n'ai pas compris. Pourtant, ce n'était pas un sujet de tension entre nous, vous comprenez ? D'une certaine façon, on aurait même dit qu'elle m'était reconnaissante de la laisser chercher à régler ce problème-là toute seule.

Bien sûr, ce problème. Pourquoi croyez-vous que des métames deviennent amok ? Vous ne deviendriez pas un peu bizarre, vous aussi, si après vous avoir appris à parler, on vous interdisait de le faire autrement que sur ordre ? Ou plutôt, une comparaison plus exacte, à ne respirer que sur ordre ? On a beau les conditionner à mort, il n'existe pas de contrôle complet, sur personne. Et il arrive un moment, plus souvent sans doute qu'on ne veut bien le laisser entendre, où le couvercle d'un métame saute. Ceux qui ont de la chance s'organisent un système de soupapes. Venir vivre sur Terre au lieu de Lagrange 4, ne plus travailler pour la Centrale. Des accommodements. La faculté d'accommodation, chez l'être humain, voilà qui m'émerveille toujours.

C'est tout ce qu'elle cherchait, Bali : son système de soupape, pour survivre. Elle ne voulait pas du tout se faire sauter, Bali. Elle s'était échappée du monde noir et blanc de Lagrange 4 – si tu n'es pas avec nous, tu es amok, si tu es amok, tu meurs –, et elle essayait de se reconstituer un monde en gris, au moins, avant de trouver des couleurs. Avez-vous remarqué que tout pousse les métames au suicide, s'ils ne s'adaptent pas au système de Lagrange 4 ? La seule façon de contrôler les métaries qui dérapent, c'est encore de les pousser plus fort, de les amener à s'éliminer d'eux-mêmes.

Bali n'en était pas là, n'en avait jamais été là. En était à admettre qu'elle n'était pas du tout amok, qu'elle voulait vivre et qu'elle avait le droit de vivre à sa façon.

C'était un soir où Marco n'était pas là pour donner son spectacle. Marco était notre Heinrich de l'époque. Le mouvement brownien, vous vous rappelez : il emporte les meubles, les gens, et il en ramène d'autres, les mêmes sous des noms différents. Les noms changent, mais les raisons de venir là demeurent les mêmes : pour essayer. Pour s'essayer. Marco, donc, n'était pas là. C'était le spectacle principal, à l'époque. Heinrich est bon, comme travesti, mais Marco était meilleur encore, plus riche, plus complexe, un excellent chanteur, un merveilleux danseur. Marco… était beau, toujours.

Marco avait la grâce. Un spectacle de travesti, voyez-vous, à la Taverne, ce n'est pas une simple question de plus ou moins bonne parodie. Ici, la parodie n'est pas forcément où on la croit. Enfin, c'était une fin de semaine, il y aurait beaucoup de monde comme toujours, et Marco n'était pas là. Ted m'avait envoyé aux nouvelles. Marco habitait dans une communauté dans un faubourg à l'ouest de Baïblanca, je les connaissais un peu, Marco m'y avait amené quelquefois. Mais pas de Marco, et on ne pouvait ou ne voulait pas me dire où il se trouvait.

Bref, je revenais bredouille, et en rentrant à la Taverne, je vois la mine épanouie du portier, j'entends la deuxième chanson de Marco. Cet idiot était revenu pendant que je galopais dans toute la ville à sa recherche ! ? Je n'étais pas trop content, mais enfin, la question était réglée, Ted devait être rassuré, le public frustré ne saccagerait pas la boutique. Je me suis assis dans mon coin au bar et j'ai fait comme d'habitude, siroté n'importe quoi en contemplant Marco. Je ne l'écoutais plus, je connaissais son répertoire par cœur. Mais simplement le regarder, c'était quelque chose. Et justement, ce soir-là, Marco se surpassait.

Pas seulement la voix, mais chaque geste, chaque mimique… plus vrai que vrai, plus femme que femme. Et avec une sorte d'allégresse, d'aisance, de désinvolture royale. Après chaque chanson, il y avait un beau silence dans la salle, et puis l'explosion. À la dernière, vraiment, le délire. Et à ce moment-là, pendant que tout le monde sifflait, criait, tapait sur les tables, Marco se met à se déshabiller. C'est dire à quel point le spectacle les avait emportés : pas la moindre remarque ironique ou salace. On a continué à applaudir un peu, comme pour l'encourager, puis, silence. Pas de musique – les musiciens regardaient, comme tout le monde, et ils n'avaient même pas eu l'idée d'improviser une musique de strip-tease : ce n'était pas un strip-tease. C'était… une déclaration, une affirmation, ni érotique ni provocante, simplement… joyeuse. Il dansait en se déshabillant, mais joyeusement, simplement. Il s'est retrouvé nu, il s'est tourné, lentement, dans la lumière des projecteurs, pour que tout le monde puisse le voir, son corps mince et puissant à la fois, lisse, poli, où la seule toison était celle où s'érigeait le sexe.

Et il a changé.

Je crois que je vais reprendre quelque chose. Un *Caméléon*, tiens, c'est le moment ou jamais. À votre aise, mais moi, j'ai soif.

Bali. Mais elle n'est pas redevenue Bali tout de suite. Pendant un moment, elle a été Marco : tel qu'il aurait été s'il était né femme.

Je ne me rappelle plus exactement la réaction du public. Un moment de silence stupéfait, je suppose. Pas d'applaudissements, pas tout de suite : quelques rires, pas agressifs. Beaucoup de ces gens connaissaient Bali, pouvaient apprécier, appréciaient. Mais je ne me rappelle pas vraiment : j'étais trop furieux. Mais oui, furieux, furieux au stade du fameux voile rouge devant les yeux, à ne pas pouvoir articuler un mot, à rester pétrifié pendant je ne sais combien de temps, tous les muscles noués, pendant que les lumières revenaient, que les gens recommençaient à bavarder.

Quand je suis entré dans la loge, Bali n'a pas eu l'air étonné ou embarrassé. Ni amusé. Pas indifférent non plus. Juste… attentif. Elle savait exactement ce que je ressentais, mieux que moi : la pseudo-empathie des métames, cette façon qu'ils ont de percevoir les émotions comme une aura multisensorielle qui flotte autour de chaque corps. Mais je n'y ai pas pensé à ce moment-là, je n'y avais jamais beaucoup pensé, elle s'arrangeait pour qu'on n'y pense pas. J'ai seulement été déconcerté par ce calme attentif, et au lieu du stupide et violent "Pourquoi as-tu fait ça !?", je n'ai rien dit. C'est elle qui a dit : "Je m'en vais, Karel."

Je me suis mis à ricaner : et elle allait où ? Dans Lagrange 4, se jeter dans les bras de ses anges gardiens, leur promettre d'être une petite fille bien sage maintenant qu'elle avait passé sa crise d'acné juvénile ? Finies les folles expériences exotiques ? Le séjour au zoo avait été agréable, au moins ?

Elle me regardait en secouant doucement la tête, elle a dit tout bas : "Tu as tellement peur, Karel."

Je me suis mis à rire pour de bon, vous pensez. Ça faisait près de deux ans que je vivais à la Taverne, que je côtoyais les gens les plus bizarres, les plus répugnants, parfois, et cette… gamine, elle était plus jeune que moi, vous savez, cette gamine venait me dire que j'avais peur ! Peur de quoi, d'elle, peut-être ? Si ça l'arrangeait, côté thérapie, de s'imaginer que moi j'avais peur, grand bien lui fasse, mais qu'elle ne me demande pas d'adhérer à ses fantasmes. Je n'avais pas eu peur, j'étais seulement un peu dégoûté, si elle voulait le savoir, de l'avoir vue faire ça en public. Ce moment où le corps semble trembler, couler comme de la gélatine mal prise, on ne sait plus trop quoi est quoi dans cette masse amorphe… Dégoûtant, voilà tout.

Elle a remarqué que les autres n'avaient pas eu l'air dégoûté. Elle était calme, vous voyez. J'ai haussé les épaules : entre phénomènes de foire, la solidarité joue, c'est normal. Là, je l'ai vue tressaillir, alors j'ai insisté : qu'est-ce qu'elle attendait d'autre de ce genre de public ? Et d'ailleurs, elle était venue faire ça à la Taverne, pas devant des normaux.

Elle a dit "Des normaux comme toi, Karel ?", d'une voix soudain tremblante, et j'ai pensé que je la tenais.

Elle s'est approchée de moi – elle était toujours nue, elle avait seulement commencé à se démaquiller –, elle s'est approchée de moi en répétant, "Des normaux comme toi, Karel", sur un autre ton, j'ai été surpris, elle souriait, c'était une invite tout à coup. Elle s'est collée contre moi. J'ai cru comprendre, je me suis mis à rire, sans la repousser : elle voulait se prouver, me prouver qu'elle était une femme malgré tout. J'ai commencé à l'embrasser, avec une sorte de condescendance. À la caresser. Brutalement, un peu, je n'avais pas envie de la ménager, de l'attendre. Je me suis laissé tomber par terre en l'entraînant avec moi, c'était presque un combat pour rire, elle riait, je l'entendais, son rire bas du fond de la gorge, de quand elle faisait l'amour, et je me suis mis à rire aussi, tout ça n'était qu'une plaisanterie, elle allait rester, bien sûr, rester avec moi. Je me suis mis à rire et soudain elle m'a renversé d'un coup de reins, elle s'est mise à cheval sur moi, j'ai senti que j'allais jouir, j'ai rouvert les yeux.

Et je l'ai vue changer. Je l'ai sentie changer, aussi, cette impression de quelque chose qui échappe, qui se déplace et se recompose en glissant… Je la tenais encore pourtant, et la texture de sa peau, de ses muscles, la forme de ses hanches, tout a changé, et c'était un homme à califourchon sur moi, plus fort que moi, qui me tenait cloué par terre et qui continuait à bouger, lentement, à me caresser, et je venais, malgré moi, je venais : contre mon ventre, chaud, dur, son sexe. Tout près de mon visage, son visage, le visage de mon beau Marco, mais les yeux vert-jaune, fixes, inchangés, et la voix de Bali qui murmurait, "Des normaux, Karel, comme toi."

Ensuite il est parti, elle est partie, elle était redevenue Bali, elle était quelqu'un en tout cas, elle

savait qui, et moi, je n'étais plus personne. Hors de
moi. Alors je suis resté à la Taverne. Pour trouver le
chemin qui me ramènerait chez moi, d'abord, chez
quelqu'un qui serait moi. Et ensuite, pour qu'elle
puisse me retrouver. On n'arrive pas à la Taverne par
hasard, voyez-vous. Ni moi il y a dix ans ni vous
maintenant. Prenons un dernier verre avant de quitter
la Taverne ensemble, avant de monter chez moi ou
d'aller chez vous, peu importe. Prenons un dernier
verre en contemplant la Taverne, où des êtres qui savent
plus ou moins ce qu'ils sont, sans oser l'admettre,
viennent en rencontrer d'autres qui ont plus ou moins
appris ce qu'ils désirent être mais ne peuvent pas forcément le devenir. Regardons Fancy et ses écailles, et
Jully qui dans quelques mois sera peut-être de nouveau
une femme, et pensons à Bali, qui reviendra peut-être
un jour pour voir où j'en suis. À chaque nouveau métame qui vient ici, j'espère toujours un peu, mais vous
n'êtes pas Bali non plus. Bien sûr, vous êtes un métame,
je le savais depuis le début, le sixième sens, je vous
l'ai dit. Venez, venez danser un peu avant de partir,
n'ayez pas peur. Et même si vous avez peur – tout le
monde est normal, ici, ça ne se verra pas.

11 novembre 1982

LES DENTS DU DRAGON

Le fauteuil, aux courbes dépouillées quoique confortables, est placé de biais à deux mètres du lit, sous un spot de plafond à la lumière tamisée – mais dans la pénombre, l'effet est le même que celui d'un projecteur. Emmanuel Fromm s'y assied en silence, comme on l'en a instruit, tandis que l'assistant qui l'a accompagné va porter la petite boîte sur la table de nuit. Après les dimensions palatiales de la résidence-bunker des Petersen au cœur de Baïblanca, la taille réduite de la chambre est plutôt surprenante. Comme son dénuement, après l'abondance des œuvres d'art de toutes provenances qui tapissaient les couloirs. Des murs lisses dont on peut seulement dire qu'ils sont de couleur claire, pas de fenêtres, pas d'écrans, des armoires ou commodes dissimulées dans les murs sans relief apparent. Même le lit est un simple lit articulé comme on en trouve dans les hôpitaux – haut de gamme, il va sans dire –, entouré, mais avec discrétion, de l'indispensable matériel médical, respirateur, potence à solutés, consoles de surveillance où les divers organes de Saul Petersen affirment en régulières courbes vertes que, malgré son âge remarquable de soixante-trois ans, il n'est pas encore mort.

Fromm s'adosse dans le fauteuil en croisant les jambes, bras sur les accoudoirs. Les instructions étaient très claires : aller directement au fauteuil et s'y asseoir, ne s'approcher du lit sous aucun prétexte, attendre qu'on lui adresse la parole.

Le silence magnifie le souffle du vieil homme, lent mais régulier, unique son audible dans la pièce – la chambre se trouve au second sous-sol de la résidence, au cœur d'un labyrinthe dont on ne saurait retracer seul les méandres si l'on n'en est pas un familier. Dans la lueur diffuse d'un autre éclairage indirect, Saul Petersen semble somnoler, les yeux clos. Étonnamment, il n'a guère changé : la ligne butée de la mâchoire, le nez en bec d'aigle, la découpe dure des lèvres, les sourcils épais, blancs maintenant, au-dessus des orbites creuses, la falaise du front… Pas de cheveux – mais depuis une vingtaine d'années il avait pris l'habitude de se faire raser le crâne, sans doute pour se distinguer davantage de son père et de son grand-père, même si la ressemblance est encore frappante. Il est plus maigre qu'autrefois, mais toujours grand et massif sous le drap léger.

Fromm croise les mains sur son ventre, sans impatience. Comme il l'espérait, le vieillard a accepté de le rencontrer : "Je viens de la part de Marian Bauer" est une introduction irrésistible. Si Petersen désire garder l'initiative de la conversation, ce n'est pas un problème. Fromm a tout son temps. Ou du moins davantage de temps que le vieillard.

« Marian Bauer est partie avec Lagrange 4 », dit soudain celui-ci ; la voix est ferme et porte aisément jusqu'au fauteuil. Fromm est surpris : il aurait pensé que Petersen le ferait attendre davantage. « Je ne sache pas que la station soit revenue dans les parages, continue le vieil homme. Ni que quiconque soit en contact avec elle – surtout après vingt-huit ans. Mais je suis encore curieux. Pourquoi Marian Bauer ?

— Si vous jetez un coup d'œil à l'objet que je vous ai apporté, peut-être en aurez-vous une idée », réplique Fromm sans se troubler.

Sur un geste de Petersen, la tête de son lit se relève lentement et en silence. Le vieillard prend la petite boîte sans hésiter – il sait qu'elle a été examinée à l'entrée de la résidence. Une expression un peu perplexe passe brièvement sur ses traits tandis qu'il la considère un moment sans l'ouvrir : un tout petit cube de carton blanc, des plus ordinaires.

Son expression change lorsqu'il en soulève le couvercle et voit la bague.

◆

« Nous nous retrouverons donc demain après la réunion du Conseil des Gouverneurs, conclut Saul. Séra Bauer, accepteriez-vous de rester encore un moment ? »

Après une petite hésitation magnifiée par le délai de transmission, elle hoche la tête et croise les bras en s'adossant dans son fauteuil, de l'autre côté de la table ronde. Les avatars des deux responsables normaux de la station, François La Pierre et Joanna Seigoval, quittent la salle de conférence virtuelle, la formule de politesse habituelle du programme de téléprésence. Mais celui d'Akira Togumi s'attarde à hauteur de Marian, lui pose une main sur l'épaule. Ils devaient se trouver en interaction plus profonde dans la simulation : elle ne se tourne pas vers lui, mais, comme si elle lui avait parlé, l'avatar hoche la tête et se dirige à son tour vers la porte.

Saul reste assis, vaguement irrité du petit pincement de jalousie qu'il vient d'éprouver. Après toutes ces années ! Et ce n'est pas comme s'il ignorait la relation qui unit Marian et Togumi, après toutes les autres. Mais il faut croire que certains réflexes de la psyché humaine sont trop profonds pour être totalement éradiqués, même dans un contexte où ils n'ont plus grand sens.

Il se rend compte que Van Nuys est toujours assis à côté de lui. « Ce sera tout, Robert », dit-il d'une voix brève, sans le regarder non plus. À la périphérie de sa vision, son assistant se lève. Marian n'a pas bougé.

Toujours assis, Saul s'appuie des deux bras sur la table en se penchant vers elle. « Je suis navré qu'on en soit arrivé là. » Sa voix se brise sur les derniers mots – et il ne feint pas, elle ne peut savoir à quel point il est sincère.

Elle le dévisage en silence. Elle n'a pratiquement pas parlé pendant la fin de la discussion. « De toute évidence, dit-elle enfin, c'est une situation que votre grand-père et votre père avaient prévue depuis le début. » Est-elle accablée, furieuse ? Son intonation est neutre, son visage impassible ; il sait qu'elle a depuis longtemps appris à se contrôler de façon impeccable – ce qui ne signifie pas grand-chose, à vrai dire, quand on peut programmer son avatar virtuel pour en effacer toute manifestation révélatrice.

« Pas exactement cette situation-là », rectifie-t-il – comme il le doit. Mais ce n'est pas la conversation qu'il désire avoir avec elle, ou du moins pas ici. « Je sais qu'en la circonstance cela peut paraître extrêmement frivole, mais… accepteriez-vous de dîner avec moi ? »

Au cours des années, elle a accepté les invitations de son grand-père, et même celles de son père – pour bien des raisons dont il a parfaitement conscience, et qui ont évolué avec le temps : curiosité, prudence, nécessité… Voudra-t-elle nouer avec lui le même genre de relation personnelle qu'avec ses prédécesseurs ?

Elle le dévisage, les yeux un peu agrandis – incrédule ? Choquée ? Peut-être simplement intéressée. « Un homme de tradition », remarque-t-elle enfin. Elle prend sa décision en se redressant : « Mais la tradition a parfois du bon. Et je ne vois pas ce que nous pourrions faire de plus en ce moment. »

Il dissimule son admiration. Même maintenant, elle est capable de prendre en compte d'éventuelles exigences politiques à long terme.

« Nous pouvons changer de restaurant », propose-t-il avec une feinte timidité. Sans attendre son commentaire, il pianote sur la console enchâssée dans la table : « Je vous envoie la matrice. »

Elle a un petit sourire en voyant la destination s'afficher sur le panneau enchâssé dans la table : « Le *Calle del Oro*. Excellente idée.

— Mais pas en téléprésence », dit-il aussitôt.

Elle s'immobilise, visiblement surprise – elle allait commencer à entrer ses propres données – le dévisage un moment puis remarque : « Voilà qui n'est pas dans la tradition.

— Je ne suis pas mon père. »

Ni mon grand-père.

Il la voit mesurer toutes les implications possibles : « C'est ce que j'ai cru comprendre lors de la réunion, murmure-t-elle enfin. Vous avez pourtant la réputation d'un homme peu porté sur les interactions sociales. »

Il avait prévu ce qu'elle allait dire : « J'ai suivi les directives et les habitudes… familiales. Je n'en ai plus autant besoin à présent. »

Elle hoche lentement la tête : « En interaction réelle, alors. Vous avez déjà utilisé un bioscope ? »

Il esquisse un sourire – elle suit pratiquement le dialogue qu'il avait imaginé : «C'est encore la meilleure façon de programmer ses avatars.»

Elle réfléchit encore un peu, se lève ; il en a fait autant : «Très bien, alors. À bientôt.»

Leurs avatars se dirigent vers la porte de la salle de conférence.

Saul retire le casque et le place dans sa petite alcôve, se débarrasse en un tournemain de ses vêtements pour se coucher dans le bioscope déjà programmé. Il sait qu'elle en fait autant, à trois cent mille kilomètres de là, et il ne peut s'empêcher d'être un peu excité ; c'est stupide, après tout ce temps – mais c'est la première fois qu'il la rencontre en interaction réelle.

Il écarte avec un effort le désespoir furieux de la petite voix qui rage, *et c'est maintenant, maintenant seulement, la première fois !* Pendant que le couvercle se rabat sur lui, il ferme les yeux et regarde une des petites salles privées du *Calle del Oro* se dessiner peu à peu autour de lui, celle qui donne sur la Promenade et la mer. La teinte bleu-vert du ciel au-dessus du balcon où est installée la table, avec ses couverts étincelants, ses chandeliers et ses fleurs, est d'une pureté presque douloureuse – et illusoire : les ciels de Baïblanca sont presque toujours un peu brumeux. Mais c'est celle que Marian aime, et lui aussi. Une lune couleur de safran flotte dans la luminosité rémanente du soleil disparu.

Saul se dirige vers le balcon, où Marian vient de s'accouder. Elle n'a pas changé de tenue, elle. Le message est clair – de fait, les circonstances empêchent cette rencontre d'être festive et il ne se fait pas d'illusions sur les raisons qui ont pu pousser la jeune femme à accepter. Mais cette erreur vestimentaire était dans le ton de son personnage. Il efface aussitôt son smoking

pour le remplacer par une tenue ordinaire. Elle se
tourne vers lui – approbatrice ?

« J'aurais repris cette tradition avec plaisir, dit-il.
Mon grand-père avait la plus grande estime pour vous.
Mon père aussi », ajoute-t-il – en souplesse, elle ne
s'en rendra pas compte, mais il a failli oublier. Elle est
trop proche, elle le trouble – et elle se trouve en réalité
dans Lagrange 4, cette "interaction" n'est que margi-
nalement plus "réelle" que la téléprésence. Jamais ils
n'ont été dans la même pièce, il ne la touchera jamais.

Jamais.

« Nous n'en aurons peut-être pas le temps. » Vraie
ou polie, elle lui fait la grâce d'une intonation de regret.

Il réplique, autant pour lui que pour elle : « Seulement dans le pire des cas. Et même là, au moins un
an. »

Elle considère les perspectives de Baïblanca qui se
déploient sous leurs yeux : « Vous croyez vraiment
que ce sera suffisant pour équiper la station ?

— Aucun problème. Nous en avons les moyens. »

Elle a un bref sourire. Il sait ce qu'elle pense : le
consortium a construit la moitié de Baïblanca, et les
stations spatiales dans des astéroïdes évidés aux
points 4 et 5 de Lagrange. Si le nouveau monde a une
aristocratie, ils en sont aux premiers rangs. Cela n'a-t-il
pas toujours été aux yeux de Marian un des subtextes
de ces extravagantes invitations à dîner de son grand-
père, de son père ? Le coût des interactions réelles entre
la Terre et Lagrange 4 est assez exorbitant, même pour
des communications de courte durée.

C'est fini. Ou le sera bien trop tôt. *Plus jamais.*
Mais non, il ne va pas se laisser paralyser par ce glas ;
chacun de ces moments volés est trop précieux. Il se
détourne du balcon, vient tirer un des fauteuils ; elle
passe tout près de lui et, quand elle s'assied, il peut
sentir le parfum de ses cheveux, légèrement fruité.

Sa gorge se serre de nouveau. La simulation est trop réelle, même avec le délai de transmission. Une vague de panique le traverse, stupéfiante; les doigts crispés sur le dossier du fauteuil, il contemple Marian tandis qu'elle s'installe plus confortablement, il lui crierait presque "Restez avec moi!", il lui dirait presque… Mais il ne peut pas, bien sûr, il ne pourra pas. Jamais.

Il va s'asseoir et se dissimule derrière la grande carte archaïque du menu, le temps de signifier subliminalement à sa matrice de gommer toute réaction excessive de sa part. Marian a sûrement fait de même – c'est le plus vraisemblable, compte tenu des circonstances – et on peut jouer ce jeu à deux. Inutile de s'en irriter. C'est leur première soirée ensemble. Il y en aura d'autres malgré tout.

Un serveur entre avec des apéritifs. Pour lui un malt sans glace, pour elle l'habituel, un rare et coûteux porto. Elle ne commente pas cette divination de sa part. Le serveur repart sans qu'ils aient commandé: le dîner virtuel peut attendre. L'heure de la réunion d'urgence a été choisie avec soin: dans Lagrange, c'est la matinée, Marian vient de déjeuner. Et il a quant à lui mangé avant la réunion, en prévision de cette invitation.

« Votre père aurait été satisfait de la tournure des événements, remarque Marian après la première gorgée. Il n'aimait pas les métamorphes. »

Il soupire intérieurement de lui voir choisir cette entrée de jeu, mais il faut sans doute en passer par là. « Je ne suis pas mon père », lui rappelle-t-il, avec juste le bon froncement de sourcils. Il s'est donné assez de mal pour se démarquer de Georges Petersen Jr. depuis qu'il a accédé à la vie publique en commençant à gravir les échelons de la corporation, vingt ans plus tôt. Le conservatisme de son père est devenu de plus en plus extrême, comme ses phobies, son intolérance et sa paranoïa, dépassant de loin celles de son grand-père ; les cinq dernières années, le reclus refusait même les communications virtuelles. Ce qui faisait l'affaire de Saul : un poids de moins à traîner.

« C'est aussi pour cela que j'ai accepté votre invitation », dit Marian avec un léger sourire.

Il incline la tête sans répondre, attend le mouvement suivant tout en l'observant dans la lumière des bougies que la brise venue du balcon fait trembler. Pas de coquetterie, pas de prétention : elle affiche son âge cellulaire, la cinquantaine – une cinquantaine fringante, rien à voir avec celle d'un humain normal : elle ne semble guère plus vieille que lui, et il a trente-cinq ans. Mais c'est la première chose qu'il a remarquée dans la salle de conférence, et il a voulu y voir un bon signe : elle le respecte, elle n'a pas essayé de l'impressionner par l'intemporelle jeunesse possible aux avatars, et aux métames, même ceux de son âge. Les yeux bleus sont marqués de rides, comme la commissure des lèvres, les ailes du nez… Dans les cheveux bruns, des fils argentés accrochent la lueur des bougies. Elle est belle. Il l'a toujours trouvée belle. Une beauté non conventionnelle, traits carrés, trop grande bouche gourmande, nez court et plat de petit taureau, mais l'intensité de ce regard bleu, l'énergie qui se dégage de ce corps trapu et musclé quand elle bouge ! Et son rire. Si elle savait qu'il ne peut pas lui résister quand elle rit…

Elle ne rira certainement pas ce soir.

Elle fait tourner son verre, pensive, devant la flamme d'une des bougies ; le reflet pourpre en joue sur son visage. « Un an au moins, disiez-vous. Et on va interdire aux métames de revenir sur Terre.

— Dans le pire des cas », lui rappelle-t-il.

Un petit muscle tressaute dans la mâchoire de la jeune femme. «Nous nous sommes toujours organisés en fonction du pire. De véritables métames pourraient encore se déclarer entre-temps. Qu'adviendrait-il d'eux?»

Il se retient de hausser les épaules, agacé, se rappelle que la matrice considérerait sans doute ce geste comme une réaction excessive et l'annulerait. «Les symptômes comme les procédures à suivre sont parfaitement connus. Tous les hôpitaux ont une ligne directe avec le Central. Nos équipes de normaux peuvent parfaitement s'en occuper.»

Il a laissé échapper "normaux", se le reproche presque en voyant la petite moue retenue de son interlocutrice, mais en fait, c'est bien, c'est dans le personnage aussi, et il conclut: «La mutation est éteinte, Marian, vous le savez comme moi. Mieux que moi, sûrement. Une courbe régulièrement décroissante depuis un quart de siècle, et aucun nouveau métame depuis trois ans.

— Mais il y en a maintenant!

— Qui se déclarent à l'âge adulte et s'autodétruisent presque aussitôt. Pardonnez-moi d'être abrupt, mais ça ressemble plutôt à une espèce de dernier baroud d'honneur évolutif – ou plutôt régressif. La véritable mutation est terminée. Vos chercheurs ont dû vous le dire comme les nôtres.

— En près de soixante-dix ans, vos chercheurs et les nôtres n'ont pu ni résoudre le problème de notre reproduction, ni expliquer l'apparition de la mutation.»

Il va la perdre pour toujours et elle s'obstine à s'inquiéter d'improbables métames sauvages! Il repose son verre sur la table d'un geste brusque, peu importe ce qu'en fait la matrice de simulation. «Et ce à quoi nous faisons présentement face n'est pas un "peut-être", Marian!» Avec un effort considérable, il reprend son calme, mais continue à afficher la même passion – la matrice saura à quoi s'en tenir et laissera passer. «Pensez plutôt aux métames qui existent. La station est leur seul salut, elle doit devenir totalement autonome et, puisque vous voulez prévoir le pire, être capable de partir. Nous devons tous nous concentrer là-dessus. Il est bien évident que si de véritables métames se déclaraient pendant les travaux, ils vous seraient expédiés.

— Et après notre départ?»

Il prend un air navré: «Nous ferions tout notre possible pour eux. Mais vraiment, Marian, ça n'arrivera pas.» Et un véritable chagrin le traverse à présent, trop d'ironie. *Ça n'arrivera pas.*

Elle finit de siroter lentement son porto, les yeux perdus dans la flamme des bougies. Il respecte son silence.

«L'évolution fonctionne d'une façon très curieuse, murmure-t-elle enfin. Vous savez qu'il y a eu plusieurs variétés d'hominidés, et au moins une dont nous savons qu'elle a vécu en même temps et sur les mêmes territoires que les humains modernes.

— Les Neandertals. Mais ils étaient moins adaptables.»

Elle le regarde en silence. Il sait où elle veut en venir. Il s'oblige à se rappeler qu'il y aura d'autres rencontres, accepte de jouer le jeu. «Vous voulez me faire dire que si la mutation est apparue une fois sous une forme non létale, elle peut reparaître. Que les dents du dragon évolutif, une fois semées, peuvent repousser sous une autre forme, mieux adaptée.

— Eh bien, je ne parlerais pas de dragon, sourit-elle avec une froide ironie. Mais rien n'interdit qu'une autre variété améliorée apparaisse à l'avenir. Car enfin, le moins qu'on puisse dire, c'est que les deux présentes variétés de métames sont toutes instables d'une façon ou d'une autre. Je ne suis pas sûre que l'évolution baisse les bras aussi facilement une fois qu'elle a inventé quelque chose. »

C'est bien d'elle, ironiser là-dessus, alors qu'elle appartient justement à la toute première génération de métames, la plus "instable" ! Un élan de tendresse désespérée envahit Saul.

« Ma chère Marian, ni vous ni moi ne serions là pour le voir si jamais cela arrivait. »

Elle s'accoude à la table, pensive, une joue appuyée dans une main, suit du doigt le rebord de son verre vide. A-t-il été maladroit en lui rappelant qu'elle non plus n'est pas éternelle ? Malgré son apparence physique, elle a soixante-neuf ans d'âge civil — un âge que n'atteint plus la très grande majorité des humains normaux : Georges Petersen Senior, mort à quatre-vingts ans, a été considéré comme un stupéfiant caprice de la nature. On meurt plutôt autour de soixante ans, comme Georges Petersen Junior. Mais aucun métame n'est encore mort de mort naturelle.

Elle se redresse en secouant un peu la tête et en carrant les épaules, un mouvement familier : elle a décidé de changer de sujet.

« Parlez-moi de vous, Saul Petersen », dit-elle en le fixant d'un air sérieux, et il sait qu'elle est véritablement curieuse, qu'elle a mis de côté les terribles décisions qu'elle vient de prendre avec ses collègues lors de la réunion, le futur incertain qui les attend, elle et les siens dans Lagrange 4. Qu'elle est là, ici, maintenant, avec lui, et peu importe que ce soit dans une simulation partagée.

Et ce soir-là, avant de la quitter, il lui offre la bague, la bague d'or en forme de dragon – une bague virtuelle qu'il a fait surgir au bout de ses doigts dans la lumière déclinante des bougies, une bague qu'elle passe au médius de sa main gauche, avec un petit sourire : « Pour l'avenir ? »

Et la terrible ironie de la situation lui serre la gorge alors qu'il sourit en retour, un mensonge, une vérité : « Pour l'avenir. »

◆

Le vieillard a laissé retomber la bague sur le drap. Son souffle est devenu plus rauque. Après quelques secondes, il fait un geste de dénégation vers le plafond, à l'adresse des caméras qui doivent veiller sur lui en continu. Mourant, peut-être, mais toutes ses facultés sont intactes, car au bout d'un moment, une fois sa respiration calmée, il énonce d'une voix très claire : « Privé. » Puis sa main cherche et trouve un petit panneau de commandes, à côté de lui sur le drap, et y enfonce une touche. Les écrans des moniteurs s'éteignent. Fromm dissimule sa surprise.

« Il n'y a jamais eu de bague, dit enfin Petersen d'une voix rauque. Qui êtes-vous ?

— Son petit-fils. »

Le vieillard se fige un instant, puis éclate d'un faible rire qui se termine en quinte de toux : « Impossible ! »

Fromm reste immobile, les yeux rivés à ceux du vieil homme, et réplique d'un ton très doux : « Vous savez bien que non. »

◆

« Nous ne pouvons donc pas avoir d'enfants entre nous, Paula. »

L'adolescente se laisse tomber sur le divan, le visage gris. Marian ne bouge pas. Son cœur bat dans sa poitrine douloureuse, elle le calme machinalement. Elle voudrait aller prendre la petite dans ses bras, mais ça ne servirait à rien pour le moment : Paula ne la croit pas, pas encore. Marian soupire intérieurement : d'abord l'incrédulité, puis la colère, le refus, les accusations… Ce n'est pas la première fois qu'elle a cette conversation, ni la dernière.

Elle se rappelle comment elle a réagi elle-même lorsque Doris Kemper a essayé de la toucher à ce moment-là – et Doris n'était même pas une métame.

Elle reste derrière son bureau, les mains croisées devant elle, et elle attend.

« Vous mentez ! Vous nous détestez ! » s'écrie soudain Paula en se redressant dans le sofa, vibrante de rage. « Vous nous détestez parce qu'on est jeunes, parce qu'on est heureux ensemble, parce qu'on n'en a rien à foutre, de vos règlements ! »

Marian reste impassible. Puis elle éveille l'écran sur son bureau, le fait pivoter et, d'un doigt, active le programme. Elle voit les images ricocher sur le visage de l'adolescente, d'abord buté puis, malgré elle, attentif : les yeux qui s'arrondissent, la lèvre mordue, le tressaillement de plus en plus marqué à chaque nouvelle horreur. Lorsque le visage de la jeune fille pétrifiée ne lui renvoie plus que la lueur tamisée de l'écran, Marian ne bouge pas non plus. Elle attend le brusque affaissement contre le dossier du sofa, les mains à l'abandon sur les cuisses, le regard éteint. Elle, elle avait insisté : "On peut truquer des images !" Il lui avait fallu le petit tour au laboratoire. Mais il n'y aura pas d'autre protestation, ici.

Elle reprend avec douceur : « Il ne s'agit pas de vous séparer, Thomas et toi. Il s'agit simplement d'assurer qu'il n'y aura pas d'accidents. Nos enfants nous tuent, ma chérie, et ils ne survivent pas non plus. Et c'est pareil avec des mères porteuses normales. Nous essayons de trouver une solution, bien sûr – les chercheurs de l'Institut aussi. »

Depuis vingt ans. Depuis que ces images ont été filmées. Et pas de solution en vue. Inutile de le dire à Paula pour l'instant. Une fois sortie de son bureau, la petite ira sans doute consulter les infothèques. À un moment ou à un autre.

« Vous disiez… Un… complexe génétique ? » souffle l'adolescente.

Bien, elle commence à retrouver ses esprits.

« Un complexe génique, rectifie Marian. Un ensemble de gènes en interaction mutuelle. On en a identifié vingt jusqu'à présent, il y en a peut-être encore d'autres. Ils ne font apparaître la mutation que lorsqu'ils sont tous simultanément présents – en un seul exemplaire de chacun. Deux exemplaires de n'importe lequel, et la naissance est fatale pour la mère et pour l'enfant. »

Elle observe la petite avec attention tout en parlant. Le regard est encore opaque, la posture accablée. On n'entrera pas dans les précisions qui donneraient de faux espoirs. Si le complexe n'est bien que de vingt gènes, la mère métame a tout de même chaque fois une chance sur quatre de ne pas mourir pendant la grossesse ou au moment de l'accouchement – pour environ une chance sur un million de mettre au monde un enfant vivant, et mutant. Des risques inacceptables, ils en ont tous convenu dès le début. Mais souvent ce n'est pas ainsi qu'on voit les choses quand on est une métame de dix-sept ans et qu'on se croit pour ainsi dire immortelle.

Le silence s'éternise. Mais la petite devance Marian, finalement : « Et Thomas ? Il ne pourrait pas... avec des normales ? »

Le cœur de Marian se serre de nouveau, même si la scène suit son déroulement habituel. Nakumura a le même genre de conversation avec Thomas de l'autre côté du couloir. Un instant, elle s'imagine elle-même dans vingt ans, trente ans, tenant le même discours à une autre génération d'adolescentes, et une vague de nausée lui fait presque fermer les yeux avant qu'elle ne l'efface.

« C'est pareil avec les normaux, ma chérie. » En fait, c'est pire. « Le bébé tue la mère pendant la grossesse, chaque fois. »

Un nouveau silence, encore plus long.

« Pas d'enfants du tout », murmure enfin Paula, toujours affaissée dans le sofa. Pas d'intonation interrogative. Bien. « Aucun d'entre nous... »

Elle ne va sans doute pas en déduire immédiatement toutes les conséquences – elle va penser d'abord à Thomas, à leur couple. Dix-sept ans. Marian n'était encore avec personne, à dix-sept ans – la toute première génération, on en était encore à définir les protocoles, même entre métames. Une chance : ç'aurait pu être elle, sinon, les images sur l'écran.

Paula se redresse, prend un grand respir. Le front rond se déplisse, les lèvres sinueuses ne tremblent plus. Une tendresse accablée envahit Marian. Courageuse, la petite, du nerf, une survivante ; elle l'a bien évaluée. Et elle sait ce qu'elle va dire.

« Eh bien, on peut vivre sans enfants. »

Mais pas "On en adoptera". Cette génération-ci sait à quoi s'en tenir quant aux relations entre métames et normaux.

Marian hoche la tête. Un couple, oui, parfois, même si à en juger par l'évolution des membres de leur première vague, les métames sont encore assez humains pour supporter difficilement de ne pas avoir de descendance. Mais la communauté des métames – elle doit encore faire un effort pour ne pas penser "race" –, non. Si on ne trouve pas de solution à ce problème, ils resteront… un caprice de la nature. Chacun le premier et le dernier de sa lignée.

Paula semble réfléchir, les yeux au loin, un long moment. Marian attend, flottant dans une sorte de brouillard qu'elle ne se résoud pas à dissiper. Et la petite la surprend : « Nous nous développons très tard, n'est-ce pas ? La puberté… Quatorze, quinze ans, parfois seize, en même temps que la mutation se déclenche. Et nous vivons…

— Au moins cent vingt ans, d'après les projections actuelles », soupire Marian en s'accoudant à son bureau – c'est la dernière phase avant l'acceptation : on négocie. Mais une étincelle de satisfaction triste la traverse malgré elle : cet argument ne sort pas forcément toujours pendant la première discussion. Encore mieux qu'elle ne le pensait, cette petite Paula. Rebondit vraiment vite.

« Peut-être que… Peut-être ne sommes-nous vraiment aptes à nous reproduire que plus tard. Vers… je ne sais pas, moi, quarante, cinquante ans. Un mécanisme automatique de… de contrôle de la population, puisque nous vivons si longtemps. Une autre mutation se déclencherait et… »

Elle est tendue vers Marian, les mains serrées sur les genoux, le visage animé d'espoir. Puis, en voyant que Marian se contente de l'observer sans rien dire, elle fronce les sourcils : « Mais il faudrait que nous soyons fertiles à cet âge-là. Et si on nous stérilise…

— Nous ne sommes pas stérilisés, ni les uns ni les autres. » Pas encore. « Les implants ne sont pas définitifs, voyons ! »

Paula hoche lentement la tête ; Marian se voit enveloppée d'un regard soudain calculateur. « La plus vieille métame a quarante ans », remarque-t-elle en souriant. Elle essaie un petit clin d'œil : « Et non, ce n'est pas moi. » À trois ans près. Puis, redevenant sérieuse : « Plus très longtemps à attendre. »

Et une fois de plus elle étouffe en elle la voix de la raison : pourquoi une mutation qui tue les femelles de l'espèce en gestation permettrait-elle aux improbables survivantes de se reproduire sans danger trente ou quarante ans plus tard ? Mais l'évolution n'avait pas prévu les anticonceptionnels de synthèse. Et on est encore loin de comprendre entièrement comment fonctionne le complexe génique. Puisque la culture a rectifié ici la nature, et qu'il y a des survivantes, il existe toujours une chance, si minime soit-elle.

Maintenant, elle peut se lever, contourner son bureau, aller s'asseoir tout près de Paula, partager ses émotions avec elle, un bras autour des épaules, dans l'aura des métames – et renouveler à ce contact le mince espoir qu'elle s'entête elle-même à conserver depuis des années.

◆

« Les métames n'ont jamais pu se reproduire entre eux ! » proteste Saul Petersen, d'une voix qui s'éraille de nouveau.

— Mais avec les normaux, oui », dit Fromm toujours très calme.

Le vieil homme se laisse aller contre son oreiller, en s'obligeant visiblement à respirer à fond, avec lenteur.

Le silence se prolonge. Le souffle du vieillard se fait moins rauque. Fromm attend.

« Avec les normaux », dit enfin Petersen, mais sans inflexion interrogative. Fromm voit son regard filtrer à travers les paupières mi-closes, un regard qu'il sait posé sur lui, lucide et acéré. «Avec les normaux, les résultats étaient encore pires.

— Bien sûr que non», dit Fromm, presque indulgent. «Les résultats ont été falsifiés. Avec les normaux, les enfants étaient des normaux, voilà tout – pourvus d'un nombre variable de gènes exotiques mais inactifs. Sauf un enfant sur environ un million, d'après les calculs, mais ni vos prédécesseurs ni vous n'avez envisagé d'entreprendre un programme systématique de croisements à cette échelle pour un résultat aussi minime. Ce qui ne vous a pas empêché d'essayer en secret, à chaque nouvelle génération de métames, pour vérifier si les paramètres restaient les mêmes.»

Fromm change de position dans son fauteuil – jambe droite sur jambe gauche à présent – et, puisque Petersen ne semble pas vouloir intervenir, il conclut en posant les mains sur les accoudoirs du fauteuil : «Et à partir de 2150, tous les métames ont été stérilisés, après prélèvement discret de leur matériel génétique.»

Il joint de nouveau les mains sur sa cuisse droite et attend. Il sait qu'il peut compter sur l'intelligence de son interlocuteur. Petersen n'essaiera pas de nier – pas avec la bague qui repose toujours sur le drap devant lui.

Le vieil homme ne le déçoit pas : «Marian, ou Togumi ?

— Marian d'abord. Elle a convaincu les autres. Ils ont eu accès à un nombre suffisant de données. Et quelques-uns de vos chercheurs possédaient encore quelques bribes de conscience morale. Surtout mis en face des faits.»

Un silence. «Quand, Marian ?» demande Petersen, d'une voix un peu plus rauque.

Fromm est un peu surpris tout de même. Près de trente ans de cela, et savoir quand elle a été au courant lui importe encore ? « Quand le Conseil a approuvé votre plan de désamarrage de la station. Mais elle avait déjà des soupçons. Les nouveaux métames les ont confirmés. Ellerman… ressemblait à quelqu'un qu'elle connaissait. »

Encore un silence, plus long. « Elle n'a rien dit. Rien fait », murmure enfin le vieillard, d'une voix qui s'éraille de nouveau.

« Eh bien, on a mis suffisamment de données à l'abri avant que vous ne fassiez disparaître les traces des recherches clandestines et que votre programme-torpille ne commence à réécrire tout ce qui concernait les métames dans les infothèques. Mais finalement non, on n'a rien dit. On ne dira rien. Personne n'y avait intérêt, n'est-ce pas ? Maintenant non plus. »

Un nouveau silence.

« On », dit Petersen. Il a ouvert les yeux et fixe Fromm d'un regard qui ne vacille pas.

Fromm sourit, sans plaisir : « Nous. »

◆

« Ceci a été filmé il y a environ une heure, par un touriste, sur la Promenade », dit Saul, tandis que Van Nuys expédie les images.

L'homme court à travers la foule de fin d'après-midi, qui s'écarte sur son passage. Il semble nu, et totalement dépourvu de système pileux. Zoom avant, de trois quarts face : sa peau est couverte de fines écailles vertes. Des motifs géométriques noirs et jaunes apparaissent et disparaissent sur ses joues, son front, son torse. Il hurle – on le voit à sa bouche ouverte, car le son a été coupé. L'homme continue à courir, on le voit maintenant de dos. À la façon dont la caméra le suit, on devine qu'elle doit être tenue par quelqu'un qui court aussi, mais l'homme se perd dans la foule.

Une seconde, deux secondes. Comme prévu, pas de réaction. Ils doivent être assommés. Saul reprend dans la pénombre : « Les images suivantes ont été filmées par une caméra de surveillance devant une infocabine. »

On voit la personne qui sort de la cabine, de profil, une jeune fille bien en chair aux très courts cheveux bleu foncé, vêtue d'une tunique courte à rayures orange et noires ; elle est en train de chercher quelque chose dans le sac qu'elle porte en bandoulière – ses lunettes de soleil. Elle les pose sur son nez et se met en mouvement vers la droite de l'écran. À ce moment une silhouette entre en bondissant dans le champ de la caméra, à droite. Arrêt sur image. C'est le même homme, du moins faut-il le supposer : les écailles ont disparu, mais la peau est toujours verte, parsemée de nodules gonflés et luisante comme d'une sorte de mucus transparent. Les proportions du corps ont changé, le torse est plus court, les bras plus longs, les jambes aussi, et elles semblent curieusement articulées, en demi-flexion. L'image s'anime au ralenti : l'homme heurte la jeune fille de plein fouet, elle part en arrière tout en s'agrippant à lui par réflexe, se met à hurler – toujours pas de bande-son – recule en titubant, paumes levées. Celle qu'on voit sur l'image est rouge, et des cloques s'y dessinent. Des marques rouges apparaissent aussi sur l'épaule et le bras qui sont entrés en contact avec l'homme nu. La jeune fille s'effondre, secouée de mouvements spasmodiques. L'homme vacille, les bras tendus, à demi penché vers elle – comme s'il avait essayé de la secourir. Son profil est grotesquement déformé, une face plate aux narines distendues, à la grosse bouche lippue, aux yeux protubérants. Il fait demi-tour, un mouvement curieusement maladroit, se ramasse sur lui-même et bondit littéralement, comme une grenouille, pour disparaître à gauche de l'écran.

Le corps de la jeune fille est inerte. Un premier passant entre dans le champ de la caméra en courant, s'agenouille près d'elle.

Toujours le même silence. «Elle était morte. Choc anaphylactique, empoisonnement massif. L'individu qui a essayé de l'aider aussi. Le sujet a finalement été coincé dans une allée de la basse ville, environ une demi-heure plus tard. Je vous épargnerai la fin», conclut Saul tout en regardant la lumière se rétablir dans la salle de conférence virtuelle. À sa droite et à sa gauche à la table ronde, La Pierre et Seigoval sont affaissés dans leur fauteuil. Akira et Marian, en face de lui, semblent pétrifiés.

«Non», dit enfin Marian, d'une voix rauque mais coupante. «Montrez-nous la fin.»

Saul s'immobilise, à la fois agacé et résigné. Bien sûr. Il aurait dû le prévoir.

«Marian!» proteste Togumi.

Saul a déjà fait signe à Van Nuys, tandis que Marian réplique: «C'était un métame, Akira. Nous lui devons au moins ça. Nos collègues non métames peuvent se mettre en attente pendant ce temps-là, si ça les dérange. Ser Petersen, je vous prie?»

Si elle veut s'infliger cette épreuve, c'est son droit. Les lumières ont baissé de nouveau, les images recommencent à défiler dans un parfait silence. Dans son écroulement final, le métame condamné passe par toute une série de transformations chimériques, parfois affreuses, parfois plus monstrueuses encore dans leur étrange grâce fugitive. Puis, dans la masse informe mais grouillante surgissent et disparaissent à toute allure des ébauches de visages de toutes tailles – enfants, vieillards, femmes, hommes… Pas de cheveux, pas de cou, juste des faces, toutes faites de la même matière rosâtre, frémissante. L'une d'elles flotte plus longtemps, ou plutôt essaie de se reformer à plusieurs reprises : une femme, jeune, la vingtaine, petit front bombé, joues rondes à fossettes, yeux rieurs en amande, bouche sinueuse au-dessus d'un menton un peu en galoche. Mais comme les autres, elle coule et disparaît.

La dissolution ultime du métame vient à bout de La Pierre : il a un hoquet, comme lorsqu'on se retient de vomir, marmonne quelque chose, et son avatar s'efface de la simulation à droite de Saul.

La lumière revient. Aucun des avatars ne bouge. Akira est accoudé à la table, le visage dans les mains. Marian regarde dans le vide, les sourcils froncés. Joanna Seigoval est enfoncée dans son fauteuil, les bras croisés, livide.

L'avatar de La Pierre reparaît à la table, l'air penaud.

«Qui était-ce ?» dit enfin Marian.

Saul fait mine de regarder ses documents : «Andreas Ellerman, né en 2131 à Madrid. Mon assistant vous envoie les données.»

Il les regarde prendre conscience de ce que signifie la date pendant que Van Nuys pianote sur son écran. Seigoval le surprend en réagissant la première – et en posant la bonne question. Il aurait cru que ce serait Marian.

«Un adulte. Né de parents normaux.

— Évidemment.»

Le silence se prolonge. Un des avantages de ces transmissions en téléprésence avec Lagrange 4 : on réfléchit en général avant de parler. Pour l'instant, ils en sont encore à digérer les informations.

«Nous avons essayé, mais il est évidemment impossible de maintenir un silence total sur le présent incident, poursuit-il. Nous avons… obtenu un délai de deux heures des infonets, le temps de nous retourner. »

Il voit à l'expression de Marian qu'elle est la première à interpréter correctement sa formulation : le consortium Petersen a tordu le bras aux infonets – une rupture marquée avec la politique de Georges Petersen Jr. qui dans les dernières années a fait immédiatement monter en épingle tous les incidents liés de près ou de loin aux métames. Elle l'observe avec un soudain intérêt. Satisfait, il reprend d'un air grave : « La première chose à faire, évidemment, et j'ai pris la liberté d'en donner l'ordre moi-même, c'est de contacter tous vos agents en fonction sur Terre, avec la consigne de se faire encore plus discrets que d'habitude, et, par mesure de sécurité, de se rassembler dans vos ambassades. »

Ça devrait bien faire réagir Togumi… Oui : « C'est ça, pour qu'on les trouve plus facilement et… »

Marian lui pose une main sur le bras, il ravale ce qu'il allait ajouter, tandis que La Pierre murmure, d'une voix entrecoupée : « Il ne faut pas exagérer… Les gens ne vont quand même pas paniquer pour un incident isolé… »

Et maintenant, le coup de grâce : « Peut-être. Malheureusement, ce n'était pas le premier. »

Il n'attend pas leur réaction, fait de nouveau signe à Van Nuys de transmettre les données. « Il y en a eu trois autres, le mois dernier.

— Quoi ?! » explose enfin Togumi.

Saul enchaîne, tandis que Marian, livide, pose de nouveau une main sur le bras de son voisin pour le faire taire. « Moins… spectaculaires, et jamais en public. Il a été assez facile d'étouffer la nouvelle dans l'œuf. » Ne pas leur laisser le temps de trop réfléchir là-dessus; il enchaîne: «J'espère que vous comprendrez si je ne vous ai pas mis au courant tout de suite. Nous étions dans la… période de transition, après le décès de mon père.» Une petite pause, cette fois, pour leur laisser évoquer d'eux-mêmes la reprise musclée du pouvoir par l'héritier face à la vieille garde rétive, saga corporative qui a fait les choux gras des infonets pendant au moins une semaine. «Et je voulais laisser à nos chercheurs une chance de comprendre ce qui s'était passé.» Juste le bon ton d'excuse, pas trop. La Petersen détient 49 % des actions de Lagrange 4, et même si le père de Saul a été un associé fort déplaisant pour les métames dans la seconde moitié de sa vie, la famille a partie liée avec eux depuis leur apparition et le soutien décisif apporté par son grand-père à leur installation dans Lagrange 4. Cela donne au consortium certains privilèges – voire certains droits.

Il voit Marian hocher enfin la tête. Réprime un sourire. Jusqu'à présent, tout va bien.

«Et qu'ont-ils compris, vos chercheurs?»

Van Nuys, au signal, se met à expédier un autre paquet de données. Saul regarde ses interlocuteurs consulter les informations sur leurs écrans avec des réactions diverses. Sauf Marian, impassible – en état de choc? Ou bien elle s'est complètement dissociée de son avatar. Il se rappelle ce qu'il a éprouvé lui-même en comprenant de quoi il s'agissait: une capacité de métamorphose qui se déclenche d'un seul coup, absolument anarchique, susceptible d'être influencée par n'importe qui, n'importe quoi, et qui brûle l'organisme en quelques heures, tout en suscitant une dissolution complète de la personnalité – bien avant la dissolution de la chair qui l'incarnait.

Il imagine très bien ce que Marian et Togumi peuvent ressentir.

Quand il les estime à point, il reprend sans attendre : « Il est possible que ce soient des cas isolés. Je le souhaite de tout mon cœur. Mais s'ils ne le sont pas – et je dois dire que cela m'a fâcheusement évoqué le déclenchement subit de la mutation, il y a une cinquantaine d'années, en tir groupé… Bref, vous serez d'accord que nous devons établir tout de suite un plan d'urgence. »

Marian a croisé les mains sur la table devant elle : « Une autre variété de la mutation, murmure-t-elle. Mais létale.

— Comme si les sujets tombaient directement en amok… » souffle Joanna Seigoval, atterrée.

« Bien pire que l'amok ! » renchérit La Pierre.

Un silence.

« Eh bien », dit Marian avec une sèche ironie en se redressant dans son fauteuil, « ceux-là, au moins, on n'a pas le problème de les supprimer, n'est-ce pas ? »

Togumi lui adresse un regard sidéré, puis s'empourpre en commençant à ouvrir la bouche. Ce type ne la connaît pas très bien, malgré tout… Mais Marian regarde toujours Saul et enchaîne, en coupant la parole à Togumi : « Votre plan ? »

Il commence à débiter le discours préparé : retrait temporaire des métames dans Lagrange 4, campagne d'information sur Terre – il sait qu'ils comprennent, comme lui, "propagande" –, une vaste entreprise de relations publiques mettant en valeur, comme au début de la mutation, tout ce que les métames peuvent accomplir pour le plus grand bénéfice de la race humaine… Il est en train de digresser sur des exemples quand enfin Van Nuys lui fait le signe convenu. Il s'interrompt.

« Excusez-moi, une communication urgente. » Il écoute un instant, puis prend l'expression grave de circonstance : « Je crois que ceci nous concerne tous. Ser Valenti, je suis justement en réunion d'urgence avec les responsables de Lagrange 4. Voudriez-vous répéter ce que vous venez de me dire ?

— Mais qu'est-ce que vous faites avec vos métames, La Pierre ? » explose la voix furieuse du gouverneur – il ne concède toujours pas d'image. « On a un nouvel amok sur les bras dans le quartier du port, ici, et d'après les infonets il y en a une douzaine d'autres en train de se déclarer un peu partout, à Madrid, à Paris, à Nouvelle-Londres… Trois morts à Berlin ! Des foules monstres sont en train de se rassembler dans les rues, un type qui sortait de l'ambassade des Lagranges à Paris a failli se faire lyncher parce qu'on croyait que c'était un métame, moi, j'ai été obligé d'envoyer trois escouades anti-émeute, et il en faudra peut-être davantage ! Qu'est-ce que vous pouvez bien foutre avec vos foutus métames ! ? ! »

Saul répond sans attendre la réaction des autres – à leur expression, ils doivent être en train de recevoir eux-mêmes des communications de leurs ambassades. Minutage parfait. « Ce ne sont pas des amoks, Ser Valenti, mais apparemment… une nouvelle variété de métames qui vient de se déclarer. Instable au départ. Ils s'autodétruisent d'eux-mêmes très rapidement, dissolution organique totale. Il suffit de les isoler en s'assurant que personne ne les touche. Mes services vous communiquent à l'instant l'information pertinente, ainsi qu'aux infonets. Merci d'avoir fait protéger l'ambassade.

— Kérékian a institué un couvre-feu à Berlin. J'y pense pour ici, si jamais ça continue ! On a convoqué une réunion d'urgence de tous les gouverneurs provinciaux. Il est question de déclarer un black-out sur les infonets !

— Nous avons décidé ici de regrouper les métames dans les ambassades en attendant que…

— En attendant rien du tout, l'interrompt le gouverneur. Des abcès de fixation, et quoi encore ? ! Renvoyez-les plutôt dans Lagrange 4 le plus vite possible ! Pour leur sécurité et pour la nôtre. C'est ce que votera le Conseil, je vous le garantis ! Vous serez tenus au courant. »

Et il se disconnecte sans plus de cérémonie.

Le silence se prolonge dans la salle de conférence. À voir l'air figé des avatars, ils sont en train de discuter entre eux dans Lagrange ou d'envoyer déjà leurs propres consignes.

Marian revient la première. Très calme. Ou bien n'est-ce que son avatar, en automatique ? Mais non, pas elle.

« Le pire », commente-t-elle simplement en lui adressant un regard entendu.

Les autres s'animent à leur tour.

« Toutes nos navettes disponibles sont à votre disposition, s'empresse de dire Saul. Et la sécurité de la Petersen pour convoyer vos agents le plus discrètement possible.

— Il y aura des bavures », prédit inutilement La Pierre, l'air sombre.

Togumi semble prêt à exploser, mais finalement personne ne relève.

« Vous avez un autre plan, Ser Petersen ? » demande Marian, toujours trop calme. Il l'observe un instant, un peu désarçonné. Mais elle ne peut se douter de rien. C'est seulement sa façon habituelle de se comporter en situation de crise.

« Eh bien… pas vraiment le mien », admet-il. Il retrouve son assurance : le scénario suit son cours. « D'après des documents ayant appartenu à mon grand-

père, il avait eu cette idée-là en concevant les plans
de la station. Vous l'avez connu, Séra Bauer. C'était…
un visionnaire. Il mettait de grands espoirs dans les
métames. Il tenait à les protéger. »

Et il leur explique, avec une efficace brièveté. La
Pierre se met à postillonner – assez ridicule, avec le
délai de transmission. Les arguments prévus : aber-
rant, c'est du catastrophisme, ça va coûter des sommes
faramineuses… Joanna Seigoval secoue la tête comme
un boxeur sonné. Togumi se retient – Marian le retient,
une main sur son bras. Mais c'est Marian que Saul
observe. Et elle, elle ne l'a pas quitté des yeux. Il sait
comment elle pense : elle a toujours prévu le pire, et
surtout dans les vingt dernières années, avec la dimi-
nution progressive des nouveaux métames. Et elle se
contente de demander : « Combien de temps ?

Il incline la tête pour marquer son appréciation :
« Je dirais un an. Il faut essentiellement enrichir au
maximum la biodiversité de l'écosystème de la station,
remettre en état et améliorer ses moteurs ainsi que
ses sources d'énergie, puis augmenter sa masse pro-
pulsive. Il ne s'agit après tout que de recevoir chaque
jour en poussière lunaire quelque dizaines de con-
teneurs de mille tonnes, depuis les trois accélérateurs
linéaires de la Lune. Bien sûr, c'est plus de trafic que
votre habituel conteneur journalier, mais ça n'a quand
même rien de catastrophique. »

Elle hausse un peu les sourcils mais ne commente
pas davantage. Les autres recommencent à discuter
sans qu'elle intervienne à nouveau, surtout La Pierre
et Togumi : il faudra aussi finir de creuser l'astéroïde,
pour assurer un espace vital maximal. Mais ils savent,
comme Saul, que le principe vient d'être accepté.

« Nous nous retrouverons donc demain, après la
réunion du Conseil des Gouverneurs », conclut Saul

quand il les sent enfin au bout de leur rouleau. « Séra Bauer, accepteriez-vous de rester encore un moment ? »

◆

« Vous », marmonne le vieil homme. « Et qu'est-ce que vous savez exactement, vous ? »

Fromm s'applique à décroiser puis recroiser encore les jambes, pour garder son calme. Petersen essaiera le plus longtemps possible de ne pas poser la seule question importante : normal, il ne va pas accepter aussi facilement de voir toutes ses machinations réduites à néant, même sur son lit de mort,

« Tout.

— Vraiment ! » ricane faiblement Petersen.

« Vous souvenez-vous de Michele Da Santi ? » demande Fromm d'une voix égale.

L'expression du vieillard se fige. Puis il ferme les yeux. Son souffle se calme assez rapidement cette fois-ci. Fromm est tout de même surpris : Saul Petersen possède décidément une remarquable maîtrise de soi, surtout pour un mourant.

◆

Georges Petersen Jr. est d'une humeur massacrante, comme il se doit ; c'est ce à quoi s'attendent ses interlocuteurs, et il ne les décevra pas. Ils savent qu'il n'a jamais aimé ces réunions où il doit subir le jargon et les enthousiasmes scientifiques frivoles de ses spécialistes, en particulier au cours de réunions de routine, et celle-ci en est une ; et puis il est vieux, à cinquante-cinq ans il estime ne pas avoir de temps à perdre – ils peuvent le constater : il s'est encore dégradé physiquement depuis la dernière réunion. Enfin – et surtout

– ils connaissent son aversion grandissante pour les réunions tout court : il déteste se trouver avec plusieurs personnes dans une même pièce, même lorsqu'il est le seul à ne pas y être en téléprésence. D'ailleurs, on ne parle même plus de téléprésence – pour lui, il n'en a jamais été question, de toute façon : sa paranoïa bien connue l'a depuis longtemps empêché de se livrer, même sous la forme d'un avatar manié à distance, à la moindre possibilité de corruption du contact par des interventions criminelles ou simplement accidentelles. Mais depuis plusieurs années il s'aggrave : il a maintenant recours à l'archaïque projection tridi sur écran courbe, et il a fait équiper en conséquence les bureaux de tous les employés officiels ou non de la Petersen avec lesquels il est obligé d'être en contact régulier. Il en a profité pour faire arranger son propre bureau et les prises de vue de telle façon qu'il se trouve toujours légèrement plus haut que ses interlocuteurs – un vieux truc, mais toujours efficace.

Il abaisse donc son habituel regard flamboyant sur les quatre personnes qui se partagent l'écran. Le grassouillet Maurice Standescu, l'informaticien, Michele Da Santi, le spécialiste en génétique, l'air encore plus anxieux que d'habitude, Armin Tikanan, le médecin responsable de l'équipe ; à sa gauche, Angela Tavernier, l'autre biologiste, et la plus jeune de l'équipe, tripote ses notes avec nervosité. En fait, ils ont tous l'air nerveux, plus que d'habitude. Ou bien ils ont trouvé quelque chose d'important ou bien ils n'ont rien de nouveau à lui apprendre. Compte tenu des résultats de la dernière année, il aurait tendance à opter pour la seconde hypothèse.

Il garde son ironie pour lui-même et grince d'un air rébarbatif : « Alors, pourquoi est-ce que je vous paie inutilement des sommes faramineuses, ce mois-ci ? »

Tous les regards convergent sur Angela Tavernier. Elle toussote, se carre dans son fauteuil. Pas très convaincant, comme démonstration d'assurance; on a plutôt l'impression qu'elle essaie de disparaître dans le dossier de son siège.

« Mon équipe poursuit les études sur les cellules-souches, Ser Petersen » – elle traduit hâtivement : « Des cellules d'embryons. Vous savez que chez les humains normaux…

— Vous étudiez les métamorphes. Au fait. »

La jeune femme rougit, baisse le nez sur ses notes, se racle la gorge. « Oui. Euh… J'ai… nous avons récemment eu l'idée d'étudier un embryon de métames, par l'intermédiaire du bioscope, en le couplant avec des cellules-souches prélevées chez d'autres types d'embryons, des embryons animaux. Puisque le bioscope sert à l'entraînement des métames…

Il dit sèchement : « Je suis au courant. »

Tavernier avale sa salive. « Oui, bien sûr. Euh… Si vous voulez bien regarder les images que nous avons…

— Je ne saurais même pas ce que je vois. Vous devez bien être capable de résumer ? »

Encore arrêtée en plein élan, la jeune femme se passe une main dans les cheveux. « Bien sûr. Euh…

— J'ai bien dit "résumer".

— Certainement, Ser Petersen. » La biologiste cherche une position confortable dans son fauteuil, sans la trouver, poursuit : « Couplé avec des cellules-souches de souris, l'embryon a essayé de se conformer à leur programme de croissance et…

— S'est transformé en souris ? » grince de nouveau Petersen Jr. Il ne masque pas son ironie, cette fois.

« Euh… non, Ser Petersen, mais, euh… ses cellules ont essayé de se conformer au programme de croissance des cellules-modèles. L'un des paramètres étant l'âge de l'embryon – il n'avait que deux semaines – nous avons recommencé l'expérience avec des embryons plus âgés. À quatre semaines…

— Passons au déluge, jeune fille. Résultat de l'expérience ? »

En voyant la confusion de Tavernier, Tikanan intervient : « L'embryon de huit semaines s'est partiellement transformé en embryon de souris. Or c'est également la période où les métames enceintes subissent systématiquement des fausses couches : l'hypothèse d'une rétroaction létale entre la mère et le fœtus pendant cette période, au détriment du fœtus, serait donc peut-être confirmée. »

Tavernier s'est reprise et continue à sa place : « Entre huit et quinze semaines, les embryons s'alignent de mieux en mieux sur la croissance des embryons divers avec lesquels on les couple. À taille et poids identiques, ils n'y survivent cependant qu'à partir de quinze semaines. À six mois, ils commencent à interagir d'eux-mêmes avec les embryons auxquels ils sont couplés, et à partir de là, l'embryon se défend de plus en plus efficacement contre la rétroaction. C'est la période où la grossesse devient mortelle pour les métames. »

Elle est visiblement de plus en plus excitée par son sujet et, de fait, il y a là quelque chose d'intéressant. Mais ce n'est pas ainsi que le verrait Georges Petersen Jr. ; un ton mordant est de rigueur : « Je suppose que si vous aviez trouvé un moyen d'annuler cette réaction… agressive du fœtus, vous me l'auriez dit tout de suite ? »

La jeune femme rougit de nouveau, déplace les feuilles devant elle. « Eh bien, euh… nous savons mieux où chercher, maintenant, euh… comment…

— C'est une piste extrêmement prometteuse, Ser Petersen, intervient Tikanan.

« — Et des résultats tangibles quand ?

— Mais on ne peut pas dire… ! » commence explosivement Tavernier. Elle se mord la lèvre et Tikanan intervient encore :

« On en est à élaborer un nouveau programme de recherches systématiques à partir de ces données, Ser Petersen. Cela prendra du temps. »

Standescu enchaîne en souplesse : « Nous devons maintenant étudier chacun des gènes de la mutation in vitro puis in vivo dans les embryons couplés, en évolution dans le temps…

— Pas in vivo ! proteste Tavernier, scandalisée. Je n'ai jamais parlé d'études in vivo ! La grossesse est aussi fatale pour les mères porteuses que pour les métames !

— Il faudra en arriver là d'une façon ou d'une autre », rétorque Standescu.

« Mais vous en êtes loin », intervient Georges Petersen Jr. d'un ton entendu. Était-ce une erreur d'avoir engagé cette petite, en fin de compte ? Elle n'a pas l'air d'avoir encore bien compris les protocoles de ce groupe de recherche. Standescu, rappelé à l'ordre, se tourne de nouveau vers lui :

« Il est honnêtement impossible de vous donner une date quelconque, Ser Petersen, pas même une hypothèse de date. Si nous pouvions agrandir l'équipe… »

Un petit ricanement, pour leur montrer qu'il n'est pas dupe ; ils reviennent périodiquement à la charge avec cette réclamation. Justifiée, au demeurant. Mais ce n'est pas ainsi que raisonne – délire – Georges Petersen Jr. : pour lui, comme pour son prédécesseur le non moins maniaque Georges Petersen Sr., plus un programme secret a de participants, moins il a de chances de demeurer secret. Et celui-ci *doit* vraiment le demeurer.

« Si nous avions au moins davantage de bio-scopes… » suggère Tikanan – c'est sans doute là qu'ils voulaient en arriver de toute façon.

Un petit haussement d'épaules : « D'accord. » Il n'a jamais été avare sur le matériel. « Une autre découverte révolutionnaire ?

— Eh bien, une ligne de recherche potentiellement rentable, fait Tikanan. Maurice ? »

Standescu se redresse aussitôt, l'air satisfait : « La plasticité des embryons de métames m'a suggéré de travailler sur la plasticité des cellules-souches elles-mêmes, isolées. Il semblerait qu'on puisse aussi les coupler avec des simulations informatiques de crois-sance de cellules – et non d'autres cellules ou embryons organiques, ce qui laisse entendre que… »

Un grognement et une grimace d'impatience. Tikanan, bien conditionné depuis le temps aux mes-sages non verbaux de Georges Petersen Jr., enchaîne aussitôt : « Il serait possible de créer très rapidement des organes à la commande, pour des greffes. »

Un rictus sarcastique s'impose : « Il *serait* possible.

— Dès que nous aurons trouvé un moyen d'intro-duire le programme de copie adéquat dans les cellules en inhibant le leur.

— Ou de recréer artificiellement une cellule orga-nique douée d'une plasticité identique à celle des métames », ajoute Tikanan, dont c'est le dada.

Et c'est intéressant, cela aussi, fascinant, de fait : être capable de façonner à son gré, en accéléré, de la matière vivante… Mais Georges Petersen Jr. doit rester accroché à "rentable". Et donc, une autre mimique ironique : « Et, là non plus, pas de durée estimée.

— Avec les travaux de notre collègue sur les em-bryons, nous en sommes certainement plus proches », dit Tikanan en se tournant légèrement vers Angela

Tavernier, qui rougit derechef – trop jeune, trop pâle, elle ne peut décidément rien cacher à la caméra. C'est aussi une des raisons pour lesquelles Georges Petersen Jr. préfère être en relation avec autrui par l'intermédiaire de la bonne vieille tridi plutôt que n'importe quelle sorte de téléprésence, et il ne se gêne pas pour le dire : trop facile de faire mentir un avatar. D'un autre côté, mais cela, il ne le dit jamais, quand on est un bon comédien et que vos interlocuteurs vous croient en présence directe, comme eux, on peut leur faire avaler n'importe quoi. Il a eu tout le temps de devenir un *excellent* comédien.

Le silence se prolonge. La nervosité du début est revenue. Da Santi semble particulièrement mal à l'aise.

« Quoi d'autre ? »

Les quatre autres échangent des regards en biais. Da Santi fait un léger signe de dénégation. Mais Tikanan semble prendre une décision : « Une seule chose. Il est apparemment possible de créer des métames artificiels avec des hybrides de métames. »

Georges Petersen Jr. peut se permettre une réaction visible, cette fois, c'est même obligatoire – heureusement : il aurait eu du mal à la retenir.

Tikanan enchaîne : « Mais seulement avec des hybrides de première génération. Je vous épargnerai les détails – il s'agit d'une découverte accidentelle. Michele a couplé un sujet adulte avec un programme d'entraînement de métame, en interaction profonde. Et le sujet… s'est métamorphosé. Il est devenu le métame au programme duquel il était couplé. »

Temps de feindre une quinte de toux – longue, catarrheuse, et nécessitant un recours au verre d'eau posé devant lui. Il a besoin de reprendre ses esprits. Heureusement, quand parler devient impératif, Georges Petersen Jr. vient à sa rescousse avec une question sèchement sarcastique, bien dans son genre : « Et qu'est-ce qui n'a pas marché, alors ?

— La métamorphose n'est pas stable », murmure Da Santi d'une voix altérée. Il ne poursuit pas ; sa peau olivâtre a pris une teinte grise et son front brille de sueur sous le projecteur.

« Le sujet a conservé sa capacité de métamorphose, continue Tikanan à sa place, mais... sans aucun contrôle. Il a subi toute une série de métamorphoses anarchiques. Avec l'accélération concomitante du métabolisme. Bref. Il s'est... il est mort au bout de trois heures, complètement fou. Nous aimerions...

— Non ! s'écrie Da Santi. Armin, vous m'aviez promis... On ne peut pas faire ça !

— On ne peut pas, Armin », renchérit Angela Tavernier d'un air horrifié.

— Mais enfin, c'est la seule façon d'en avoir le cœur net ! », proteste Standescu en tapant sur la table.

Il est temps pour Georges Petersen Jr. d'intervenir : « Terminez donc votre phrase, Tikanan. »

Mouvements divers. Ils ont dû s'entendre avant la réunion, mais Tikanan a décidé unilatéralement de rompre les rangs.

« Nous aimerions reprendre l'expérience. Avec toutes les garanties de sécurité », ajoute aussitôt le médecin d'une voix plus forte en se tournant vers Da Santi qui allait encore protester. « Dans la mesure où les capacités de métamorphose des métames se déclenche à la puberté, peut-être le sujet en question était-il trop âgé et...

— Il n'y a *aucune* garantie de sécurité ! » explose Da Santi.

Un bon coup de poing sur la table. Ils se retournent tous vers Georges Petersen Jr.

« Ser Da Santi », dit-il d'un ton trop doux, et l'autre rentre instinctivement la tête dans les épaules. « Dans

quelles circonstances, exactement, avez-vous procédé
à cette découverte… accidentelle ? »

Le biologiste déglutit en détournant les yeux.

« Cet… incident n'a pas été ébruité, de toute évidence…

— Et il ne le sera pas, intervient Tikanan. Je m'en
suis occupé.

— … mais pour des raisons évidentes aussi de sécurité », poursuit Petersen en le foudroyant du regard
avant de revenir à Da Santi, « j'aimerais savoir comment et où un bioscope, un hybride de métamorphe et
un programme d'entraînement de Lagrange 4 se sont
trouvés *accidentellement* en conjonction. »

Un silence. Da Santi se tasse sur lui-même dans
son fauteuil. « Je… m'étais lié d'amitié avec un jeune
homme, récemment. Nous partagions le même… intérêt pour les métames. » Il se redresse : « J'ignorais
tout de ses origines !

— C'est moi qui ai eu l'idée de vérifier avec la liste
des hybrides », remarque Standescu – un homme qui
ne laisse jamais passer une occasion de se faire valoir.

« Je possède un bioscope », conclut Da Santi d'une
voix qui s'éteint sur le dernier mot.

Avec les programmes piratés de Lagrange 4 qui
tournent chez les amateurs de métames assez riches
pour posséder des bioscopes personnels. Da Santi a de
bonnes raisons de s'inquiéter : les opinions de Georges
Petersen Jr. sur ce trafic, et surtout ceux qui s'y livrent,
sont extrêmement publiques et dépassent de loin en
réprobation fulminante celles qu'il affiche, comme
tout un chacun à Baïblanca, sur l'homosexualité.

Il dévisage le biologiste avec une moue méprisante,
comme il se doit, et l'autre se ratatine dans son fauteuil.
Y a-t-il un risque ici ? Da Santi est-il trop personnel-
lement concerné ? Il semble avoir été traumatisé par

l'expérience – on le serait à moins, il faut le supposer…
Ses préférences sexuelles importaient peu, jusque-là :
un bon moyen de pression, voilà tout ; on les connaissait
quand on l'a recruté. Standescu, ce sont les petites
filles. Tavernier, une vie amoureuse dans la norme,
mais un peu trop remuante, avec deux avortements à
la clé alors qu'elle pourrait très bien avoir des enfants
normaux. Et Tikanan… Son père travaillait déjà pour
Georges Petersen Sr., et il en a suivi les traces : son
karma est extrêmement chargé.

Des métames artificiels. Induits. Chez les hybrides
de première génération. Du point de vue de Georges
Petersen Jr., ce n'est certainement pas ce que ses
chercheurs maison lui ont appris de plus important
aujourd'hui. Mais il est impensable de ne pas reprendre
l'expérience. Ne serait-ce que pour vérifier si elle est
reproductible, s'il y a bel et bien quelque chose là.
Mort en trois heures… Pas de traces… Ou enfin, des
disparitions à expliquer, mais c'est la routine. Personne
ne pourrait établir de rapport : on ignore l'existence
des hybrides.

Curieux comme il est simple de décider, quand on
est Georges Petersen Jr.

« Eh bien, refaites l'expérience », soupire-t-il : visiblement agacé par ces querelles entre subalternes,
mais pour une fois prêt à leur passer un caprice. « Avec
un sujet plus jeune. Et toutes les garanties possibles de
sécurité. Et s'il arrive un autre malheureux accident…
L'enjeu est potentiellement important, après tout.

— Ser Petersen ! proteste Angela Tavernier.

— Angela, intervient Tikanan, voyez-le ainsi : depuis
dix ans, le nombre des nouveaux métames décroît
régulièrement. Si la tendance se maintient, il ne s'en
déclarera plus d'ici quinze ans. La mutation s'éteindra,
faute de mutants. Si nous arrivons à créer des métames

artificiels, et qu'ils soient par extraordinaire capables de se reproduire… Ça vaut bien quelques sacrifices. Peut-être se proposeraient-ils d'eux-mêmes s'ils savaient quel est l'enjeu. »

Personne n'évoque évidemment l'importance économique des métames pour le consortium Petersen, mais ils savent tous à quoi s'en tenir : ce n'est pas par pure philanthropie que Georges Petersen Jr. a poursuivi le programme de recherche secret mis en place par son père.

Il commence à se lever, signifiant la fin de la réunion. « Et ce ne sont pas les hybrides qui manquent », marmonne-t-il, les laissant sur cette remarque bien caractéristique du personnage. À la réflexion, il pourrait d'ailleurs bel et bien la faire sienne. Tikanan a raison : si on pouvait leur dire ce qu'ils sont et quel est l'enjeu, les hybrides se proposeraient peut-être d'eux-mêmes. Au moins, ainsi, ils serviront éventuellement à quelque chose d'utile.

◆

—Da Santi, grince le vieil homme. Le maillon faible. Quand ?

—En 2158, quand il a vu l'incident de Madrid sur le réseau, il a voulu croire à un accident. Mais trois semaines plus tard, quand le Conseil a voté le bannissement des métames et le désamarrage de la station, il a contacté Marian. »

Le vieillard se met à rire, ce qui déclenche une quinte de toux. « Et l'imbécile s'est suicidé après le départ de la station », marmonne-t-il quand il a repris son souffle.

« Quand nous avons appris la mort d'Angela Tavernier et des deux autres dans *l'accident* qui a détruit les laboratoires au quartier général de la Petersen », rectifie Fromm d'un ton précis, « nous avons arrangé son suicide.

—Nous.

—Nous. »

Le vieillard l'enveloppe d'un regard rusé : « Mais vous n'avez jamais utilisé son témoignage. » Une pause. « Et vous voulez quoi, maintenant, vous ? Une vengeance plus satisfaisante que ma simple mort ? »

Il ne demande toujours pas de quelle organisation il s'agit. Il s'en doute ? Il ne veut pas le savoir ? Au stade où il en est, peut-être qu'il s'en moque.

« La satisfaction d'une curiosité. Votre grand-père nous a aidés – je ne sais trop ce qu'il espérait de nous, et il a été le premier à nous mentir, mais il nous a aidés. Votre père nous craignait et nous détestait – et il nous a nui autant qu'il l'a pu sans mettre ses dividendes en danger. Vous… vous vous êtes donné tout ce mal pour vous débarrasser des métames, en secret. Pourquoi ? Ils vous faisaient peur aussi ? »

Petersen le dévisage un instant, puis il se remet à rire, et s'étouffe de nouveau. Cette fois, il n'arrive pas à reprendre son souffle et vire à l'écarlate, mains crispées sur le drap. La bague va rouler sur le sol avec un bruit argentin.

Le réflexe est plus fort que les instructions : Fromm se lève d'un bond, contourne le lit pour aller prendre le respirateur sur la table de chevet.

Et se fige.

Le vieillard continue à étouffer, secoué de spasmes.

Fromm prend le respirateur sur la table de chevet, le passe autour du visage du vieil homme, redresse davantage la tête du lit. S'assied, ou plutôt se laisse tomber à côté de Petersen. Celui-ci reprend son souffle par à-coups en même temps qu'une teinte plus pâle.

Trop pâle, même, tandis que ses yeux écarquillés, fixes, restent rivés sur Fromm.

◆

« Je ne me suis pas donné tout ce mal pour renoncer maintenant ! »

Christian se réveille en sursaut. Ce n'est pas dans son rêve que fulminait la voix de son grand-père. Une autre voix, féminine, paroles inintelligibles mais ton geignard : sa mère. Il se redresse. Le mouvement trop rapide lui donne une brève nausée. La fièvre n'est pas encore tombée, mais le mal de tête diminue, on dirait. Il se lève avec prudence dans la pénombre de sa chambre. La texture du tapis est bizarre sous ses pieds nus, les proportions de la pièce, les odeurs, tout paraît… d'un relief exagéré.

Les voix sont plus distinctes une fois qu'il est sur le palier. Une autre voix d'homme : son père. Réunion de famille. Évidemment. Ils sont au salon.

Il descend l'escalier en tenant bien la rampe – son appréciation des distances semble un peu aléatoire, et il a les jambes en coton. Près de l'arche menant au salon, il s'adosse au mur, un peu effrayé. Il ne va pas s'évanouir, non ? Il se laisse glisser assis par terre, les bras autour des genoux. Il va y aller, dans un petit moment. Ça lui gâcherait son entrée, s'il s'étalait au milieu du salon.

« Mais on ne va pas le garder ici ! proteste Maman Hilda. Il faut… des spécialistes pour s'en occuper, le prendre en main, enfin, ce qu'ils font là-bas !

— On peut parfaitement le faire ici.

— Mais ça se saura ! »

C'est tout ce qui lui importe, à elle, bien entendu !

« Ça ne se saura pas si nous ne voulons pas que ça se sache.

— Mais, père, comment voulez-vous cacher une chose pareille ? »

Papa Jean-Christophe, d'une voix à peine moins molle que d'habitude. Il fera ce qu'on lui dira, le play-boy, comme toujours, pourvu qu'on ne touche pas à son argent de poche. Non, c'est Hilda qui tient tête au patriarche ; ce serait presque amusant : après lui avoir fait si volontiers un héritier sur commande et le lui avoir abandonné sans discuter depuis quatorze ans... Mais ça, non. *Ça se saura.* Elle tient à son statut social, Maman Hilda.

Malgré l'épaisse carpette qui étouffe les sons, Christian peut imaginer les allées et venues de son grand-père devant le foyer, bras derrière le dos, le front plissé : l'ours réfléchit – Georges Petersen ne pense bien qu'en mouvement.

« On lui trouvera un coin tranquille et discret et on s'en occupera comme il le faut. Je continuerai à m'en occuper. Et officiellement, il va mourir. Maladie foudroyante. D'ici trois mois, on annoncera que vous êtes enceinte, Hilda, les infonets adoreront : la vie reprend ses droits, bonheur à travers les larmes, bla-bla-bla. Oh, ne faites donc pas cette tête-là ! Croyez-vous que je vous laisserais avoir d'autres enfants maintenant ? L'un *et* l'autre ? Tikanan s'en occupera. Et pas juste des implants. Je ne veux pas d'accidents. »

Pas un mot. Il leur dit qu'il va les faire stériliser et ils ne disent pas un mot !

« Très fragile, le nouvel enfant. Un garçon aussi, évidemment. Georges. On l'appellera Georges Junior. Tenu à l'écart de la vie publique, mais presque tout le portrait de son frère tragiquement disparu, bla-bla-bla : minimum de problèmes de gestion pour Christian quand il prendra sa place... Qu'en penses-tu, Christian ? »

Christian sursaute violemment, se lève tant bien que mal, le souffle court – et se rend compte que l'éclairage du couloir projette son ombre en travers de l'entrée du salon. Georges a dû le voir arriver; il ne rate jamais rien.

Avec une sorte de gratitude, Christian franchit le seuil, va s'asseoir dans le fauteuil le plus proche quand même, croise les jambes avec une affectation de nonchalance. Il ne regarde pas ses parents – il a vu leur mouvement de recul quand il est entré.

«C'est faisable», dit-il, assez content de constater que sa voix ne tremble pas. «À quel âge Georges Junior vous succédera-t-il?

—Le plus tôt possible. Dix-huit ans.» Son grand-père lui fait un clin d'œil: «Ce sera un brillant sujet.

—Évidemment. Durerez-vous jusque-là?»

Georges Petersen éclate de rire et vient se planter devant lui d'un air approbateur: «J'en ai bien l'intention, mon garçon. Ou le plus longtemps possible. Mais je te fais confiance: tu seras capable de t'occuper de tout ça toi-même avant de prendre officiellement la direction du consortium!» Il glousse encore un moment puis redevient sérieux: «Comment te sens-tu, petit?

—Mieux.»

Son grand-père hoche la tête en souriant, l'œil allumé: «Bien. Nous allons faire de grandes choses ensemble. Encore plus génial! Tu imagines les possibilités?»

À vrai dire, Christian a de nouveau la nausée, et sa vue se brouille. Mais il dit "Oui" et il ferme les yeux en appuyant sa nuque au dossier du fauteuil, pour ne pas voir ses parents quitter la pièce sur un geste bref du vieil homme.

◆

Elle s'avance dans la jungle miniature, à l'écart des autres dont on entend les cris dans le lointain, du côté de l'étang. Un corps nu, brun et râblé. Il l'a observé tant de fois, sous tant d'angles différents… mais il ne peut qu'en imaginer la texture sous ses doigts, sûrement lisse et ferme, satinée. Imaginer, toujours. Oh, il y a les programmes du bioscope, les autorisés et les autres. Il pourrait retourner fouiller dans les bandes de surveillance de Lagrange, le vieux ne s'en rendra sûrement pas plus compte que la première fois. Mais jamais pour de vrai. Ni elle, ni aucun autre métame.

Elle continue à écarter les lianes et les branches, à s'enfoncer dans la luxuriance verte, avec un sourire rêveur. Il connaît son secret : quand elle sera assez loin des autres, elle se transformera – en jaguar. Il a aussitôt arrêté le déroulement des images, plus embarrassé que lorsqu'il l'a vue nue pour la première fois. Après, il s'est dit que c'était idiot : en quoi les tabous des métames le concernent-ils ? Au contraire, il l'aime encore davantage de les enfreindre ainsi. Mais il a effacé cette partie du film.

Marian. Son sourire, son rire, ses yeux mordorés, tout près. Juste pouvoir être avec elle dans cette jungle, marcher à côté d'elle, lui parler, être ensemble.

Avec un cri de rage inarticulé, il va se jeter sur son lit. Rien que l'idée de pouvoir lui *parler* en direct le fait bander ! Mais ce n'est pas ça. Ce n'est pas ça… Il contrôle brutalement son érection, croise les bras sous sa tête, les yeux au plafond, la poitrine douloureuse. Ça aussi, et les larmes, contrôler, contrôler tout.

◆

« Vous savez, grand-père, des enfants normaux feront aussi bien l'affaire... »

Et à vrai dire, ça fera très bien *son* affaire à lui. Un semblant de normalité dans son existence, des enfants et une femme qu'il pourra toucher...

Georges Petersen Senior fait claquer ses mains à plat sur son bureau et Christian-Georges sursaute, agacé. Il ne voit pas quel est le problème : il l'aura, sa dynastie, le patriarche. Avec des héritiers qui ne vivront pas plus vieux que la majorité des gens – et alors ? Mais il n'a jamais aimé être contrarié dans ses projets, et il est de plus en plus intraitable : ou bien ça se réalise intégralement, ou bien il est furieux pendant des semaines. Et ce projet-là vient de très loin, Christian-Georges est bien placé pour le savoir.

« Tu es devenu stupide ou quoi ? » gronde le vieil homme. « Tu ne vois pas ce que ça signifie ? Si vous ne pouvez pas vous reproduire, on dépendra toujours du hasard pour de nouveaux métames ! On ne bâtit pas un empire financier sur le hasard ! »

Christian-Georges se retient de hausser les épaules. En ce qui le concerne, les métames pourraient bien disparaître totalement du jour au lendemain, ça ne le dérangerait pas. Il y a d'autres façons de faire de l'argent, et moins aléatoires.

Georges Petersen Sr. s'est levé et marche de long en large devant la baie panoramique de son bureau, en claudiquant. Qu'est-ce qu'il va encore manigancer ?

« Non », dit-il enfin d'un ton catégorique. Il se retourne d'un air désolé. Christian-Georges n'est pas dupe et se raidit. « On ne peut pas. Tu ne peux pas. Pas maintenant. Plus tard peut-être. Des aventures si tu veux. Mais pas d'enfants pour l'instant. Non, il faut assurer une relève... vraisemblable. Et ça va nous permettre de régler au mieux le problème de ta longévité. Une pierre deux coups. Tu seras ton fils. »

Christian-Georges voudrait être sidéré, ou scandalisé, mais en un éclair il a compris le plan, et que c'est le seul valide compte tenu des circonstances. Il reste muet, partagé entre une colère qui n'arrive pas à s'allumer vraiment et une hilarité quasi hystérique.

«Tu es déjà plus ou moins un reclus, on ne s'étonnera pas si ton fils devient comme toi. Jamais ensemble, bien entendu, ou alors des avatars, de temps à autre. Et Georges Petersen Junior n'a pas besoin de vivre aussi longtemps que moi, eh?» Le vieillard a un petit rire grêle en retournant s'asseoir dans son fauteuil.

Venue d'il ne sait où – peut-être de Georges Petersen Junior, somme toute – une pensée froidement amusée lui traverse l'esprit: *Mais tu n'as pas besoin de vivre encore très longtemps non plus, grand-père.*

◆

Fromm ramasse la bague qui a buté contre un montant du lit, la pose sur la table de chevet d'une main qui s'efforce de ne pas trembler. Il a du mal à penser de façon cohérente.

Le vieil homme se remet plus vite que lui: «Alors, il vous a aidés, Da Santi? dit-il d'une voix entrecoupée. Ça a finalement réussi? Des métames induits, stables…?»

Fromm se secoue. Même à cette distance-là, dans l'aura réciproque des métames, les émotions du vieillard sont difficiles à démêler. Quel genre d'entraînement a-t-il bien pu recevoir, de qui, il y a combien de temps? Uniquement le bioscope? Il faudrait le toucher à nouveau, bien plus longtemps, pour commencer à en avoir une meilleure idée.

« Vous êtes vraiment le petit-fils de Marian? » achève Petersen dans un murmure. Ce rictus, est-ce de l'ironie?

Assez. Assez de mensonges. « Non », dit Fromm, sans colère. «Et non.» Il se transformerait à l'instant, s'il ne craignait que ce soit trop pour le vieil homme.

Mais Petersen le surprend encore. Il ferme les yeux, respire plusieurs fois à fond, dit enfin «Marian», presque sans inflexion interrogative. Et, sans lui laisser le temps de réagir : «Montrez-moi.»

Mais il n'ouvre pas les yeux. Il attend qu'elle ait changé et qu'elle ait dit : «Oui.»

Il marque le coup quand même. Devient livide, recule un peu en s'enfonçant dans son oreiller, cherche son souffle. Elle se penche pour augmenter le débit du respirateur. Il lui saisit la main au retour. Son réflexe est de se dégager, puis elle le laisse faire. Sait-il ce qu'il lui révèle ainsi, au contact ? Il est *vieux*, bien trop vieux pour Saul Petersen ! Et il meurt… d'épuisement, la machine qui s'arrête toute seule, peu à peu, comme ces métames qui ont survécu à plusieurs amoks mais dont l'espérance de vie, ensuite, est radicalement écourtée. Elle se concentre davantage, abasourdie, tout en s'efforçant de ne pas détourner les yeux du regard brûlant du vieil homme. En fait, il *est* en amok, à un niveau latent mais constant. Stupéfiant. Depuis combien de temps ? Depuis combien de temps est-il fou ?

Elle demande d'une voix égale : « Quel âge avez-vous ?

—Quatre-vingt-onze ans. Mais vous êtes… mieux conservée que moi. Nous sommes… presque contemporains… ma chère.»

Elle a cent deux ans. Et soudain elle comprend qui il est, qui il a été.

Il souffle enfin, après le long silence : «Vous êtes… restée.

Avec un effort, elle répond : « Je ne pouvais pas abandonner les enfants. Nos enfants. Et l'organisation que nous avions mise sur pied en catastrophe pour veiller sur eux quand nous avons appris…

—D'autres que vous sont restés ?

—Non.»

Déjà assez difficile de revenir sur Terre elle-même et d'organiser sa fausse présence dans Lagrange 4 !

Le vieil homme hoche la tête, l'enveloppe d'un regard sagace : «Seule… comme moi.»

Elle l'imagine en train d'évaluer la solitude qu'elle a connue, choisie, elle pense à la solitude qu'on lui a imposée, qu'il s'est imposée ensuite. Il lui faut toute son expérience pour ne pas laisser transparaître son horreur, sa compassion, ne pas les transmettre à cette main maigre et parcheminée qui a refermé ses doigts sur son poignet. Il ne comprend pas : elle n'était pas toute seule, il y avait les enfants, le groupe, la simple humanité… mais ce serait cruel de le lui dire. Et pourtant, toutes ces monstruosités, c'est lui qui les a commises, permises ou ordonnées. Mais elle devine maintenant presque pourquoi, et elle ne se sent aucune envie de cruauté en retour. Le grand-père, sa fascination pour "la nouvelle race" dont il lui parlait si souvent au cours de leurs rencontres virtuelles, pendant la construction de Lagrange 4… Et lui, Georges Junior, Saul, l'héritier-miracle, contraint de devenir sa propre lignée à lui tout seul. Tombant d'amok en amok, mais jamais jusqu'à l'explosion. Brillant, énergique et, oui, séduisant parfois. Complètement fou.

Elle n'en peut plus, dégage sa main avec douceur, et il le lui permet. «Pourquoi faire partir la station ?» demande-t-elle de but en blanc. Ce n'est plus le moment de louvoyer.

«Je préférais… être seul… tout seul.»

Elle voudrait ne pas comprendre, mais son cœur se tord malgré elle. Après une petite pause, pour se calmer, elle remarque : «Vous auriez pu la faire sauter.

—Mon père y avait pensé. Mais c'était aussi bien…
de vous faire partir… pour toujours. »

Son père ? Un instant désorientée, elle se rend
compte qu'il veut parler de Georges Petersen Jr. Il a
oublié qu'il était Georges Petersen Jr. ? Peut-être ne
sait-il plus toujours vraiment qui il est, maintenant.

Elle se calme de nouveau, avec plus de brutalité
qu'elle ne le voudrait. Elle doit en avoir le cœur net sur
ce qu'elle est réellement venue essayer d'apprendre.
Il ne reste plus grand temps.

« Je vous aimais, vous savez, murmure le vieil
homme. S'il avait pu, il vous aurait tuée. »

Les yeux délavés ont perdu de leur acuité. Une
sorte de calme lisse les traits ridés. Le vieil homme
halète un peu, mais semble ne pas s'en rendre compte ;
il ne la quitte pas du regard. Il lui tend une main un
peu tremblante. Elle se résoud à la prendre.

—Saul… (elle hésite à l'appeler ainsi : à qui parle-
t-elle à présent ? Mais il hoche un peu la tête) Que
va-t-il arriver aux enfants, après vous ?

—Les… enfants ?

—Les hybrides, et leurs descendants. »

Le regard bleu pâle redevient plus concentré : « Vous
leur avez dit… ce qu'ils sont ?

—Non. » Évidemment non : à quoi bon ? Il suffit
de les suivre de loin, pour la plupart, juste au cas où…
« Mais que va-t-il leur arriver maintenant ? »

Il hausse faiblement une épaule : « Rien. Pourquoi ?

—Après le départ de la station, vous avez effacé
toutes les traces de votre programme de recherches…
et commencé à transformer les informations concernant
les métames… »

Un faible sourire, espiègle, oui, illumine fugitivement le visage creusé : « Il n'y a jamais eu… de
métames, ma chère. Juste… une mutation superfi-

cielle… type caméléon, pendant quelques années. Dans quarante… cinquante ans… ce sera une… légende.

—Mais les enfants ? »

Il la regarde, interrogateur – de plus en plus affaibli, mais toujours lucide. Peut-elle risquer de lui expliquer sa crainte – une crainte qui s'est effacée peu à peu pendant les trente dernières années, mais qui a refait surface lorsque la mort imminente de Saul Petersen a couru sur tous les infonets ?

Elle se décide ; tous ces chocs successifs ont usé sa capacité de dissimuler – son désir de dissimuler.

« Y a-t-il… un programme pour les faire disparaître aussi après vous ? La dernière trace ? »

La mégalomanie barbare des anciens monarques qui faisait sacrifier sur leur tombe loyaux serviteurs, concubines, chevaux et chiens préférés… Une crainte plus que légitime, après la destruction des labos et l'élimination des chercheurs. Mais elle ne le dira pas.

Il la regarde d'un air perplexe, puis elle voit qu'il comprend – et il est vraiment surpris, presque scandalisé : « Mais non ! Toutes les informations ont été détruites. Les listes n'existent plus… ou enfin, c'est vous qui avez la seule copie, alors. »

Il est obligé de reprendre son souffle, essaie de s'humecter les lèvres. Un verre se trouve sur la table de chevet, avec une paille. Elle lui place la paille dans la bouche, il aspire quelques gorgées, toussote un peu, soupire.

« Ma chère… Marian… pourquoi tuer encore ? La mutation… est éteinte. Dans Lagrange… où qu'elle se trouve maintenant… »

Il ne termine pas, elle peut le faire pour lui : il n'y aura bientôt plus que dans la station vaisseau des hybrides aux gènes inactifs – puisqu'un nombre suffisant de normaux a tenu à partir avec les métames, et se seront croisés avec eux, forts des informations qu'elle et son groupe détenaient. Même s'ils survivent à l'espace pour revenir un jour, ce seront des normaux.

« La mutation… », poursuit le vieil homme ; il reprend son souffle presque entre chaque mot, à présent. Elle peut sentir la vie qui reflue en lui, de plus en plus loin – « une voie… sans issue. Seulement… vous et moi, ici. Et après… moi, après vous… Ils n'auront jamais… existé. Ce sera… fini. »

Elle ne bouge pas tout de suite quand la dernière étincelle de vie s'est éteinte. Elle se sent éteinte elle-même. Si longtemps qu'elle n'a pas accompagné ainsi un métame dans ses derniers moments… Et maintenant, plus jamais. La prochaine, oui, ce sera elle.

Au bout de cet instant sans dimensions, elle revient à elle. Elle se dégage des doigts froids, repose la main sur le drap auprès de l'autre. Ferme les paupières mauves sur le regard fixe, contemple le visage tavelé. Fini. Elle recommence à penser, par à-coups. Pas nécessairement fini. Pour lui, pour elle bientôt, oui. Mais pas forcément à jamais.

Un éclat doré sous la lampe de chevet. Elle passe la bague à son doigt, la tourne pour mettre le chaton sur le dessus, un dragon stylisé mais bien reconnaissable. Il lui avait plu, lors de cette première rencontre, celui qui était alors, du moins à ce moment-là, Saul Petersen.

Elle redevient Fromm, se lève en vacillant un peu – ces métamorphoses, même ponctuelles et superficielles, lui demandent à présent un effort considérable. Elle jette un dernier coup d'œil au visage bizarrement apaisé du vieil homme. Les dents du dragon. Il aurait pu penser à de simples graines, mais non : il avait peur. Ils avaient tous peur, ces Petersen, au fond. Et ils avaient raison, si on veut: minime certes, et si loin dans l'avenir, il y a quand même une possibilité pour la mutation, ou une mutation voisine, de resurgir. N'est-ce pas ironique? Les dents du dragon, ce sera lui qui les aura semées, alors, ce pathétique bourreau, cette terrible victime, avec son programme secret de croisements. Mais ils se trompaient aussi, il se trompait, pauvre Saul, pauvre âme perdue: le dragon n'a pas à être une créature effrayante. Il peut couver jalousement des trésors, menacer des vierges, dévorer la lune et le soleil… Mais, enfant à la fois de la terre et du ciel, de l'eau et du feu, créature immémoriale, immortel gardien de la magie, pourquoi ne détiendrait-il pas aussi une sagesse à venir?

août 2000

JANUS

À *Christine Renard,*
cette nouvelle qui aurait voulu s'appeler "Delta".

Quand je me suis arrêté devant elle, les deux visages de la statue qui dormait ont ouvert les yeux et se sont tournés vers moi. La femme, d'abord, brillant dans la lumière du soleil, un lent sourire sur sa bouche close. Puis l'homme, à contre-jour, deux puits d'ombre à la place du regard. C'est lui qui a parlé, et je suis resté immobile, respirant à peine. Alors la femme a secoué la tête d'un air de doux reproche. J'ai vu tressaillir les lèvres de l'homme, il allait parler encore, pour dire quoi, cette fois ? J'ai préféré reculer hors champ. La statue s'est apaisée alors, les deux visages se sont détournés, l'un vers le côté du parc où l'après-midi avançait, l'autre vers les bassins étincelants, les fontaines, les allées blanches. Une luminescence glissait sur la peau dorée comme une vague à chaque souffle.

Le corps unique était assis en tailleur sur une colonne brisée, en une posture de souveraine aisance. Pas une écaille, pas une griffe, pas même une ombre de pelage : cinq doigts à chaque main, à chaque pied, pas de queue, pas de crête, pas d'ailes, les proportions mêmes n'avaient rien de surhumain ; un simple corps, mais androgyne, seins ronds, sexe mâle au repos. Et ces deux têtes. Chacun des cous, plus mince qu'un cou normal, s'emboîtait dans l'autre ou s'y modelait, formant une seule colonne lisse où n'apparaissaient pas les muscles et les tendons permettant une rotation presque complète et séparée de chaque cou. Sur le socle, une plaque : JANUS. Celui des anciens avait eu deux têtes d'homme, me semblait-il, l'une regardant vers le passé, l'autre vers le futur. Cette variante était-elle donc l'adieu d'Éric Permahlion à sa période d'inspiration mythologique ? Mais il l'avait fait placer à la fin du périple suivi par les visiteurs : c'était une conclusion, la dernière et non la première des statues exposées.

J'ai vu deux gardiens s'approcher du même pas, venant de deux côtés opposés du parc. Ils devaient trouver que je restais bien longtemps au même endroit : les attentats avaient déjà détruit trois statues.

Je me suis détourné pour m'éloigner et je l'ai vu qui me regardait. Un instant j'ai cru qu'une autre statue s'était approchée de moi : il n'était pas nu mais il semblait l'être ; il portait l'un de ces nouveaux tissus caméléons semi-vivants. Et son visage, même s'il souriait en pleine lumière, je le reconnaissais, je venais de le voir : la moitié sombre du *Janus*.

Il a sans doute vu mon regard retourner rapidement à la statue, son sourire s'est élargi. Sans rien dire, il est entré dans le champ : le visage de l'homme-Janus s'est tourné vers son modèle, une main s'est tendue, qu'il a effleurée : « Bientôt », a affirmé le Janus en souriant. Et le visage de la femme-Janus s'est ouvert en un acquiescement silencieux. Il a reculé, la statue est retournée à son attente muette.

« Et vous, que vous a-t-il dit ? »

Pris au dépourvu, j'ai répondu la simple vérité : « Il m'a dit "regarde-toi". »

— Énigmatique, n'est-ce pas ? Mais on peut contrôler ce qu'ils disent, vous savez.

— Je sais. »

Il a bien compris l'intonation, ses yeux m'ont jaugé, me changeant de catégorie : « Vous vous intéressez à la bio-sculpture. » Pas d'inflexion interrogative.

« Je suis bio-informaticien. »

Une expression animée a transformé son visage mais il n'a pas commenté ; les deux gardiens se sont croisés à notre hauteur, passant d'un pas traînant avec un salut respectueux. Je me suis mordu la lèvre pour ne rien dire non plus, j'ai attendu. Après le passage des gardiens, son ouverture a été la plus simple, la plus difficile : « Comment trouvez-vous l'exposition ?

— Comme technicien, fascinante. J'aimerais voir les programmes de rétroaction biologique. La gamme des réactions de ces statues au spectateur… Fascinant. Audacieux.

— Et comme spectateur, précisément ?

— C'est… troublant. »

Il a fait une petite moue – appréciation de ma prudence, regret ? – et j'ai ajouté : « Mais j'aime tout ce que fait Éric Permahlion. »

Aussitôt après, j'ai pensé que j'aurais dû dire "et son équipe" mais déjà il enchaînait : « Vous avez fait le tour ou vous arrivez ?

— J'ai fait deux fois le tour ». Il fallait se compromettre un peu : « Les statues détruites n'ont pas été enlevées, c'est bien. »

On les avait regroupées à l'entrée. Je n'avais pas compris d'abord, j'avais cru à un rappel ironique de l'ancienne statuaire. J'en avais eu le cœur serré : alors c'était ça, la nouvelle manière de Permahlion, il était devenu cynique, lui aussi ? Chairs éclatées, membres disloqués et noircis, immobiles, durcis, morts… Puis j'avais vu les gardiens en armes et, derrière la masse des statues (ils avaient fait sauter les trois plus grandes), dans des panneaux vitrés, les photographies. À deux dimensions seulement, des pièces de collection. Alignées presque sans espace entre elles, des images très anciennes qui répondaient au trio des statues défigurées : des pans de cathédrales sur des champs de ruines bombardées, des tableaux lacérés, des livres en flammes, des restes de bouddhas mutilés derrière des groupes de très jeunes Asiatiques souriants, le pic sur l'épaule ; des rues envahies d'ordures, une plage avec des oiseaux noirs de mazout, toute une forêt d'arbres morts.

Et sur le dernier panneau, solitaire, une grande photographie devant laquelle les gens se figeaient pour se détourner aussitôt, décomposés : un enfant, le ventre gonflé, yeux énormes dévorés de mouches, bras impossiblement maigres. Et un simple mot dessous : RECOMMENCER ?

La plupart des informateurs avaient parlé de réaction disproportionnée, d'inconscience, voire d'arrogance de la part de Permahlion : aucune commune mesure entre cet attentat et les errements criminels des générations d'avant les Grandes Marées ! Mais moi, en voyant ces vieilles photos terribles, je savais ce que Permahlion avait voulu dire, et qu'il avait raison. Il voulait parler des Eschatoï – il les pensait responsables de l'attentat, lui aussi. Personne n'en avait parlé nommément, bien entendu – les Eschatoï, cette insupportable épine dans le pied de l'Institut ; et on n'allait pas s'attirer le mécontentement du Conseil en parlant d'eux. D'ailleurs, on avait attribué l'attentat aux Fils de Dieu. Ceux-là sont inoffensifs : graffiti, processions, sabotages de machines ici ou là, personne ne les prend réellement au sérieux. Ils sont pour une vie totalement naturelle, mais malgré tout ils sont pour la vie, eux. Les Eschatoï… culte spectaculaire de la mort, homosexualité militante (le crime impardonnable : refus de procréer). Bien sûr que l'Institut préfère qu'on parle le moins possible des Eschatoï, la seule véritable menace : ils posent les vraies questions ; à leur façon, ils soupçonnent la vérité.

Nous nous étions mis à marcher et je le regardais à la dérobée, en essayant de mettre sur pied des plans divers de répliques et de suggestions adroites et en même temps tout simplement fasciné par sa présence. De nouveau il a tout court-circuité : « Vous travaillez avec quelqu'un ? »

Pris au dépourvu encore, en pleines machinations savantes, j'ai laissé échapper : « Non.

— Vous avez déjà travaillé avec quelqu'un ?

— Je viens de terminer mon doctorat.

— Et vous vous cherchez une équipe. »

Je m'étais un peu repris, ma franchise redevenait un calcul « Oui.

— Ce soir, Angkaar inaugure sa nouvelle exposition au Jardin des Eaux Lentes. Nous y serons. » Sans que je puisse bien voir d'où, il avait sorti une carte pliée et me la tendait : « Montrez ceci, on vous laissera entrer. Sinon, faites-moi appeler. Quel est votre nom ? »

Nous nous trouvions à proximité d'une autre composition, un groupe d'elfes minuscules qui battaient lentement des ailes et chantaient à bouche fermée en changeant de couleur. Je suis entré dans le champ de rétroaction en modulant subvocalement. Aussitôt la mélodie des elfes a changé ; il ne m'a pas fallu trop longtemps pour leur faire chanter "David Shawnee Mozart", sur un des motifs de la *Petite musique de nuit*.

« Ah oui, dix-huitième siècle, n'est-ce pas, un musicien. » (Et un enfant prodige. J'ai appris plus tard à reconnaître cette expression-là sur son visage : c'était de l'indulgence. À ce moment, j'avais déjà repris mon propre nom, un peu honteux de mes complaisances adolescentes.)

Son sourire s'est effacé tandis qu'il me dévisageait, il a dit d'un air pensif : « Regarde-toi, hein ? Il vous a dit ça, mon Janus. Nous verrons. À ce soir. »

Je suis resté figé sur place longtemps après avoir déplié la carte de visite d'Éric Permahlion.

◆

Je me réveille. C'est toujours la première fois : un instant, être créé neuf, innocent. Puis le corps se réinstalle dans la conscience, le temps, l'espace, les nombres.

C'est le printemps dans l'hémisphère Nord ; des icebergs se détachent avec fracas de la banquise polaire, énormes, longent les côtes noyées de la Noramérique et vont se perdre quelque part sous l'équateur. Il en passera peut-être au large du Nouveau-Sahara. Je ne les verrai pas : je ne regarde pas vers le large.

◆

J'aurais préféré qu'on me refoule à l'entrée et qu'il soit obligé de venir me chercher. Mais on a pris sa carte avec un sourire professionnel : « Oui, Ser Shawnee Mozart. Ser Permahlion se trouve à la Cascade Morte. »

Une bordée d'invités jacassants est arrivée derrière moi, m'a poussé, et je me suis retrouvé dans une foule d'inconnus sans doute célèbres. Ça riait, ça buvait, ça parlait très fort, c'était habillé ou déshabillé de façon extravagante, c'était beau parfois, d'une beauté étrange, inquiétante. Et moi au milieu, perdu. Vieille sensation

détestée, mélange d'envie, de rancune, de peur. J'ai
repensé à la rencontre de l'après-midi, à mes calculs
naïfs, et je me suis mis à rire, de rage. Qu'est-ce que
je croyais donc ? Ce monde m'était étranger. Cinq ans
à l'Institut, une vie de reclus, un travail acharné, le
doctorat tant convoité – en tête de promotion, et le plus
jeune. Mais je n'avais jamais vécu dans ce milieu, je
n'y étais pas né. Qu'avais-je de commun avec ces pré-
dateurs effrayants et superbes ? Non, je n'avais rien à
faire à Baïblanca ; il était encore temps d'accepter
l'offre de Katawe et d'aller faire muter moutons et
grains au bord de la mer Saharienne. J'ai tourné les
talons.

Il était derrière moi, bien sûr. Avec lui une femme
blonde dont je reconnaissais le visage : le Janus du
Parc aux Colibris, descendu de sa stèle, s'était scindé
en ses deux composantes. Mains fraîches et fermes,
Galthéa Maske-Wells, mais pas de sourire en façade :
un regard attentif, après les présentations.

« Vous connaissez Angkaar ?

— Ses œuvres seulement. »

Les statues d'Angkaar étaient faites pour être
détruites. C'était ce qu'il appelait "la Destruction
Créatrice". Le concept m'avait d'abord séduit – je
n'avais pas encore rencontré les statues d'Éric, j'arrivais de ma province. Je venais d'entrer à l'Institut,
et la première chose qu'ils font, à l'Institut, c'est de
vous laisser apprendre l'état réel du monde : libre disposition de leur infothèque. J'étais tombé presque
tout de suite sur les données couvrant la période d'effondrement qui avait accompagné les Grandes Marées.
La première sélection des étudiants se fait d'elle-même
à partir de là : mon voisin de chambre, traumatisé, était
parti tout droit chez les Eschatoï. Et moi… Angkaar
avait eu de quoi me séduire. À cette époque, le scandale

n'avait pas encore éclaté autour de lui ; il était encore
sans enfants, malgré un caryotype génétique en bon
état, et il vivait assez ostensiblement seul ; mais il
avait à peine vingt-cinq ans alors, on mettait son
mode de vie sur le compte de la jeunesse et de l'art.

La décrépitude inévitable des statues, leur effondrement au bout de quelques semaines d'existence
accélérée, devenaient chez lui une explosion réglée,
un feu d'artifice, et à chaque étape de cette destruction
complexe s'établissaient un équilibre fugace et une
perfection passagère qui étaient, je le sentais presque,
la sorte de beauté convenant à un monde péniblement
survivant sur les ruines des folies passées.

Angkaar avait fait un pas de plus dans sa logique :
il avait conçu des statues que détruisait la simple
proximité des spectateurs. Lorsqu'on les dévoilait,
ces statues étaient belles, nouveauté surprenante de sa
part et qui avait suscité chez les critiques de nombreux
commentaires. Mais les gens se pressaient autour
d'elles et leur précaire équilibre chimique s'écroulait :
la chaleur des corps, les vibrations des voix déclen-
chaient le programme destructeur ; les statues se tor-
daient, torturées ; elles se défaisaient, leurs couleurs
fondaient, leurs chairs décomposées laissaient apparaître des squelettes bizarres et précieux qui à leur tour,
vaincus par les présences avides, perdaient leur éclat
fugitif et tombaient en poussière. À cette exposition-là,
dans la foule (rires haletants, applaudissements, bous-
culades pour être plus proches de la beauté condamnée),
quelque chose en moi avait dit *Non*.

C'était vrai, pourtant, ce reproche furieux et muet
qu'Angkaar, inlassablement, jetait à la face du monde :
le mal, la mort. L'envahissement des eaux, les villes
englouties ou disloquées par les tremblements de terre,
les zones stérilisées, les espèces et les peuples disparus

à jamais, les climats bouleversés métamorphosant la face mutilée des continents. Et les caricatures d'êtres humains qu'on continuait à découvrir chaque fois qu'on ouvrait une nouvelle Zone à la récupération. (Des survivants. Comment avaient-ils fait pour survivre ? Et qu'en faisait-on ? Mais là-dessus, l'Infothèque de l'Institut était restée muette à mes questions.) La fin d'un monde. Qui aurait dû être, selon les Eschatoï, La Fin du Monde, et à quoi l'humanité avait – indûment – survécu malgré tout.

Mais un autre monde n'existait-il pas maintenant ? La destruction, la mort, étaient en effet créatrices au-delà du sens que donnait à cette expression l'ironie d'Angkaar. Et moi, j'existais. Je ne laisserais à personne décider à ma place de ma vie ou de ma mort.

Éric Permahlion d'un côté, Galthéa Maske-Wells de l'autre, je ne me sentais plus aussi isolé dans cette réception. La foule semblait moins féroce, il faisait plus calme une fois passé le premier barrage d'invités. Dans les méandres vallonnés du Jardin, des allées savamment obscures, des étendues miroitant d'eaux sournoises, des mares à demi cachées dans les herbes où glissaient des présences indistinctes. Bruits minutieux de gouttes, suintements opiniâtres, infiltrations… Au détour d'une allée enfin, l'ouverture d'une grotte : stalactites mouillées et luisantes puis l'obscurité, presque à tâtons. Et, dans une soudaine lumière, la voûte s'élevait en une salle énorme, avec au fond une cataracte de pierre figée, la Cascade Morte.

C'était là qu'Angkaar avait disposé ses statues. Le Maître n'étant pas là, elles étaient éteintes : trois très gros cubes noirs, énigmatiques. Mais la quatrième statue était visible : dans un aquarium énorme à l'eau éclairée de lumière violette, nageait… J'ai été surpris : cette statue était vraiment belle, pas du tout dans la

manière qu'on attendait d'Angkaar. Il s'était fait une
spécialité de la monstruosité ; j'avais reconnu dans
certains documents de l'Institut sur les Zones l'origine
de ses monstres les plus épouvantables. Il se disait
"sculpteur réaliste". D'une certaine façon, je comprenais
cette affirmation.

Mais cette statue était vraiment magnifique, une
beauté sereine, souveraine, presque comme un Permahlion. L'idée générale en était facile à saisir : la
sirène, l'ondine, la naïade – un être féminin, en tout
cas, malgré l'absence de tout caractère sexuel. Le
corps était couvert d'écailles, humanoïde mais façonné
par l'eau : rond, fluide, sans rupture de la tête à l'épaule
au torse à la hanche et jusqu'au bout des jambes. Une
seule ligne onduleuse, parfaite. Chaque écaille était
une œuvre d'art en soi, délicatement filigranée aux
couleurs de l'arc-en-ciel, vibrant au rythme de la nage.
Et la nage elle-même… (le vol, le souffle ?) Je suis
resté un moment sans respirer : la perfection du mouvement était presque douloureuse.

Éric Permahlion s'est approché de la paroi et la
statue a infléchi sa course – elle s'est immobilisée
devant lui, les yeux agrandis (c'étaient des yeux, sans
doute, ces lueurs jumelles). Elle n'avait pas de bouche
mais sous la peau du bas du visage aux écailles minuscules, quelque chose bougeait comme une bouche,
les ombres suggéraient un sourire. Puis un éclair, une
traînée de petites bulles, elle était repartie, flottant
de-ci de-là comme un rêve dans sa pénombre liquide
où passaient à présent des lueurs de rubis.

« Mon meilleur ennemi ! C'est bien d'être venu. »

Surgi dans la lumière de l'aquarium, un beau visage
blanc, las et cruel. Angkaar portait une médaille à
l'emblème des Eschatoï, un cercle brisé par un éclair.
Son regard m'a enveloppé un instant : « Ah, Shawnee

Mozart, le dernier petit génie de l'Institut. » Quelque
chose est passé entre Éric et lui, très vite : complicité,
défi, défaite – et c'est Angkaar qui a détourné les yeux.

« Je vous laisse à votre contemplation. À tout à
l'heure. »

Un froissement de tissu et il s'était fondu dans la
pénombre.

Éric a observé un moment les arabesques de la
statue ; Galthéa n'avait pas bougé, je la sentais près
de moi, un souffle, cette présence toujours attentive :
«Angkaar a besoin de bons bios.

— Je sais.

— Pourquoi ne pas lui avoir proposé vos services ? »
a dit Éric sans me regarder.

J'avais refusé la proposition d'Angkaar, que j'avais
trouvée sur mon écran le lendemain même de l'examen,
à l'Institut. En venant à Baïblanca, ensuite, je m'étais
dit que ce serait Permahlion ou les fermes de la mer
Saharienne. Éric devait le savoir : la façon dont il
m'avait parlé, son comportement, son regard… Tous
ses bios l'avaient lâché, je le savais – sauf Galthéa
Maske-Wells – mais j'en ignorais la raison. Et je
voulais l'impressionner. J'ai imaginé rapidement toutes
les possibilités de réplique à sa question pour trouver
celle qui ferait le plus d'effet. Moi et mon machiavé-
lisme naïf. Mais la vie est dure pour arriver à l'Institut.
C'est loin, l'Australie, et une fois là, il faut non seulement survivre, mais être le meilleur. À la question
d'Éric, je n'imaginais pas possible de répondre tout
simplement la vérité.

Galthéa Maske-Wells a posé la main sur son bras,
sans sourire, mais sa douceur n'en avait pas besoin :
«Peut-être n'aime-t-il pas ce que fait Angkaar. »

C'est curieux, ressentir à la fois de la reconnais-
sance et de la rancune envers quelqu'un. « En effet,

ai-je dit, quoique ceci… » Un geste vers l'aquarium ; ils ont hoché la tête du même mouvement, elle et lui.

« Nous avons fait nos études ensemble », a dit Éric d'une voix un peu étouffée. « Il… pourquoi ne l'aimez-vous pas ? »

Je n'arrivais pas à deviner de quelle question son hésitation l'avait détourné. D'ailleurs je réfléchissais frénétiquement à tout autre chose : que répondre qui fût vrai, et en même temps habile ?

« Je n'aime pas… recommencer », ai-je dit en soulignant le dernier mot d'une expression très intense, très sérieuse – très content de moi, imbécile.

De nouveau cette petite moue, comme au parc : « Et qu'aimez-vous ? »

Le ton était plus froid. Inquiet, j'ai bafouillé malgré moi « J'aime ce que vous faites », les joues brûlantes, furieux, paniqué.

Quand j'ai relevé la tête, ils ne souriaient pas, ils ne se moquaient pas. Éric a dit : « Vous voulez travailler avec nous… »

S'il interrogeait quelqu'un, ce n'était pas moi, c'était lui-même, mais perdant toute prudence j'allais répondre quand une rumeur excitée à l'entrée de la grotte a annoncé l'arrivée d'Angkaar et de ses invités. Il tenait par le bras un très jeune homme brun qui le contemplait avec adoration.

« … détruire, n'est-ce pas ce que nous faisons le mieux ? Les sculpteurs d'autrefois croyaient travailler pour l'éternité. Les bustes étaient censés survivre aux ruines de la cité. Nous sommes plus sages, nous savons qu'il faut créer dans l'éphémère. Nous sommes la vie elle-même dans son mouvement éternellement destructeur. N'est-ce pas l'art ultime, celui qui expose le mécanisme même de l'univers ? Il est regrettable que nos ancêtres aient vu un peu grand dans la destruction et ne nous aient pas laissé plus de possibilités. Essaimer dans le cosmos, par exemple. Mais les stations de Lagrange ont été décommissionnées et on ne nous a rien laissé pour aller ailleurs. Que n'aurions-nous pu faire, pourtant! Entrechoquer les soleils, faire exploser des galaxies…»

Il faisait son numéro pour les caméras des infonets, visiblement avec ironie. Mais en même temps, je le sentais, chacune de ses paroles s'adressait à Permahlion. Et Éric Permahlion… hochait légèrement la tête, il approuvait. Lui, Permahlion, il approuvait?! Lui dont la première statue m'avait fait comprendre…

Il fallait la voir au lever du soleil – l'animation de ses statues était souvent liée à des phénomènes naturels. C'était un bloc compact sur une falaise, au-dessus de la mer. Dans la lueur montante de l'aube, une symétrie commençait à apparaître. Et à mesure que le ciel s'illuminait, le bloc… comment dire? Le bloc perdait son immobilité minérale. Il était pierre et peu à peu il se faisait chair. On ne voyait pas cet éveil, on le sentait; c'était progressif, sans rupture temporelle. Et, alors que la ligne d'horizon devenait une barre de feu, on se rendait compte que – depuis quand? – on avait accordé son souffle à celui de la statue.

C'était un respir profond et calme, comme celui de la mer. Puis le soleil jaillissait. Et la statue se déployait: une aile d'abord claquait dans la lumière, tendant ses rémiges comme une voile géante; l'autre aile se dépliait plus lentement, plume après plume semblait-il, et un torse humain apparaissait alors, la tête ployée entre les épaules. Le soleil montait. La statue se dressait, s'étirait. Et tout d'un coup, d'un geste enfantin, elle se frottait les yeux et on prenait conscience de son visage, une face innocente et ardente à la fois.

Quand elle s'est envolée vers la mer, j'étais debout aussi et je me suis mis à rire, les larmes aux yeux, le souffle court.

Près de la Cascade Morte, Angkaar avait terminé son discours. Sur un signe, les trois cubes ont cessé d'être obscurs et la lumière violette du quatrième est devenue plus claire.

Derrière la paroi épaisse du premier cube, une statue étincelante, aux formes sans cesse changeantes, dansait avec des flammes aux couleurs de pierres précieuses. On n'arrivait pas non plus à discerner un corps au centre des multiples ailes diaphanes de la statue au vol rapide et capricieux, dans le deuxième cube. Le troisième cube était complètement rempli de terre, mais on y distinguait un mouvement, comme de vagues glissements. L'air, le feu, la terre et l'eau.

Les invités s'étaient approchés avec des murmures excités dès que l'opacité des cubes s'était dissipée, mais les statues continuaient leurs évolutions, indifférentes. La sculpture d'Angkaar avait encore changé de style.

Un claquement de doigts et des hommes masqués portant l'insigne des Eschatoï sont entrés pour distribuer sans un mot des petites plaques munies de rangées de boutons noirs, bleus, rouges et verts. Quand tout le monde en a été pourvu, Angkaar s'est incliné en un salut évidemment moqueur : « À vous maintenant, mes amis, de… créer. »

Quand, parmi les rires et les exclamations, les invités ont eu fini d'appuyer sur les boutons, la statue aquatique avait perdu ses écailles et gisait, disloquée, asphyxiée, au fond de son cube dont l'eau avait été vaporisée par la chaleur du feu. Les flammes avaient donc baissé peu à peu dans le cube voisin et la danse de la statue de feu s'y était ralentie : le corps ardent s'était cristallisé, figé, puis, à mesure que le vide se faisait dans le cube, toutes ses molécules s'étaient lentement effondrées sur elles-mêmes, ne laissant qu'une masse informe et noire, inerte. L'eau vaporisée du cube aquatique avait envahi l'espace de la statue aérienne et ses ailes alourdies l'avaient inexorablement plaquée au sol, tandis que son cube s'emplissait de cet élément étranger où elle avait fini par se noyer.

Quant à l'invisible statue de la terre, elle avait dévoré son élément, de plus en plus vite, et elle était enfin apparue aux yeux avides des spectateurs, morceau par morceau, une énorme masse gonflée, remuant faiblement et qu'un dernier doigt anonyme sur un dernier bouton avait fait exploser en une poussière bizarrement multicolore.

« J'aime particulièrement celle-ci, le symbole est charmant, non ? »

Angkaar s'était glissé près d'Éric qui était resté immobile pendant tout le massacre. Nous n'avions pas pris de panneau de commande ; Angkaar non plus.

« Un peu au premier degré, mais efficace, en effet, a dit Eric.

— Mais combien auront réellement compris ? » a murmuré Galthéa. Sans raideur non plus, sans animosité, avec la même tristesse tranquille.

Parce qu'ils me semblaient le jour et la nuit, j'avais cru qu'ils étaient rivaux. Mais il y avait dans ce monde des complexités que je n'avais pas imaginées, malgré tous mes calculs. Quoi donc, travailler pour Angkaar ou travailler pour Permahlion, ce n'était pas vraiment différent ?

« Tu es toujours décidé à le faire ? » a demandé Angkaar.

Éric a incliné la tête en suivant du doigt l'éclair des Eschatoï sur la médaille d'Angkaar : « Et toi ? »

Angkaar n'a pas hésité très longtemps : « Non, Éric, je ne t'aiderai pas. »

Les invités avaient fini de s'extasier sur les ruines qu'ils avaient provoquées, ils revenaient vers Angkaar, une houle d'adulation bavarde. Il a juste eu le temps de demander : « Et lui ? »

— Je crois que oui », a répondu Éric.

Ils parlaient de moi. Je ne savais pas ce qu'ils voulaient dire.

◆

À midi, je ne mange pas à la ferme, je vais chez Miguel. Miguel est extrêmement vieux. Il a soixante-seize ans. Il se rappelle le temps où la mer Saharienne n'était pas achevée. Il se rappelle même le temps des Grandes Marées, mais là, bien sûr, il fabule. La première fois que je l'ai vu, je n'ai pu croire en son ancienneté ; tout petit, tout brun, tout sec, des cheveux blancs crépus et une face impossible, craquelée, avec au milieu d'un réseau de plis mobiles deux escarboucles brillantes, les yeux. Mon premier mouvement a été de lui demander de quelle Zone il venait. Mais il a toujours vécu ici. Il a survécu, aussi. Durer aussi longtemps. Et vouloir durer.

Il fait le meilleur couscous de la région.

◆

Ils m'ont emmené dans leur maison au bord de la mer, dans le nord. Un vrai musée, plein de reliques arrachées aux villes englouties. On en apercevait une, par beau temps, des taches sombres au large de la falaise. Ce n'était pas la falaise de l'homme-oiseau, mais la statue qui m'avait converti à Permahlion avait

dû être conçue pour ces mâchoires de granit, cette mer
grise qui recouvrait des symboles ancestraux de civilisation : la majeure partie de la mégapole industrielle
du nord de l'Europe, et ces anciens abcès magnifiques,
Paris, Londres, Amsterdam, Bruxelles… Éric a passé
plusieurs jours à m'initier à la plongée sous-marine
dans sa piscine et, dès qu'une éclaircie l'a permis, il
m'a emmené avec Galthéa visiter ce qu'il appelait
l'Hadès, le royaume souterrain des enfers où l'eau
remplaçait pour lui le feu. Il faisait calme, sous le
grand miroir brisé de la surface.

« Nous sommes morts plusieurs fois, comprends-
tu ? Et comme le plongeur, nous revenons chaque
fois, nous remontons des royaumes inférieurs, nous
rapportons d'en bas ce qui est nécessaire pour nous
souvenir. Et nous recommençons. Nous essayons de
recommencer, au lieu d'aller plus loin. C'est peut-
être une erreur. Mais la mémoire, la mémoire… Il ne
faut pas perdre la mémoire non plus, malgré tout,
comprends-tu ? »

Ces "comprends-tu ?" qui revenaient souvent sur
ses lèvres et auxquels je ne savais que répondre, me
touchaient et me déconcertaient à la fois. Ce ton de
prière… Éric ne me regardait pas, je n'étais même pas
certain que c'était bien à moi qu'il parlait. Il souriait,
il avait l'air un peu égaré. Dans la maison, il passait
des heures parmi les statues anciennes, les objets, les
tableaux reconstitués. Ou dans son bureau. Là, un seul
rescapé de l'Hadès, un buste de Vierge à l'Enfant.
Deux bras cassés aux poignets tenant un enfant aux
rondeurs rongées par les eaux ; la pierre du visage
était fondue du côté droit.

Les premiers jours, je n'osais rien demander. Je les
regardais vivre, lui et Galthéa, j'essayais de calquer
ma conduite sur la leur. Surtout ne pas se compromettre.

Un soir, totalement hors de propos, Galthéa m'a demandé sans sourire : « Es-tu chatouilleux, David ? »

J'étais encore en train de chercher le double ou le triple sens qu'aurait pu avoir cette question, quand elle s'est approchée de moi. Au bout de quelques secondes, essoufflé, impuissant, je me tordais sous ses mains en riant. Elle a cessé. Éric, souriant, a dit : « Quand même ! »

À partir de ce moment, chaque fois que j'hésitais par calcul avant de leur répondre, chaque fois que j'arrangeais de trop belles phrases trop prudentes, trop habiles, l'un ou l'autre levait un doigt : « Tu es chatouilleux, David. »

Après deux jours de ce traitement, je n'ai plus dit un mot. Ils ont alors cessé de me parler. Je n'avais jamais été aussi frustré de ma vie. Le soir du troisième jour – particulièrement sinistre : il pleuvait, le vent hurlait aux portes, un tremblement de terre avait agité le Sud-Ouest et l'onde de choc était venue mourir sur la côte –, j'ai jeté ma serviette sur la table, au-delà de toute prétention : « Mais que voulez-vous, à la fin ! ?

— Ça », a dit Galthéa. Ma colère ? Elle a souri.

Le lendemain, Éric m'a mené aux laboratoires pour la première fois. C'était idiot, mais j'osais à peine le regarder en face. Nous n'avions pas parlé de lui, elle et moi, la nuit précédente. Malgré ma volonté bien arrêtée de ne rien dire, elle m'avait fait parler de moi. Faire l'amour avec elle, ensuite, avait été comme une vengeance, presque sans plaisir, sans un mot – et avec la certitude indéfinie d'une défaite. Après, j'étais allé boire et, à mon retour, assise nue sur le lit dans la position de la statue du Janus, elle me regardait avec cette qualité étrange d'attention, qui vous attendait. Elle a demandé : « Est-ce que c'était bien ? » Elle disait : Es-tu content, as-tu gagné quelque chose ? Et pour la première fois mon réflexe d'aller chercher des sens derrière les mots a joué contre moi : j'aurais voulu répondre oui, mon oui aurait voulu dire non... Ma soudaine lucidité m'a rendu muet.

Au labo, une fois seul, une impulsion m'a fait demander le dossier d'Éric au terminal. C'est son caryotype qui s'est inscrit en premier sur l'écran, comme d'habitude. Après l'avoir bien examiné, j'ai demandé celui de Galthéa. Et ensuite, le mien.

Ils n'avaient pas d'enfants. Je comprenais maintenant pourquoi. Et je croyais comprendre aussi à présent qu'ils avaient eu plusieurs raisons de m'engager.

J'étais encore un peu trop naïvement malin.

Il m'a fallu deux jours pour faire le tour des programmes auxquels Éric m'avait donné accès. Et encore deux autres jours pour arriver à une idée du travail qu'il attendait de moi. Je ne comprenais pas. J'avais l'évidence sous le nez, mais le conditionnement était si fort que je croyais à une erreur de ma part – voulue par lui, bien entendu : une *épreuve*. Et j'ai passé ces deux jours à essayer de deviner ce qu'il pouvait bien vouloir faire avec ces programmes – d'autre que l'évidence. Quels trésors d'imagination j'ai gaspillés en vain !

Galthéa ne m'a rien dit, et je ne lui ai rien demandé. Ce qui se déployait entre nous semblait exister sur une ligne de temps parallèle. Mais cela n'arrivait pas vraiment entre elle et moi. Pas seulement entre elle et moi.

Éric passait toutes ses journées sous la mer, dans l'Hadès ; il en rapportait comme des trésors des objets informes ou grotesques, la plupart du temps incompréhensibles. Pourquoi me tourmenter à vouloir deviner sans cesse ce qu'il pensait, ce qu'il ressentait ? Son matériel génétique n'était pas compatible avec celui de Galthéa ; le mien l'était ; la situation était courante, la solution envisagée normale. Moins normal, bien entendu, que Galthéa n'eût pas encore d'enfant. Une évidence de plus qui me crevait les yeux, inutilement.

La vie est devenue difficile pour moi. J'étais pris entre cet homme et cette femme qui n'auraient pas dû m'être aussi incompréhensibles et, lorsque je les fuyais pour le labo, ces programmes déments. Éric devait avoir supprimé des données essentielles, ce n'était pas possible. Ces futures statues, d'après les spécifications, seraient très banales : des corps humains normaux – et pourquoi cette attention maniaque aux détails internes ? Elles ne seraient pas transparentes !

Et elles dureraient. Mais cela, ce n'était vraiment pas possible.

Après avoir bien tourné autour, j'ai enfin accepté la défaite : j'ai appelé Éric depuis le laboratoire : « Le prototype doit durer plus de six mois. La statue la plus durable a tenu cinq semaines. On ne m'a pas tout appris ou quoi ? » (L'énorme sphinx d'Angkaar, une de ses premières œuvres, avait été acclamé comme un tour de force, à l'époque. Le voir aux derniers moments de sa décrépitude vous mettait vraiment mal à l'aise ; il était loin d'atteindre à la hideur finale de certaines autres statues d'Angkaar par la suite, mais le processus était assez lent pour être… un vieillissement, une mort. Les statues d'Éric ne se dégradaient pas ainsi : elles s'éparpillaient d'un seul coup en se sublimant.)

Il m'a fait repasser les programmes un par un – comme pour un examen, en pire ! Jusqu'au point où je m'étais arrêté : les statues étaient conçues en fonction d'un taux de croissance cellulaire d'une lenteur impossible, après la maturité.

«Pourquoi impossible ?» a remarqué Éric.

J'ai demandé au terminal un accès à l'Infothèque de l'Institut et j'ai fait apparaître le programme de base pour la croissance de la matière vivante synthétique.

«Parce que l'Institut dit que ce n'est pas possible ? Ce n'est pas une réponse, cela, David.»

◆

Cet après-midi, je vais examiner la nouvelle fournée de moutons. Très réussie. Les agneaux caracolent, incroyablement blancs, comme des jouets neufs. Quarante-cinq pour cent de succès, on se congratule. Il faut arroser ça. Toute l'équipe s'entasse dans le gazillac crachotant, même moi : les démiurges vont faire une virée.

Chez Manmet, fumée odorante, grésillement des brochettes, musique. Neilson n'est pas encore ivre ; il a la guitare gaie aujourd'hui – et la mémoire longue : fugues, bourrées, passacailles, rien après 1750, mais avec de temps en temps une esquisse jazzée savamment ironique et qui se disperse au moment même où l'on commençait à l'entendre et à sourire.

«Salut, les frankensteins.»

Manmet n'est pas très jeune, elle non plus, et c'est une fanatique des vieux livres imprimés, en particulier les histoires d'horreur. Elle fait partie de ces gens à qui leur propre mémoire, apparemment, ne suffit pas. Pourtant, à la voir, ses souvenirs ne doivent pas être très agréables. Elle est née dans une Zone 4, il y a au moins quarante ans. On a essayé de lui faire pousser les bras qui lui manquaient (il y en avait encore qui n'étaient pas lassés des expériences ratées, sans doute). Ça fait deux appendices filiformes avec au

bout trois doigts parfaitement constitués, mais presque
sans force. Manmet ne les cache pas sous d'amples
manches, tout le monde est habitué. Quand elle vous
aime bien, elle vous caresse la joue de ces doigts très
doux, très tièdes et elle vous demande : « Comment va
la vie, aujourd'hui ? »

Elle est sans rancune.

Une bande d'Eschatoï rôde dans la région, paraît-
il : on a incendié un silo à grains, égorgé quelques
animaux et peint avec leur sang des cercles brisés
sur les murs. Que font-ils si loin au Sud ? Je croyais
qu'il n'en restait plus après le suicide collectif d'il y
a deux ans. Mais ça repousse tout le temps, je suppose.
Ils ne seront pas les bienvenus ici, en tout cas. Tout le
monde, ici, a choisi la vie.

Tout le monde, ici…

◆

Alors l'Institut se trompait ? La matière vivante synthétique n'était pas condamnée à une dégénérescence
aussi rapide que sa croissance. On pouvait ralentir ou
stopper le processus à n'importe quel stade grâce à
de délicates manipulations hormonales. Les statues
pouvaient en réalité durer aussi longtemps qu'on le
voulait !

Éric a dit : « Plus longtemps. »

Et Galthéa : « Plus longtemps même que nous,
David. Elles peuvent vivre plus longtemps que nous. »

Ils voulaient tous deux me dire quelque chose de
plus, qui m'échappait. Elles peuvent vivre. Les statues.
Plus longtemps… qu'on ne le voulait ? Eh bien quoi ?
Les statues d'autrefois duraient, et personne ne s'en
formalisait.

Le propre d'un point aveugle, c'est qu'il ne se voit pas lui-même.

« Je n'ai pas inventé ces techniques, David, Elles existaient déjà, on les a trouvées avant moi. À l'Institut. Je les ai trouvées en fouillant l'Infothèque avec Angkaar, quand nous étions étudiants. Ils n'ont pu se résoudre à effacer ces données, apparemment, ils les ont seulement dispersées dans une foule de sous-programmes d'accès limité. Kari était d'abord un informaticien avant d'être un bio : il a réussi à tirer de l'Infothèque une quantité invraisemblable de choses que sûrement personne ne savait plus s'y trouver. »

Et les données complètes sur la démographie mondiale, auxquelles aucun personnel non autorisé n'est censé avoir accès.

Pourquoi choisit-on de croire ? Comment ? J'avais tout sacrifié à l'Institut. Pendant toute mon adolescence il avait été mon unique horizon. L'Institut, le centre de l'Espoir, le Réservoir des Connaissances Humaines. Y entrer, c'était se joindre à ceux qui rebâtissaient le monde. Mon enthousiasme n'avait pas diminué quand j'y avais appris de nouvelles et dures vérités. Au contraire, j'avais admiré l'Institut pour son courage et son honnêteté, je lui avais été reconnaissant de la confiance qu'il nous témoignait. Nous ne rebâtirions pas le monde, ni nous ni les enfants de nos enfants : nous en aménagerions seulement les ruines le mieux possible en attendant que le monde se rebâtisse de lui-même, et cela prendrait très, très longtemps. Une fois passé le premier choc (et ma fascination morbide pour Angkaar), je m'étais trouvé plus mûr, plus calme, je m'étais penché avec une ardeur triste mais résolue sur les plantes et les animaux dont nous essayions de guider la renaissance. Sur les autres, ceux qui n'étaient pas de l'Institut, ceux qui ne savaient pas, je posais un regard d'austère compassion: je me sentais dépositaire d'un grand secret, j'étais responsable, leur père à tous – et le fils aimant et respectueux de l'Institut.

Et maintenant Éric et Galthéa me disaient que l'Institut s'était trompé… non, que l'Institut m'avait menti, que l'Institut mentait. Que l'Institut n'existait pas: c'était un groupe d'hommes et de femmes incertains, effrayés par des vérités qu'ils avaient décidé de porter seuls, et dont la haine pour les Eschatoï me paraissait soudain être l'envers d'une fascination secrète. Nous ne rebâtirions pas le monde, en effet: les enfants de nos enfants, comme nous, auraient de moins en moins d'enfants viables. Le taux de mutation spontanée n'était pas "stationnaire": il augmentait régulièrement. Et il n'y aurait personne pour voir le monde tel qu'il se serait rebâti lui-même: la population humaine n'était pas "en lente progression". Elle décroissait.

Pourquoi choisit-on de croire? Comment? Grain de sable par grain de sable, jusqu'à ce que le sablier indique l'heure de la nouvelle allégeance? Ou par grands glissements de terrain, soudains, définitifs? Mais tous les glissements de terrain commencent par quelques grains de sable. J'avais pu voir à loisir les documents de l'Infothèque: même tronqués, ils ne cachaient pas que le monde avait changé, qu'il changeait encore, que des espèces entières d'animaux et de plantes se transformaient ou mouraient. Je vivais dans ce monde, je pouvais voir traîner dans le ciel les lourdes nuées de poussières vomies par les volcans éveillés çà et là – même si je ne les voyais plus vraiment, comme je ne prêtais plus trop d'attention aux frémissements presque quotidiens du sol. La Terre avait fait un mauvais rêve et se retournait dans son sommeil. Il fallait marcher doucement, doucement, pour ne pas la réveiller complètement. Et quand on vit sur la pointe des pieds, on finit bien par penser, tout au fond, qu'on est un intrus.

Et j'avais refusé l'offre de Katawe pour travailler avec Éric. Elle ne m'avait pas caché sa déception ("Vous vouer à l'art de l'inutile, gaspiller votre savoir et vos talents pour distraire une poignée d'oisifs!") J'avais déjà fait un choix, sans doute, même si je n'avais pas vraiment su alors ce que je choisissais.

«Tu veux travailler avec nous quand même?»

Aucun de ses bios habituels n'avait voulu le suivre dans son projet. Ses plus récentes statues, déjà, celles qui parlaient, qui réagissaient comme volontairement à leur environnement, ils avaient renâclé à y travailler. L'Institut d'un côté, les Eschatoï de l'autre, évidemment, les risques d'anathème commençaient à devenir trop sérieux.

« Ils n'ont pas tellement eu peur de l'Institut ou des Eschatoï, en réalité. Ils ont eu peur d'eux-mêmes, de ce qui sortirait de leurs mains, comprends-tu?

— Peur d'une statue?»

Éric a baissé la tête. Posée sur un bras de fauteuil près de lui, Galthéa a effleuré distraitement quelques touches et sur l'écran du terminal s'est dessiné un cercle où s'inscrivait un carré et un homme nu en croix, bras et jambes écartés pour toucher la circonférence; un dessin familier, très ancien, de Vinci, je crois.

«Tu veux travailler avec nous, alors.

— Pourquoi pas?»

Une autre réponse était impossible. Je ne pouvais pas avoir peur d'une statue sous prétexte qu'elle durerait plus longtemps que moi!

Ils n'ont pas insisté. Ils attendaient que je comprenne par moi-même, ils ne voulaient pas me brusquer. Nous nous sommes mis au travail dès le lendemain.

Une statue de matière synthétique vivante, au comportement physique volontaire et donc aléatoire en dehors des simples réflexes. Une statue capable de réagir à tous les stimuli extérieurs, de parler, de penser en l'absence même de stimuli extérieurs. Un système quasiment dynamique. Ce n'est plus tellement une statue. Ça ressemble beaucoup à un être humain.

Et ça vivrait plus longtemps que moi.

◆

On capture les Eschatoï, finalement, pas très loin de la ferme.

Une dizaine d'hommes et de femmes hirsutes et crasseux, à l'air buté, qui sortent des couteaux lorsque nous les coinçons dans la crique. Je croyais qu'ils aimaient le martyre : après tout, la mort est un devoir pour eux (celle des autres d'abord, bien entendu.) On les prend avec des bolas, des filets : ils crient des insultes, ils croient que c'est par lâcheté et par mépris que nous refusons le combat. Mais Michel ne veut tout simplement pas de bavures.

On les enferme dans l'étable vide puis on les en tire un par un pour les laver, les soigner et les interroger le cas échéant. Squelettiques, couverts de cicatrices, et certains très jeunes, encore des adolescents. Le plus vieux, sans doute le meneur, n'a visiblement plus toute sa tête : il alterne en gesticulant marmonnements et invectives ; une grande plaie suppurante lui barre le front. On l'immobilise et je le soigne, pas trop doucement. Il se débat un peu puis se tait. Je lui jette un coup d'œil étonné : il me regarde et ricane en marmonnant quelque chose sur l'Antéchrist, ses créatures et la fin du monde. Je hausse les épaules et je pose les agrafes. Je ne suis pas mécontent de le voir blanchir.

« *De pauvres gens* », dit Michel en le regardant partir vers l'étable. *Je pose la cuvette d'un geste un peu brusque. Il répète : « De pauvres gens, David.*

— *Qui s'adjugent le droit de vie et de mort sur les autres ? !*

— *Mais ils ont tellement peur, soupire Raina.*

— *Peut-être qu'on est tous dingues, dit Hans, tranquille. Chacun à sa façon. Eux, ils tuent, nous, on continue à vivre et à faire vivre. Le résultat final sera peut-être le même.*

— *Mais il y a de l'espoir, dit Michel, obstiné. Regarde, on a réussi à faire tenir des greffes d'organes en syntho. Et Permahlion a recommencé à sculpter.*

— *L'Institut l'attend peut-être seulement au tournant, remarque Hans.*

— *Ils n'oseront pas le censurer ! proteste Raina, il est trop populaire, maintenant, après cet attentat. Et puis, ses recherches sur le syntho… »*

Une tête passe par l'entrebâillement de la porte : « David est là ? Les nouveaux bios viennent d'arriver. Et il y a de la visite avec, un psy. »

Le veinard, il va pouvoir se faire la main sur des Eschatoï tout frais.

Le psy est une psy. Elle me serre la main comme aux autres. J'espère que mon visage est aussi impassiblement aimable que le sien. Est-ce de cela que voulait parler ce vieux fou, "les créatures de l'Antéchrist", c'est après elle qu'ils en avaient ? Mais comment auraient-ils su qu'elle arrivait ici ? Et surtout ce qu'elle est. Une coïncidence, évidemment. C'est à moi que le vieux fou parlait : il savait qui j'étais, moi. Et elle, je sais qui l'a envoyée : Éric. Je me demande comment il a réussi à me retrouver. Par l'Institut ? Ce serait assez comique.

◆

J'ai cru que j'avais assez changé pour les mériter
tous les deux, Éric, Galthéa. Un matin, Éric a posé
devant moi une minuscule statuette en or, un être
ailé. Et Galthéa a dit : « Regarde-toi. »

Un an seulement ? Il me semblait avoir toujours
vécu avec eux. Je me suis revu dans le parc aux
Colibris, devant le *Janus* : la peur, le doute, la volonté
enfantine de tout contrôler, toujours – alors que ma
volonté n'avait sans doute pas joué un grand rôle ce
jour-là. J'ai ressenti un élan d'affection ironique pour
ce David disparu, j'ai dit à Éric : « Tu savais bien que
je voulais travailler pour toi, n'est-ce pas ?

— Quoi donc ?

— Au parc, quand tu m'as invité à la soirée
d'Angkaar.

— Moi ? Je ne savais même pas qui tu étais. Le
soir, oui, je m'étais renseigné. »

Il frottait une ternissure sur une des ailes de la
statuette. Quelque chose dans mon silence lui a fait
lever les yeux.

« Tu m'as invité comme ça ? Un inconnu !?

— Tu semblais si bouleversé par ce que t'avait dit
ma statue. Et quand tu as dit que tu étais bio, j'ai
pensé que c'était intéressant. »

Il n'en dirait pas davantage ; il s'était levé et feuil-
letait les résultats des dernières simulations. En un
an, je n'avais encore jamais pensé à modifier ma
vision de notre première rencontre ; je m'étais toujours
cru choisi sur mes diplômes, mes compétences (mon
caryotype, aussi…), et voilà qu'il m'apprenait que je
l'avais été sur la parole ambiguë d'une statue, provo-
quée sans que j'aie bien compris comment et dont je
ne saisissais toujours pas le sens particulier qu'elle

semblait avoir pour Éric. "Regarde-toi." Eh bien,
quoi ? L'homme est double, divisé, vieille vérité !

« Nous allons avoir un enfant, David », a dit Galthéa,
et j'ai compris que c'était son cadeau d'anniversaire
pour moi.

Au début, elle m'avait dit : « Je ne veux pas d'enfant
pour l'avenir de la race humaine. La race humaine,
telle qu'elle est, n'a plus guère d'avenir. Je veux un
enfant pour l'amour. » Elle m'avait accepté : j'avais
peut-être assez changé ?

« Changé, David », m'a-t-elle dit cette nuit-là, alors
que nous parlions dans le noir. « Mais changé par rapport à quoi ? À un David fictif, que tu avais fabriqué
pour te protéger. Mais au noyau, au centre de toi, qu'y
a-t-il, le sais-tu seulement ? Le David d'aujourd'hui
est peut-être encore un masque, comme celui d'il y a
un an. Tu ne peux pas le savoir tant que tu ne l'auras
pas rencontré une fois, le vrai David.

— Tu le connais, toi, le vrai David ?

— Je le pressens.

— Intéressant. Présente-nous.

— Ah, ça ne marche pas ainsi ! C'est lui qui se
présentera. »

J'ai dit en souriant : « J'espère que je le rencontrerai
avant l'arrivée du bébé. Deux pères en un, ça ferait
un peu désordre, il s'y perdrait, non ?

— De toute façon, il aura deux pères. »

C'était un ton étrange pour Galthéa, un peu anxieux.
J'ai dit "bien sûr", un peu étonné de ressentir une sorte
de pincement au cœur.

Après un long silence, elle a murmuré : « L'autre
aussi aura deux pères. »

La première statue serait achevée à peu près au
moment où le bébé naîtrait. Galthéa l'avait sans doute
fait exprès (ou Éric ?). J'ai souri dans le noir, avec une

tendresse un peu indulgente : cette manie des symboles ! Mais je comprenais très bien : l'enfant qu'Éric n'avait pas pu lui donner, ce serait cette statue ; elle serait la sœur de cet enfant que Galthéa avait choisi de me donner.

Je n'avais rien compris du tout.

C'est comme après l'attentat : je n'ai pas compris qu'Éric recommence tout de suite une nouvelle statue. Mais je n'ai pas compris non plus pourquoi j'ai accepté de l'aider.

◆

Elle se dit peu intéressée par les Eschatoï, elle ne les examinera pas. Elle est en voyage d'études prédoctorales et elle a choisi de faire son travail final sur les pionniers du Nouveau-Sahara. Elle vient d'El Qfat, Bérégovo, Saint-Martin, les cheveux décolorés par le soleil, des muscles bien entraînés sous sa peau brunie : dès le lendemain à l'aube, elle est au travail avec tout le monde dans les serres et les vergers. En trois jours, sans faire de vagues, elle est installée.

Nos chemins ne se croisent guère : elle dehors, moi aux labos. J'ai commencé une série d'expériences qui me prennent tout mon temps. Le soir, les autres l'emmènent souvent chez Manmet : il paraît qu'elle chante assez bien, en s'accompagnant, pour que Neilson lui prête sa guitare.

On a évacué les Eschatoï le lendemain de son arrivée ; le regard du vieux est passé sur elle sans même s'arrêter.

◆

Je ne connaissais pas vraiment Éric. Je le croyais effondré après l'attentat, comme moi. Mais il est arrivé un matin dans ma chambre à l'hôpital, très amaigri. C'était la première fois que je le voyais depuis que j'avais repris connaissance. Sans préliminaires, il a dit : «Je vais chez Angkaar. Travailler. Tu viens?

— Angkaar?

— Il me prête son terminal et ses labos.

— Tu vas recommencer?

— Je commence.» Il avait l'air féroce. «Tu viens?»

J'ai dit : «Oui, bien sûr, dès que je pourrai marcher.» Il est resté un moment à me dévisager comme si j'avais dit non, puis il est parti et je ne l'ai plus revu avant d'être déposé chez Angkaar dans mon fauteuil roulant. Il a jailli d'une porte dans le hall, des paquets de feuilles sous les bras, «Ah, te voilà!», et il a disparu par une autre porte en hurlant : «Alex!» Le charmant éphèbe basané qui avait accompagné Angkaar le soir de l'exposition m'a roulé dans mes appartements.

Je n'ai revu Éric que le lendemain matin au petit-déjeuner; il avait l'air brumeux de quelqu'un qui n'a pas dormi de la nuit. Ni bonjour ni rien : «Tu peux marcher?

— Pas trop longtemps à la fois.

— Au terminal, de toute façon, inutile d'être debout.»

Son regard fixé sur moi s'est peu à peu perdu dans le vague; il s'est frotté les yeux avec ses moignons de poignets et j'ai eu soudain envie de pleurer.

Au début, c'était facile : je ne voyais presque personne et surtout pas Éric. Alex a bien essayé de me parler d'Angkaar, voix douce, grands yeux humides : j'ai ignoré sa solitude, et sa souffrance sans doute. Douze, quinze heures en tête à tête avec l'écran, tous les jours. Les touches dociles, recomposer les programmes de base, intégrer les résultats des essais repris par Éric et Angkaar, mettre au point à partir de là les programmes plus complexes, chasser toute la journée sur les terres froides et sûres des symboles et des chiffres. Je ne pensais même pas à ce qui allait résulter de toutes ces abstractions : j'avais l'esprit veuf de toute réalité, et quand je dormais c'était sans rêves.

Puis, au-dessous de la conscience, quelque chose a dû me dire que la tâche touchait à son terme. Plusieurs fois je me suis surpris à ne rien faire. Les doigts à l'abandon sur les genoux, je somnolais en plein jour, une sorte d'affaissement général. Et dans cette brèche de ma digue, des images, à la fin : la maison éventrée, les laboratoires en flammes et quelque part au milieu Galthéa et la statue, deux masses carbonisées. Je voudrais tirer Éric plus loin du brasier, mais je ne sens plus mes jambes. Je rampe vers lui, je veux toucher sa main, il n'a plus de mains. Je regarde tout ce sang à la place, je me demande lointainement s'il va mourir lui aussi ; la terre se met à trembler.

Je me suis réveillé en sursaut au moment où il allait me toucher l'épaule et il a reculé d'un pas, l'air presque coupable :

« Je t'ai appelé du labo 3.

— Je dormais.

— Tu devrais te reposer un peu. » Voix fâchée (contre moi, contre lui ?). Il était allé à la fenêtre et me tournait le dos, cachant ses poignets mutilés dans le creux de ses aisselles, du geste qui lui était devenu familier. La pluie battait la vitre par saccades ; il y avait des couleurs bizarres dans les nuages, encore de la poussière de volcan.

« L'étoile Absinthe n'en finit pas d'empoisonner la Terre et les eaux », a-t-il murmuré. Puis, sans changer de ton : « Les programmes sont presque tous entrés. On va passer à la réalisation. »

Ce serait une femme, bien entendu. Je n'avais pas encore vu en détail les spécifications pour l'aspect extérieur, mais je les devinais. Je me suis soudain senti saisi d'inquiétude : une fois son obsession matérialisée, que ferait Éric ? Accepterait-il d'avoir créé… supporterait-il de voir… J'avais peut-être eu tort de l'aider.

« Vous prévoyez que ça va prendre combien de temps ?

— La croissance, si tout va bien, trois mois. Les apprentissages, deux ou trois mois de plus pour l'essentiel. »

Il n'avait pas dit "le conditionnement" et j'en ai été presque choqué, mais je suivais une autre idée : « Six mois, tu ne trouves pas que c'est long pour une seule statue ? Les expositions…

— Ça prend au moins neuf mois, d'habitude » a dit Éric et il est parti en se serrant les poignets sous les bras, le dos un peu voûté.

Mon esprit s'est remis à jouer machinalement avec les chiffres et les dates pendant que je retombais dans ma léthargie – et chiffres et dates m'ont trahi : ils m'ont dit tout à coup que ça tomberait la semaine où l'enfant aurait dû naître.

◆

Une fois mes expériences terminées, je reprends ma place dans les tâches quotidiennes de la ferme, et je la vois plus souvent. Elle ne m'évite pas, mais elle ne me cherche pas non plus. Je peux bien admettre que j'en suis étonné d'abord, presque agacé ensuite. Je peux bien admettre que moi, je la guette. Je l'écoute parler, je la regarde vivre, je ne trouve rien à redire à la performance : elle est parfaite. Mais pourquoi ne

me dit-elle rien? Éric a bien dû lui donner des ins-
tructions, un message…

Un soir, je vais avec eux chez Manmet et je l'écoute
chanter.

◆

Je me souviens très bien des spécifications pour la
voix: c'est en les voyant que j'ai commencé à ne plus
comprendre… Mais non, j'enjolive. Je n'ai pas vraiment cessé de comprendre avant de la voir dans sa
boîte à travers le fluide nourricier. Statue parfaite, yeux
sans regard encore, poitrine inviolée par un souffle. Et
ma stupeur. Ce n'était pas Galthéa. Comment avait-il
fait pour qu'elle ressemble si peu à Galthéa? Elle
n'était pas même son négatif, celle qui aurait désigné
Galthéa à force de ne pas lui ressembler, d'être son
contraire. Mais non. Pas même vraiment belle. Simplement… plausible. Humaine.

Il m'est venu une sorte d'incontrôlable nausée, j'ai
détourné les yeux. Je ne comprenais plus rien, tout ce
que j'avais échafaudé s'écroulait. Éric, lui, la regardait,
les poignets calés sous les bras, et ce n'était pas un
regard d'adoration, seulement le regard critique du
créateur. Je me suis forcé à dire: « Et que vas-tu en
faire, quand tu l'auras animée?

— D'elle, rien. Avec elle, je ne sais pas. »

La rectification ne m'a pas touché; j'étais hébété
d'incompréhension. « Mais que veux-tu prouver? »

Il m'a jeté un regard incrédule puis s'est détourné
et je me suis senti comme au premier jour: j'avais fait
une erreur, et je ne savais pas laquelle. Au silence, au
dos tourné d'Éric, j'ai dit, défait: « Je ne comprends
pas. »

Et avant de sortir, Éric a répondu : « C'est que tu ne l'aimais pas comme moi. »

Il voulait dire : "pas de la même façon que moi" ; j'ai compris : "pas aussi bien que moi". Je suis resté seul, les joues brûlantes, avec cette chose dans sa boîte. Je ne sais pas ce que j'aurais fait si l'arrivée d'Angkaar ne m'avait pas chasser. Je suis allé marcher furieusement dans la pluie, presque heureux de la douleur que me lançait la hanche droite à chaque enjambée, une sorte de vengeance absurde. Qu'est-ce qu'il croyait ? Je n'étais pas dupe ! Que pourrait-elle faire qu'il n'ait inscrit en elle, quelle parole prononcer qu'il ne lui aurait pas dictée ? Il l'avait fabriquée. Sa totale absence de ressemblance avec Galthéa n'y changeait rien. Qu'il s'amuse avec ce simulacre, qu'il monologue avec cet écho, qu'il joue avec cc corps dont il avait agencé les moindres détails ! Je ne resterais pas une minute de plus.

Je suis resté, pourtant. Jusqu'à ce qu'ils l'animent (ils disaient "éveiller"). Cette nuit-là, je me suis écouté respirer dans le noir : jamais je n'avais autant perçu l'étrangeté de mon souffle. Et je suis resté encore, jusqu'à ce qu'elle ouvre les yeux – le véritable "éveil".

Son regard errant s'est posé d'abord sur moi – Angkaar n'avait pas voulu rester, Éric s'était mis en retrait. Elle a dit : « David. » Ce n'était pas non plus la voix de Galthéa. Puis la tête s'est redressée un peu, pivotant sur la colonne lisse du cou ; pas d'étonnement sur ce visage, mais une sorte d'ardeur. Elle l'a nommé ensuite : « Éric. » Était-ce donc ce qu'il avait voulu, qu'elle parle la première ? Je regardais cette créature, ce monstre, je pensais aux souvenirs synthétiques qui couraient dans ces neurones synthétiques. Elle me connaissait, elle le connaissait ; elle se rappelait Galthéa, la vie et la mort de Galthéa. Et Éric m'avait

dit qu'elle saurait aussi ce qu'elle était elle-même.
Mais que pourrait-elle dire, que pourrait-elle faire qui
n'ait été prévu ? Il n'y avait aucune raison d'avoir
peur. Je n'avais pas peur.

Et je suis resté jusqu'à ce qu'elle puisse se lever et
marcher. Elle a fait quelques pas, de plus en plus
assurée, elle a tendu la main vers moi. J'ai reculé.
Alors, elle a fait le tour de la pièce, effleurant les
objets au passage, les fleurs dans le vase. Elle a murmuré : « Je comprends.

— Quoi donc ? » (Je ne voyais pas Éric, mais j'entendais le sourire dans sa voix.)

« La vie. La vie… Mais je comprends. C'est bien. »

Elle s'est arrêtée devant lui, elle a levé la main, elle
lui a touché la joue. J'ai eu envie de crier : comment
pouvait-il la laisser faire, alors que c'est lui qui aurait
dû bouger, parler, décider ? Mais il la regardait toujours
de cet air attentif, comme s'il n'avait rien su d'avance.

Et j'ai attendu encore quelques jours, sans savoir
ce que j'attendais. Éric ne faisait rien, il marchait avec
elle dehors, il l'écoutait – je ne savais pas ce qu'elle
disait, je ne savais pas ce qu'il répondait lorsqu'il lui
répondait. Angkaar avait disparu avec son Alex. Et
moi, j'écoutais ce souffle étranger remplir la maison.
Je suffoquais. Mais j'attendais. Peut-être qu'Éric réponde enfin à la seule question que j'avais posée :
« Mais que vas-tu en faire ? ! »

C'est elle qui m'a répondu. Un soir, après le dîner,
elle a dit : « Je vais m'en aller. »

Partir ? Seule ? Impossible ! Il n'allait pas la laisser
partir ? Elle n'avait pas de nom, pas d'existence légale.
Et partir où, d'abord ?

« Elle va à l'Institut. J'ai tout arrangé comme elle
me l'a demandé.

— À *l'Institut ? !* Tu as tout falsifié pour ça, tu veux dire ?

— Vous allez nous dénoncer ? »

Cette… chose osait m'adresser la parole ?

« Éric, dis-lui de se taire ! »

Il s'est laissé aller dans son fauteuil, le visage gris, en soufflant : « Dis-le-lui toi-même.

— Parler à cette chose ? Pour quoi faire ? »

Elle s'est vivement tournée vers moi. Si elle avait été humaine, j'aurais pensé l'avoir blessée : « Vous me parleriez si vous pensiez que je suis une chose. Mais vous avez bien trop peur que je ne vous réponde pour de bon. »

Je l'ai ignorée : « Éric, que va-t-elle faire à l'Institut ?

— Étudier. Vivre. Je n'en sais rien.

— Comment, tu n'en sais rien ? ! Tu l'as faite ! »

Il s'est passé un poignet sur la figure en murmurant : « Tu ne comprends pas, David. »

Qu'y avait-il à comprendre ? « Elle ne peut pas partir, elle est à toi ! Elle t'aime, non ? »

Il s'est tourné vers elle avec ce drôle de sourire las : « Est-ce que tu m'aimes ? »

Un silence, puis, d'une voix calme : « Pas comme il le pense.

— Mais tu ne peux pas la laisser partir comme ça ! Tu ne l'aimes pas ?

— Mais si, David. Je l'ai faite.

— Mais pourquoi ? !

— Pour qu'elle s'en aille. »

Elle a dit : « Laissez-le. Il a trop peur de se voir. »

Éric a bondi entre nous. Le coup que je destinais à la chose, c'est lui qui l'a reçu en pleine figure. Il est tombé, j'ai essayé de le retenir, mais il était trop lourd. Elle avait bougé en même temps que moi pour le secourir, nous sommes restés un moment à nous regarder

par-dessus le corps inerte d'Éric. J'ai voulu lui dire
"ne le touchez pas !", mais elle était trop près, je la
voyais trop bien : ses yeux, ses cils, la texture de sa
peau, de tout près, si réelle. Elle a soufflé avec impatience sur une mèche de cheveux qui lui retombait
dans les yeux. Éric a remué faiblement ; d'une seule
traction puissante, elle l'a relevé.

Je suis resté accroupi, sentant encore le poids d'Éric
entre mes bras. Éric. La première fois, c'était la première fois que je le touchais vraiment. Toujours, entre
nous, Galthéa. Et maintenant, cette femme qui n'était
pas Galthéa allait s'en aller, elle allait nous laisser
ensemble, face à face, et plus rien ne me protégerait
de lui, de moi.

Regarde-toi.

Éric et moi ?

Je me suis enfui.

◆

*Quand nous sortons de chez Manmet, il pleut à
verse ; la route est transformée en torrent. Au bout de
quelques kilomètres, le gazillac crachote et refuse de
repartir. Heureusement, c'est la fin de l'été, la pluie
est tiède. Nous marchons à travers les trombes d'eau,
en pataugeant dans les creux ; de temps en temps
quelqu'un glisse et tombe en jurant. Bientôt, avec ma
patte folle, c'est mon tour. Quelqu'un s'arrête près de
moi, essaie de m'arracher à la boue. Je la reconnais,
j'essaie de me dégager, mais sa petite main dure me
tient bien. Les vêtements alourdis par la pluie, incapable de prendre appui sur le sol qui se dérobe, je
retombe. Elle dérape à son tour et s'étale. La lampe
de Michel se retourne vers nous : « Hé, ce n'est pas le
moment de faire des galipettes, attendez au moins*

d'être rentrés ! » Ils reviennent nous aider à nous relever. Elle n'a pas fait trois pas qu'elle glisse et tombe de nouveau. Alors elle reste assise par terre dans le faisceau des lampes, maculée de boue, les mains sur les cuisses, la tête renversée en arrière sous la pluie, et elle rit. Le rire gagne les autres qui voulaient l'aider, ils n'ont plus de force. Tout le monde se laisse tomber par terre. Tous ensemble, nous rions.

À la ferme, après m'être séché, je ne me couche pas tout de suite : je prépare ma valise.

Je viens d'éteindre après avoir terminé quand elle frappe à ma porte et ouvre : ombre chinoise sur fond de pénombre, appuyée d'un geste inconsciemment gracieux au cadre de l'image. Pause.

« Il ne m'a même pas dit où vous étiez.

— Je sais. »

Une autre pause. L'écran de la porte redevient noir. Elle est repartie.

◆

Éric m'a demandé de venir en bateau, lorsque je l'ai appelé. Il veut sans doute que je voie ses dauphins – puisque des dauphins ont reparu dans la mer du Nord. Et en effet des arcs bleu-noir jaillissent des vagues à quelques encablures du voilier. Fonçant et s'entre-croisant sous la surface, ils bondissent en cadence, très haut, étincelant dans la lumière, de plus en plus près. D'autres formes aussi glissent au ras de l'eau ouverte par l'étrave du voilier, des silhouettes fluides, une seule ligne onduleuse de la tête au torse aux hanches et jusqu'au bout des jambes. Elles tournent vers moi un visage sans bouche où brille la lueur ju-melle des yeux recouverts d'une paupière nictitante, et sous les écailles minuscules bouge un semblant de sourire.

Une autre maison a été construite au bord de la mer. Des ruines de l'ancienne il ne reste rien. J'aborde à la jetée où quelqu'un saisit mon amarre et m'indique les dunes.

La première statue rencontrée est de pierre ; elle émerge à peine du sable, mais c'est un autre sable qui a effacé ses traits, ailleurs, sous un autre soleil bien plus chaud, il y a très longtemps de cela. Il reste une ombre de profil sous une esquisse de coiffe, et le geste hiératique des bras croisés sur la poitrine, mains refermées sur les symboles d'un pouvoir dévoré par le temps.

La deuxième statue est de métal et si l'air marin, après l'eau, en a corrodé la surface, le sable n'en a englouti que le piédestal. C'est une longue épure d'être humain, maigre et déchiquetée, membres grêles, petite tête sans visage. Elle est un peu penchée, en appui sur une jambe, dressée contre un vent qui ne souffle pourtant plus sur elle.

D'autres statues s'enlisent lentement dans les dunes, des statues de pierre, de verre ou d'acier, une allée du souvenir, la mémoire arrachée à l'Hadès sous-marin (Éric, au temps où je ne comprenais pas : « Personne, sinon nous-mêmes, ne nous demande d'être des dieux. Mais seulement de consentir à une autre vie. »). L'allée des statues mène au bord de la mer. Une autre silhouette est assise, un peu à l'écart au pied de la dune. Elle fait glisser du sable de sa main droite à sa main gauche. Chaque fois du sable tombe, éparpillé par le vent, et bientôt les mains sont vides. On se rend compte alors qu'une petite noix passait avec le sable d'une main à l'autre : une des mains n'est donc jamais vide.

La main vide se pose à plat sur le sable et se ref
ferme, mais la poignée de sable est toujours trop grosse
et les particules s'en dispersent à peine saisies, trop
vite pour pouvoir vraiment s'écouler dans l'autre main.
C'est seulement lorsque la main creuse à la façon d'une
pelle, paume en l'air, qu'elle peut prendre et garder
assez de sable pour alimenter le va-et-vient de sablier.
Mais la petite noix est toujours là, passant régulière
ment d'une main à l'autre. Quel fruit à naître dans
cette coquille close ?

De grands pans de sable glissent en bruissant quand
je descends la dune. La silhouette se tourne vers moi.
C'est Éric, qui se tourne vers moi.

Janus me regarde.

Juillet 1979

LA MAISON AU BORD DE LA MER

Images of sorrow, pictures of delight
Things that go to make up a life
("Home by the Sea", Genesis)

« C'est une dame, maman ? »

La petite me regarde avec cette insolente innocence des enfants qui disent tout haut ce que les adultes pensent tout bas. Blondinette pâle et maigrichonne, cinq ou sept ans, elle ressemble déjà tellement à sa mère que je la plains. Rire embarrassé de la mère, qui la prend sur ses genoux : « Mais bien sûr, Rita, c'est une dame. » Elle me sourit excusez-la, je lui souris mais-non-ce-n'est-rien, va-t-elle en profiter pour se lancer dans une de ces conversations insignifiantes, le rituel grâce auquel les voisins de rencontre s'assurent de leur innocuité réciproque ? Pour couper court, je me tourne vers la fenêtre du compartiment et je regarde le paysage avec conviction. Pour remonter vers le nord, le train suit le réseau des vieilles digues jusqu'à l'énorme brèche qu'y a ouverte, il y a une quarantaine d'années, la dernière folie des Eschatoï. Les traces des explosions ont presque été effacées, on pourrait presque croire que l'interruption de la digue a été voulue, qu'on a délibérément laissé les eaux envahir les terres basses. Après la traversée du détroit en ferry, c'est de nouveau le train, un vieil électrique classique, cette fois, suspendu entre les deux plaines d'eau, à l'ouest ondulée par les vagues, à l'est brisée par les arbres morts, les vieilles lignes à haute tension, les clochers et les toits écroulés. Il y a de la brume, un souffle blanchâtre qui s'élève des eaux comme une seconde marée venue engloutir ce qui reste du paysage humain.

C'est une dame ? Évidemment, petite fille, on n'en voit pas souvent des dames dans mon genre, chez toi. Cheveux très courts, bottes, pantalon de treillis, lourde veste de cuir éraillé, et la posture – rectifiée à regret lorsque vous êtes entrées, mais une vraie dame ne s'avachit pas ainsi, n'est-ce pas, même toute seule. La *dame* aime bien se sentir à l'aise, figure-toi, et là où elle se trouve d'habitude, elle n'a guère à se soucier de ce qu'on peut penser d'elle. La dame, petite fille, est une récupératrice.

Mais elle ne pouvait pas te dire cela : elle n'avait pas envie de voir tes grands yeux bêtes se remplir de terreur. Une croquemitaine en chair et en os, pourtant, on n'a pas l'occasion d'en voir tous les jours. J'aurais pu faire ton éducation. Oui, je sais, *si tu n'es pas gentille, le Récupérateur viendra te prendre, et il dira que tu n'es pas une vraie personne et il te mettra dans son grand sac.* À vrai dire, nous ne mettons pas tout de suite les spécimens humains dans nos grands sacs, tu sais, seulement les plantes et les petits animaux. Les gros animaux et les autres, on leur injecte des traceurs après les avoir endormis pour leur faire subir les tests préliminaires, quitte à revenir les capturer si des chercheurs de l'Institut leur ont découvert des particularités intéressantes. J'aurais pu t'expliquer tout cela, petite fille, et à ta mère qui m'aurait sans doute regardée avec une crainte superstitieuse. Mais qui se soucie de ce que font réellement les récupérateurs ? Ils vont dans les Zones contaminées pour en ramener des horreurs qui en d'autres temps auraient pu être des plantes, des animaux, des humains : ils doivent être contaminés aussi, les récupérateurs, au moins dans leur tête. Non, personne en dehors de l'Agence de Récupération ne se soucie de ce que font vraiment les récupérateurs. Et personne, surtout pas l'Institut, ne demande qui ils sont réellement, ce qui me convient très bien.

« Pourquoi on a cassé la digue, maman ? » demande la gamine : elle a senti qu'il fallait changer de sujet.

« C'étaient des fous », répond succinctement la mère, un assez bon résumé. Des fanatiques, mais c'est la même chose. Ils pensaient que les eaux allaient continuer à monter, tu comprends, petite fille, et ils voulaient les aider, pour garantir la Fin de la Maudite Race Humaine. Mais les eaux se sont arrêtées. Les Eschatoï aussi, d'ailleurs, un de leurs grands suicides collectifs. Et cette fois il n'en est plus resté assez ailleurs pour recommencer. Plus assez d'énergie, les nouvelles générations, pour être fanatiques. Les natalistes aussi se sont calmés. Même l'Institut ne croit plus à ses propres slogans. *La Reconstruction de la Merveilleuse Race Humaine*. Mais elle se reproduit mal, justement, la race humaine, et de moins en moins. Elle s'est sans doute épuisée dans la reconstruction tout court après les Grandes Marées et leurs catastrophes. Maintenant, c'est le déclin, même si personne n'ose le dire tout haut à la barbe de l'Institut et de ses représentants. Certes, la terre tremble moins, les nuages dévoilent plus souvent le soleil et les eaux ne monteront plus, mais il n'y a pas de quoi pavoiser, ce n'est pas une victoire humaine. Juste un mécanisme naturel aveugle qui a trouvé tout seul et par hasard son point d'équilibre avant d'avoir totalement détruit le reste de l'humanité. Et moi, petite fille, moi qui ne suis pas humaine, je ramasse dans les Zones contaminées ce que l'Institut appelle "des spécimens", mais qui est aussi, à sa façon, ce qui reste de l'humanité.

Moi qui ne suis pas humaine. Allons, en suis-je encore là? Mais c'est l'habitude, une rechute, un lapsus. Voilà aussi ce que j'aurais pu te répondre tout à l'heure, petite fille: la dame est un artefact, et elle va voir sa mère.

Mais ce mot-là, justement, demanderait tellement d'autres explications, *sa mère*. J'ai un nombril, en tout cas. Très joli, selon le médic qui me faisait subir les examens de routine avant mon départ pour l'Australie et l'Institut. Les artefacts courants ont des nombrils dont le scanner révèle vite l'inauthenticité, mais vous alors, c'est extraordinaire, quelle maîtrise technique chez votre… Et là il a buté: "mère, *créatrice, fabricante*"? Il est sorti de son extase scientifique, il s'est rappelé qu'il y avait tout de même quelqu'un qui l'écoutait et qui n'avait pas été au courant. Les quelques autres examens n'avaient jamais rien révélé… Mais ce Centre Médical-là dépendait de l'Institut et on a mis au point de nouveaux tests plus performants depuis que vous avez été, hum, (il se raclait la gorge, il était très ennuyé, le pauvre)… faite.

Oui, elle m'a faite ainsi, de sorte que je puisse passer pour humaine. Malgré tout ce que j'ai pu penser alors, elle n'avait sûrement pas prévu que je l'apprendrais de cette façon. Je n'aurais sans doute pas dû le savoir avant la fin et ses signes qui ne trompent pas. Pourquoi? Vais-je vraiment lui demander cela? Mais je ne vais pas vraiment la voir. Je passe par là, c'est tout. Je vais récupérer dans la Zone de Hamburg.

Pardi, je sais bien que je m'arrêterai à Mahlerzee. La même lâcheté qui m'a fait couper tous les ponts, décider de ne jamais rien lui demander… Non, pas seulement de la lâcheté. Une nécessité, si je voulais

survivre. Ni peur ni désespoir, quand je me suis
enfuie après les révélations du médic. Je ne voulais
pas voir les autres qui m'attendaient dehors – et
surtout pas Rick. Non, si je me rappelle bien, elle
était furieuse, la dame d'il y a quinze ans. Une fureur
énorme, insensée – salvatrice. C'est pour cette raison,
sûrement, qu'au sortir du Centre Médical, ses pas
l'ont conduite tout droit au Parc aux Colibris. Là où
elle avait vu pour la première fois le marcheur.

Le Parc aux Colibris. Pourquoi pas "le Parc aux
Statues", on se le demande. Évidemment, il y a le dôme
transparent au milieu de la pelouse centrale, avec sa
jungle miniature et ses colibris qui volettent partout
en vibrant, mais ce qu'on voit surtout, ce sont les
statues. Partout, le long des allées, sur les pelouses ; il
y en a même, crois-le ou non, fillette, dans les arbres.
La jeune dame y était venue la première fois avec Rick,
son amoureux, et Iévguéni, le jeune-citadin-déluré-
qui-affranchit-des-provinciaux. Elle avait seize ans,
la dame ; elle se trouvait depuis à peine un mois à
Baïblanca. Une des plus jeunes boursières de l'Université Kérens, un futur fleuron de l'Institut, l'oiselle
enfuie du nid dont elle avait, si l'on peut dire, claqué
la porte. Et autour d'elle et de son amoureux, les
merveilles de Baïblanca, la capitale de l'Eurafrique,
autant dire l'Eldorado, mais tu ne sais sans doute pas
ce qu'est l'Eldorado.

Le marcheur, Iévguéni l'avait désigné parmi les
quelques promeneurs : un homme qui avançait d'un
pas lent, très lent. Il était grand, il aurait pu être beau
si quelque chose dans son allure avait correspondu à
sa taille. Mais il marchait sans énergie, presque trop
lentement pour dire même qu'il flânait. Et, lorsqu'il est
passé devant eux, ce visage absent, ces yeux peut-être
lointains, peut-être tristes, peut-être, tout simplement,

vides… Tous les jours, depuis près de dix ans, la même promenade, avait dit Iévguéni. Une activité de vieux. C'était cela, cet homme marchait comme un vieillard, mais il n'avait pas l'air si vieux, à peine la trentaine. "Il n'a jamais été jeune non plus", a répliqué Iévguéni, "c'est un artefact."

Et je n'avais jamais entendu ce mot. Comment s'était-elle arrangée, ma *mère*, pour que je ne rencontre jamais ce mot ? Mais Rick avait l'air aussi stupide que moi, au moins. Iévguéni était ravi. "Un artefact, il a dit, un objet d'art organique, artificiel ! Évidemment, ça ne court pas les rues à Mahlerzee ou à Broninghe."

Celui-ci ne courait pas tellement non plus, a remarqué Rick, et Iévguéni a daigné sourire : cet artefact-ci était en bout de course, usé, presque fini. Il nous a fait dépasser le marcheur, nous a assis sur un des longs bancs qui faisaient face à la pelouse centrale. Et s'est lancé dans des explications détaillées – il parlait fort, je trouvais, pour la jeune femme vêtue de bleu qui somnolait à l'autre extrémité du banc, un bras allongé sur le dossier, l'autre appuyé sur le coude pour soutenir la tête aux lourds cheveux noirs ; mais cette voix indiscrète n'avait pas l'air de la déranger. On ne faisait plus beaucoup de ces artefacts, tu vois, fillette, la mode en était passée, et puis il y avait eu des histoires. Pendant leur période d'activité, ils étaient nettement plus vivaces que le marcheur (qui avançait, lentement, très lentement, vers le banc). Très vivaces, même. Et tout le monde ne savait pas forcément ce qu'ils étaient, pas même eux. Pendant un moment, dans les cercles mondains de Baïblanca, trente ans plus tôt, la grande distraction avait été de parier : qui était un artefact parmi les favoris nouvellement apparus à la cour de telle ou telle personnalité à la mode, si l'artefact le savait, si son "client" (ou sa "cliente") le savait, comment ils l'apprendraient et quelles seraient leurs réactions. Surtout celles de l'artefact.

Il y avait les *moutons*, et il y avait les *tigres*. Les *tigres* tendaient à s'autodétruire délibérément avant leur fin programmée, de façon parfois très violemment spectaculaire. Un biosculpteur avait ainsi gagné une fortune. La réaction d'une de ses créations avait été de le chercher pour le tuer; il y a toujours une période d'incertitude, malgré tout, quant au moment précis où un artefact cesse totalement d'être fonctionnel, et le type avait parié que le sien s'autodétruirait avant d'avoir pu l'attraper. Il avait failli perdre son pari. Il y avait seulement laissé les deux bras et la moitié de la figure. Pas grave, on les lui avait fait repousser. Mais après quelques décès prématurés dans l'élite de Baïblanca à la suite de ces explosions intempestives, le gouvernement avait mis le holà. Ce qui n'avait pas empêché les bios de continuer pendant un moment. Il y avait encore des artefacts qui se déclaraient de temps en temps; mais on n'avait plus fait de *tigres,* les pénalités étaient trop coûteuses.

Iévguéni racontait tout ça avec une allégresse que les amoureux avaient trouvée répugnante. Ils ne connaissaient pas encore grand-chose de Baïblanca, les braves petits; ils entendaient les Jugementalistes fulminer contre la "Nouvelle Sodome", et maintenant, ils comprenaient pourquoi: cette société décadente ne valait guère mieux que les Eschatoï, les démolisseurs de digues, qu'elle avait pourtant combattus. Ils se comprenaient si bien, petite fille, Rick et Manou, les purs, la nouvelle génération d'alors. (Oh, nos discussions grandioses, tard dans la nuit, sur ce que nous ferions pour ce pauvre monde mal en point, une fois entrés à l'Institut!) Ils ont regardé avec Iévguéni le marcheur arriver au banc et s'asseoir près de la dormeuse en bleu. Iévguéni s'est mis à rire en sentant les amoureux se raidir : le marcheur ne leur ferait rien, si ça se trouvait il ne les entendait même pas ! C'était un artefact, un *objet !* Mais il n'avait pas dit qu'ils s'autodétruisaient en explosant ? "On ne fait plus de *tigres,* je vous ai dit !"

Les *moutons* avaient une fin bien moins spectaculaire : ils devenaient de moins en moins mobiles, et finalement leur matière artorganique se déstabilisait. Alors, les artefacts se sublimaient en poussière ou bien… Iévguéni s'est levé en parlant, il s'est approché de la dormeuse en bleu et de son index replié il lui a frappé le front, "… ils se minéralisent."

La jeune femme en bleu n'a pas bougé ; l'homme non plus ; il semblait n'avoir rien vu, en effet, rien entendu. Il contemplait la dormeuse.

Quand Iévguéni a rattrapé les amoureux, tout essoufflé, il a conclu, "Et vous savez comment on les appelle, ces deux-là ? Tristan et Yseut !"

Mort de rire. Il n'a sans doute jamais compris pourquoi nous l'avons systématiquement évité, par la suite. Que veux-tu, nous avions la fibre morale, Rick et moi. Les provinciaux, c'est mieux élevé que les Baïblancains.

Au fond, rien ne serait peut-être arrivé, ou pas de la même façon, si je ne lui avais pas tant ressemblé, à ma *mère*. Oh, pas physiquement. Mais les principes. Et l'obstination qui va avec. Les réconciliations aussi féroces que les empoignades. On s'amusait bien, toutes les deux. Elle me racontait des histoires extraordinaires, elle savait tout, elle pouvait tout faire, j'en étais persuadée et c'était presque vrai. Un homme, pour quoi faire ? (Parce qu'un jour, tu dois le savoir aussi, il faut bien poser la question du père.) Et là, j'ai bien senti une blessure quelque part en elle, une amertume malgré ses efforts d'honnêteté ("Ils ne sont pas tous inutiles", avait-elle dit en riant). Et c'était vrai qu'elles n'avaient pas besoin de quelqu'un d'autre entre elles, elles étaient bien toutes les deux dans la grande maison qui donnait sur la plage. Elle faisait tout : les leçons, la cuisine, le bricolage – et les jouets, en tissu, en bois, en n'importe quoi, quand j'étais petite ! Car c'était une sculpteuse, à ses moments perdus, Taïko Orogatsu. Je la revois, de la terre jusqu'aux coudes et même sur la figure, tournant comme une panthère autour de son bloc de glaise et se parlant toute seule en japonais. Je croyais que c'était des incantations magiques. Elle y tenait beaucoup, à cette langue, mais elle ne me l'a jamais apprise. C'était bien tout ce qui lui restait du Japon où elle n'avait jamais mis les pieds : ses ancêtres avaient émigré bien avant les Grandes Marées et l'engloutissement final. Elle n'avait même pas les yeux bridés.

Mais je ne te raconterais pas des souvenirs de cette époque-là, petite fille. Ce sont peut-être des mensonges. Vrais souvenirs, souvenirs implantés ? Je n'en sais rien. Mais même si ce sont des implants, elle les a voulus tels, ce doit bien être révélateur, malgré tout. Car je me rappelle ses défauts aussi, sa brutalité pragmatique, ses impatiences, ou alors les interminables argumentations logiques qui venaient s'échouer sur un arbitraire soudain, ses et-puis-c'est-comme-ça-tu-comprendras-plus-tard. Classique aussi, la complainte de l'adolescente. Une autre série de souvenirs implantés ? Ai-je vraiment fait la belle grande crise d'ado-lescence, je-veux-vivre-ma-vie-pas-la-tienne, ou est-ce que je crois seulement être partie en claquant la porte ? Elle voulait que j'étudie la génétique, moi, je voulais être pilote spatiale. Cette carrière démodée, presque unique objet de notre dissentiment, je la voulais pour

moi ou contre elle ? À quel point était-ce sérieux ?
Car enfin, quand je me suis sauvée du Centre Médical
après la révélation du médic, ce n'était pas sur ma
future carrière brisée avant d'avoir commencé que je
pleurais.

Après non plus, je n'ai pas versé de larmes dessus.
Je n'ai pas pleuré, d'ailleurs. Pendant des années, à en
crever. Furieuse, la demoiselle-qui-venait-d'apprendre-
qu'elle-était-un-artefact, peux-tu comprendre ça, petite
fille ? Transportée de fureur et de haine. La Taïko qui
avait fait ça, qui m'avait *faite*, ce ne pouvait être celle
de mes souvenirs ! Mais si. Elle m'avait fait ça, pour
que je l'apprenne de cette manière-là, et que je de-
vienne folle et que je fasse des horreurs, que je tue
des gens, que je la tue, que je me tue. Ce n'était pas
possible ! Si. Un monstre, sous la Taïko que je pensais
me rappeler. Deux visions opposées qui se rencon-
traient dans ma tête, matière/antimatière, et moi au
milieu de la déflagration. Ça fait de la poussière et du
vide, les piliers de toute une vie qui s'effondrent.

D'ailleurs, tu vois, la dame était tellement vidée
qu'elle se rappelle à peine les semaines suivantes. Elle
a plongé loin sous la surface civilisée de Baïblanca,
dans le courant sous-marin des non-personnes : jeté
dans un incinérateur sa carte de crédentité, disparu
aux yeux de l'Université Kérens, de l'Institut, de tout
le réseau. Et tu sais, c'est extraordinairement facile de
vivre sous l'eau, une fois qu'on a renoncé à respirer.
Le courant n'était ni violent ni froid ; les créatures qui
l'habitaient étaient même d'une indifférence qui frôlait
la bonté.

Presque aucun souvenir cohérent. L'atelier clan-
destin où on ne posait pas de questions. Le travail
mécanique, au jour le jour. Une coque vide. En automatique. Je n'ai jamais autant été un artefact qu'à

cette période-là. Et les cauchemars : j'étais une bombe à retardement et j'allais exploser. Alors oui, bien entendu, il fallait devenir une automate, pour la protection. Ne pas commencer à penser, surtout, et encore moins à ressentir.

Seulement un jour, par hasard, la dame a rencontré le marcheur. Et pendant des semaines, elle est devenue la suiveuse. Fascination horrible. Il marchait de plus en plus lentement, des gens se retournaient sur lui, ceux qui ne savaient pas. Et puis c'est arrivé, en plein jour. Je l'ai croisé sur la Promenade, marchant si lentement, si lentement, comme s'il flottait dans une bulle d'autre temps. Ce n'était pas du tout son heure habituelle. Et sur son visage, quelque chose, comme s'il était… pressé. Dans le Parc aux Colibris, la dormeuse dormait, nonchalante, en plein soleil. Il s'est arrêté et, avec cette impossible lenteur, il a commencé à s'asseoir près d'elle, mais cette fois le mouvement a continué : il s'est replié contre elle, il a posé sa tête au creux du bras sur lequel la dormeuse appuyait la sienne, il a fermé les yeux, le mouvement s'est arrêté.

Et la suiveuse s'est assise près du marcheur enfin arrivé, et elle a regardé sa chair devenir pierre. Comme l'éclosion à la surface de la peau d'un lent et ultime frémissement venu des profondeurs, et puis ce raidissement imperceptible tandis que les cellules se vidaient de leur substance et que leurs parois se minéralisaient. Rapide comme l'ombre d'un nuage, l'extinction de la vie.

Et moi, j'ai eu l'impression de me réveiller. Je suis restée là longtemps, et je pensais, je ressentais de nouveau. À travers la fureur, cette… non, pas de la paix, mais une résolution, ou une certitude, le début d'un *mouvement,* en tout cas. J'ignorais quelle fin on avait programmée pour moi, explosion, sublimation ou pétrification, mais tout à coup, c'était devenu tolérable. La fin, comme une maladie annoncée… Tu sais que ça arrivera, mais tu ne sais pas encore exactement quand, ni comment. Des tas d'humains vivaient ainsi. Pourquoi pas moi ?

L'idée de revanche est venue plus tard. Je ne lui donnerais pas la satisfaction de me voir mourir avant mon temps, à ma "mère". Je ne lui donnerais pas ce spectacle. Je ne me donnerais pas en spectacle. Je ne sortirais pas avant la fin. J'irais jusqu'au bout.

Mais j'avais quand même encore assez le sens du geste pour aller chez les récupérateurs.

Non. Le geste vraiment théâtral, ç'aurait été d'aller vivre dans une Zone : "Je suis un monstre, je vais rejoindre les monstres." Mais aller chasser dans une Zone… C'était joliment pervers, non ? J'aurais dû être dans le filet, mais c'était moi qui le tenais, le filet, pour en attraper d'autres. J'aurais pu devenir vilaine. Très vilaine. Vraiment. Mais j'en ai trop vu, des récupérateurs sadiques, des fanatiques, des malades. Et puis, impossible de ne pas me reconnaître dans mes proies. Pas une croquemitaine, après tout, cette récupératrice-là. Sur le fil entre dégoût et compassion, et finalement j'ai basculé du côté de la compassion. Par hasard. Ou parce que j'ai été bien élevée. Ou bien programmée. La même chose du point de vue des résultats, le seul qui compte.

C'est ce que pensait Brutus : le seul résultat qui comptait pour lui, c'était que j'avais ouvert sa cage pour le laisser partir. Brutus. Il s'était donné ce nom parce que la paralèpre ne lui avait encore touché que le visage à ce moment-là, le transformant en mufle de lion. Assez beau, d'ailleurs. On trouve vraiment de tout dans les cages des récupérateurs, petite fille : ce spécimen-là était terriblement cultivé. Il existe encore beaucoup d'infothèques fonctionnelles dans les Zones. "La programmation intégrale des artefacts, c'est une légende entretenue par l'Institut. C'est bien plus aléatoire que ça, en fait. Implanter des souvenirs, oui, peut-être. Mais surtout mettre en place la faculté d'apprendre, et un certain nombre de prédispositions, qui ne s'exprimeront pas toutes, selon les circonstances – exactement comme chez les êtres humains." Plutôt bizarre, discuter de la nature de la conscience et de la liberté avec un semi-homme accroupi au clair de lune. Car oui, Brutus est revenu me voir, petite fille, souvent, mais c'est une autre histoire.

La dame est pourtant restée récupératrice, après Brutus. Pas pour livrer des spécimens au lointain Institut : pour qu'ils lui échappent. Ramener des plantes et des animaux, à la rigueur. Mais pas des quasi, pseudo, para, semi-*personnes* ! Combien de temps je pourrai continuer ainsi… ce sera une autre histoire aussi, je suppose. Ou bien ça ne fera pas tellement d'histoires, au fond : ils s'en moquent, à l'Institut. Ils sont si loin de notre vieille Europe malade, en Australie. Ils poursuivent leurs programmes de recherches comme des somnambules, ils ne savent sans doute même plus très bien pourquoi ; ils continuent sur leur lancée, c'est plus confortable.

Et la dame aussi, comme tu peux le voir, petite fille, a continué sur sa lancée. Il y a même longtemps qu'elle continue. Trente-deux ans, toutes ses dents, quand les artefacts connus ne durent pas plus d'une vingtaine d'années en phase active, au grand maximum. Alors un jour, à force de voir les rangs de ses collègues récupérateurs s'éclaircir autour d'elle – radiations, virus, accidents, ou "épuisement nerveux" comme on dit à l'Agence de ceux que leur folie, tout simplement, a rattrapés – elle a commencé à avoir des doutes sur son statut d'artefact. Et elle s'est fait refaire tous les examens. Pas au Centre Médical Kérens, bien entendu – mais une des règles de Baïblanca, c'est "tout ce qui se trouve en haut peut se trouver en bas" : il y a des médics spécialisés parmi les non-personnes. Artefacticité confirmée, en tout cas. La seule hypothèse raisonnable, c'est que je n'ai pas du tout trente-deux ans mais seulement quinze. Et tous mes souvenirs jusqu'à mon départ de la maison sont des faux, des implants.

Et ça me turlupine. Pas seulement parce que je devrais être en train d'approcher ma "limite d'obsolescence", comme l'a si joliment dit le médic qui m'a examinée – tout aussi époustouflé que le premier par la performance de ma biosculptrice. Mais je me demande pourquoi elle m'a faite ainsi, avec ces souvenirs-là. Je peux bien me permettre un peu de curiosité, tout de même, maintenant. Ce n'est plus si important de ne rien demander.

Tu voudrais savoir ce qu'elle va faire, la dame ? Moi aussi. Voir Taïko, tout simplement, avant sa mort ? Car elle est vieille, Taïko, cinquante-sept ans, c'est un âge avancé, maintenant, pour une humaine, tu ne vivras peut-être pas jusque-là, petite fille.

Voir Taïko. Se faire voir de Taïko. Inutile de dire quoi que ce soit, en fait. Me montrer. Lui montrer. Qu'elle a manqué son coup si elle m'a faite pour que je m'autodétruise avant mon temps… Mais elle ne peut pas avoir voulu ça ! Plus j'y pense, moins ça correspond à ce que je me rappelle d'elle. Même si mes souvenirs sont des faux. Non. Elle devait vouloir une fille à sa main, une créature qui l'adorerait sans jamais la contrarier. Elle n'avait pas pensé à l'imprévisibilité de toute création, ma rébellion, ma fuite… Si je me suis vraiment enfuie. Mais si c'est aussi un pseudo-souvenir, cette fuite, pourquoi me l'avoir implanté ? Qu'est-ce que ça peut bien vouloir dire ?

D'habitude, la dame emporte de la lecture ou de la musique en voyage : sinon, elle pense trop. Pourquoi n'avoir emporté aucune distraction cette fois ? Parce que je ne voulais pas être distraite dans ma remontée vers le nord, vers le passé ? Le coup de la nostalgie, avec des souvenirs vraisemblablement implantés ? Allons, Manou, un peu de sérieux ! Je ferais mieux d'aller boire quelque chose au wagon-restaurant. Inutile de continuer à spéculer ainsi. Je demanderai, elle expliquera. On ne fait pas ce qu'elle a fait sans avoir envie de s'expliquer, sûrement ? Même après tout ce temps.

Tu voudrais peut-être savoir, petite fille, comment la dame est sûre que Taïko Orogatsu est toujours vivante ? Eh bien, elle a pris des précautions : elle a vérifié. Mais sans appeler à la maison, tout de même. Au fond, est-ce bien utile d'y aller ? Ai-je vraiment besoin de savoir pourquoi elle m'a faite ainsi ? Et puis, en réalité, je vais dans la Zone de Hamburg. Je ne suis pas *obligée* de m'arrêter.

Voilà, le train finit de s'immobiliser. Mahlerzee. Tu vois, petite fille, c'est là qu'elle descend, la dame.

◆

Mémoire artificielle ou non, impossible d'échapper aux clichés : le-flot-des-souvenirs, ou le-paysage-qui-a-changé-en-restant-le-même. Le débarcadère complètement submergé maintenant à marée haute ; les statues de l'allée qui finissent de s'enfoncer dans le sable. Sur la terrasse, les vieux meubles en bois, scalpés de leur vernis par l'air salé ; un chat noir et blanc inconnu sur le paillasson devant la double porte entrebâillée de la salle de séjour. Aucun bruit. La potiche au dragon bleu, pleine de genêts fraîchement coupés. Il faudrait que j'appelle mais je ne peux pas, le silence m'oppresse. Elle ne me reconnaîtra peut-être pas. Je dirai n'importe quoi, que je suis une recenseuse, que je me suis trompée de maison. Ou m'en aller… Mais, "Bonjour, Manou", je ne l'ai pas entendue venir, elle est derrière moi.

Petite, toute petite, minuscule, comme un oiseau, était-elle ainsi, je ne me la rappelle pas si frêle. Les cheveux tout blancs, ébouriffés, elle devait faire la sieste. Les rides, la mollesse des joues, du menton, des paupières, et pourtant les traits paraissent plus nets, comme épurés, et les yeux, les yeux n'ont pas changé, larges et noirs, liquides, vifs. Essayer de penser : elle m'a reconnue, comment ? Déchiffrer son expression – je n'y arrive pas, il y a trop longtemps que j'ai perdu l'habitude de lire son visage, et ce n'est pas le même visage, ou c'est le même mais différent. C'est elle. Elle est vieille, elle est fatiguée. Je la regarde, elle me regarde, la tête rejetée en arrière, et je me sens énorme, une géante, mais creuse, fragile.

Et elle parle la première, elle dit, "Tu t'es récupérée, alors." Ironie, satisfaction ? Et je dis "Je vais dans la Zone de Hamburg, je reprends le train tout à l'heure", et c'est une *réplique,* je me *défends*. Je pensais que nous bavarderions de façon anodine, embarrassées sans doute avant d'en arriver à… Mais c'est vrai, elle n'a jamais aimé tourner autour du pot, et puis, quand on est vieux, on n'a plus de temps à perdre, n'est-ce pas ? Eh bien, moi non plus je n'ai pas de temps à perdre ! Et non, je ne vais pas recourir à la colère pour me tenir droite, j'ai appris à maîtriser ce réflexe-là ; il m'a maintenue en vie, mais ce n'est pas ce qu'il me faut ici. Je ne veux pas, absolument pas, me mettre en colère.

Elle ne me facilite pas les choses : « Pas mariée, alors, pas eu d'enfants ? » Et elle poursuit dans le silence où je m'étrangle : « Tu étais partie vivre ta vie, il fallait la vivre pleinement. Avec les dons que tu avais, devenir récupératrice ! Vraiment. Je ne t'ai pas élevée comme ça. »

Je ne peux pas me tromper sur cette intonation, c'est un *reproche* !

« Tu ne m'as pas faite comme ça, tu veux dire ! Mais c'est peut-être que tu m'as moins faite que tu ne le crois ! » Ça y est, on se dispute, ce n'est pas vrai, je rêve, quinze ans, et c'est comme si j'étais partie la semaine dernière !

« Ah, parce que tu as quand même pris la peine de vérifier ? Si tu t'étais donné juste un peu plus de mal, tu aurais vu que les artefacts ne sont pas nécessairement stériles. Bon, c'est vrai, l'Institut a enterré les données pertinentes, mais avec un petit effort… mais tu n'as même pas essayé, hein ? Quand je pense au mal que je me suis donné pour que tu sois tout à fait normale ! »

Soudain, un seuil est franchi quelque part, et de l'autre côté, encore de l'incrédulité, mais calme. C'est elle, Taïko. Pas une déesse, pas un monstre. Juste une femme avec ses idées fixes, ses limitations, sa bonne volonté, son inconscience. Je m'entends dire presque gentiment : « Je n'ai quand même pas réussi à passer tous leurs tests. »

Et apparemment elle a franchi son seuil en même temps que moi, et dans le même sens ; elle soupire : « Tu n'étais pas censée aller à Kérens… J'aurais dû te le dire. Quand tu étais petite. Mais je repoussais tout le temps. Et puis ça a été trop tard, tu étais en plein âge bête. Je ne pouvais pas te le dire à ce moment-là, enfin ! » Elle se ravise : « Eh bien, oui, j'aurais pu, ça t'aurait peut-être un peu calmée ! J'étais tellement furieuse quand tu t'es sauvée ! J'attendais un coup de

téléphone, une lettre. J'essayais de me dire, au moins,
l'Institut ne peut rien trouver sur elle. Ils ne savent
toujours rien, au fait. Le médic de Kérens m'a appelée
au lieu de les contacter. Un chic type. Il n'a jamais rien
dit à personne. Tu es simplement une brillante étudiante disparue sans laisser de traces. Ils m'ont offert
leurs condoléances, l'Université Kérens, l'Institut.
Après, j'ai essayé de te faire retrouver. Pourquoi ne
m'as-tu jamais appelée, sacrée tête de mule ?! »

C'est moi qui suis en position d'accusée, mais c'est
un comble, à la fin ! Je la regarde, fixement. Elle me
regarde, tranquillement. Et tout à coup, oui, c'est trop,
je me mets à rire. Elle aussi.

Pareilles, après tout ce temps.

« Mais enfin, tu es venue. Pas trop tôt, non plus. »

Après ça, un grand silence. Embarrassé, pensif ?
Elle, elle est pensive. « Tu devrais essayer. Des enfants. Aucune garantie de succès, mais ce serait hau-
tement probable. Tu n'as jamais essayé, vraiment ? »

Mais se rend-elle compte de ce qu'elle dit ?!

« Quoi, il n'y a jamais eu personne ? »

Rick, le premier. Et oui, quelques autres, pour voir,
d'abord, par défi, et après parce que ça n'avait plus
tellement d'importance, grâce à Brutus. Mais du diable
si je vais lui répondre là-dessus ! La réplique évidente,
plutôt : savoir qu'on est un artefact ne prédispose pas à
des relations particulièrement harmonieuses avec les
humains normaux.

« Les humains normaux, ce qu'il ne faut pas entendre ! Tu es née, que ce soit dans le labo en bas n'y
change rien. Tu as grandi, tu as fait des erreurs, tu en
feras d'autres. Tu penses, tu sens, tu choisis. Qu'est-ce
que tu veux de plus ? Tu es un être humain normal,
comme tous les soi-disant artefacts. »

Ah oui, comme le marcheur et la dormeuse, sans
doute ? Je serre les dents. Elle me dévisage, impatiente,

devine : « Quoi ? Oh, dans le Parc ! Écoute, il y a des biosculpteurs qui étaient stupides, ou dingues, mais c'est autre chose. Et bien sûr que certains artefacts étaient très limités. L'Institut s'en est assuré en occultant l'information nécessaire, toutes les recherches de Permahlion, le premier vrai biosculpteur. Ils l'ont pratiquement mis hors la loi, il y a quarante ans, et ils ont tout fait ensuite pour décourager les autres. Mais ça ne nous a pas empêchés de continuer. »

Je ne comprends pas ce qu'elle raconte, ça doit se voir, elle s'énerve de nouveau : « Mais qu'est-ce que tu crois, que tu es unique au monde ? Vous êtes des centaines, idiote ! Ce n'est pas parce que la race humaine originelle est condamnée à plus ou moins longue échéance que toute vie doit disparaître. C'était bon pour les Eschatoï, ce genre de raisonnement ! »

Et soudain, doucement, tristement : « Tu croyais vraiment que j'étais un monstre, alors. »

Que puis-je dire ? Je me laisse tomber sur le divan et elle s'assied aussi, pas trop près, lentement, en ménageant ses genoux. Oh, elle est vieille, vraiment vieille ; quand elle s'anime, le regard est là, la façon de parler, ces phrases à saute-mouton, mais tout s'éteint lorsqu'elle se calme. Je détourne les yeux. Après le silence, tout ce que je trouve à dire, c'est : « Tu en as fait d'autres ? Comme moi ? »

Et la réponse vient simplement, presque distraite : « Non. J'en aurais fait d'autres, sans doute, si Michaël était resté. Mais il a eu peur, en fin de compte. Et un seul bébé, pour moi, c'était déjà beaucoup.

— Tu m'as faite… bébé ?

— Je voulais que tu sois aussi normale que possible. Rien n'empêche la matière artorganique de se développer aussi lentement que l'organique. En fait, c'est même mieux. La personnalité se développe en même temps. Je n'étais pas spécialement pressée.

« — Mais tu n'en as jamais fait d'autres… par la voie habituelle ? »

Un sourire triste-amusé : « J'étais stérile, voyons, Manou. Ou plutôt, mon matériel génétique était tellement abîmé, c'était impensable d'essayer d'avoir des enfants par la voie habituelle, comme tu dis.

— Et moi je peux.

— Théoriquement.

— Après avoir travaillé une quinzaine d'années dans les Zones contaminées.

— Oh, mais vous êtes bien plus résistants que nous ! C'est ça la beauté de l'artorganique, on peut améliorer la nature. C'est le danger aussi, bien entendu. Mais en fin de compte, ça veut dire que vous avez une chance de vous adapter bien mieux que nous au nouveau monde. Tu ne te rappelles pas ? Tu n'étais jamais malade, quand tu étais petite. »

Et je cicatrise très vite. Oh oui, le médic me l'avait fait remarquer, au Centre Kérens. Une constante des artefacts. Pas une preuve, selon lui : une mutation humaine de ce genre avait été assez répandue, une centaine d'années plus tôt. Un parallélisme, avait-il souligné, pas une preuve. Un indice qui s'ajoutait à tous les autres pour alourdir la présomption.

« Je te dis – elle continue à s'obstiner – tu devrais essayer d'avoir des enfants. »

Elle tient vraiment à savoir si son expérience a réussi, c'est ça ?

« À trente-deux ans, c'est un peu tard, non ?

— Un peu tard ? Tu es en pleine force !

— *Pour combien de temps ! ?* »

Je suis debout, les poings serrés, je ne savais pas que je m'étais levée, je ne savais pas que je tremblais. Si elle s'en est rendu compte, elle n'en montre rien. Elle hausse les épaules : « Je ne sais pas. » Et, avant que j'aie pu réagir, avec son ancien petit sourire sarcastique : « Au moins autant que moi, en tout cas. Plus longtemps, si j'ai bien fait mon travail. Mais combien de temps exactement, je l'ignore. »

Elle me dévisage, les yeux un peu plissés, et elle n'est plus vieille ni fatiguée, soudain : elle est sans âge, très doucement triste, très sage : « Tu croyais que je pouvais te le dire. C'est pour cela que tu es venue.

— Tu m'as faite, tu devrais le savoir !

— Moi aussi, on m'a faite, autrement, mais on m'a faite. Et moi non plus je ne sais pas quand je mourrai. » Le petit sourire ironique revient : « Je commence à en avoir une idée, remarque. » S'efface : « Mais pas de certitude, pas de date. C'est ça aussi, être humaine, tu n'as rien appris en quinze ans ? La seule façon d'être sûre, c'est de se tuer. Tu ne l'as pas fait. Alors continue. Tu vivras bien assez longtemps pour oublier beaucoup, et tout réapprendre. »

Et elle regarde la vieille montre qui glisse à son poignet d'oiseau : « Encore une heure avant ton train. Tu veux manger quelque chose ?

— Tu es pressée que je m'en aille ?

— Pour une première fois, il vaudrait mieux ne pas trop tenter la chance.

— Parce que tu crois que je vais revenir ? »

Et elle, doucement : « J'espère que tu reviendras. » De nouveau le sourire sarcastique : « Avec un ventre gros comme ça. »

Je secoue la tête, je n'en peux plus, elle a raison. Je me lève pour prendre mon sac près de la porte. « Je crois que je vais retourner à pied à la gare. »

Elle m'accompagne tout de même sur la terrasse, descend avec moi sur la plage. En passant près d'une des statues, elle pose la main sur la pierre grise, informe. « C'était sa maison, à Permahlion. Les statues, il les avait ramenées lui-même, il aimait faire de la plongée sous-marine, quand il était jeune. J'ai été sa dernière élève, tu sais. C'est lui qui a créé les premiers humains artorganiques. Il ne les appelait pas artefacts. Ça l'a tué, ce qu'on en a fait après lui. »

Comme toujours lorsque le soleil perce enfin les nuages, il fait vite chaud. Dans le mouvement que je fais pour enlever ma veste, je la vois qui me regarde ; elle m'arrive à peine à l'épaule. Il doit y avoir longtemps qu'elle n'est pas allée au soleil, elle est si pâle.

Je cherche au loin quelque chose d'autre à regarder. À quelques encablures de la plage, il m'a semblé voir des formes qui sautent dans les vagues. Des marsouins ? Des nageurs ? Un bras au-dessus de l'eau, comme un signe…

Elle met une main en visière devant ses yeux : « Non, ce sont les sirènes de Permahlion. Enfin, je les appelle "sirènes". Elles reviennent ici depuis quelques saisons, je ne sais pas pourquoi. Elles ne parlent pas et elles sont très timides. » Et, devant mon silence stupéfait, elle remarque avec acidité : « Quoi, tu as quelque chose contre les humanoïdes ? »

Non, bien sûr que non, mais…

Elle repousse mes questions, les mains écartées devant elle : « Je chercherai tout ce qu'il y a là-dessus au labo. Tu pourras voir ça. Si jamais tu reviens. » Un nuage semble passer sur elle, rapide, qui l'éteint à nouveau : « Je suis fatiguée, ma fille. Le soleil ne me réussit plus. Je vais m'étendre un peu. »

Et elle s'en va, comme ça, sans un mot de plus, sans un geste, toute petite, trébuchant un peu dans le sable. Et je veux la regarder partir, et je ne veux pas la regarder partir, comme si c'était la dernière fois, parce que c'est peut-être la dernière fois, et le "ma fille" s'est fiché quelque part dans ma poitrine, il croît, il me déloge, et la pression devient tellement forte que j'enlève mes habits et que je plonge dans l'eau verte et tiède pour nager en direction des créatures marines. Le premier élan d'énergie épuisé, je me retourne sur le dos, je regarde vers la maison. La petite silhouette s'est arrêtée sur la terrasse. J'agite un bras, je crie, "Je reviendrai, maman!", je ris, et mes larmes se confondent avec la mer.

19 juin 1984

... Suspends ton vol

Le jour, je vais vite, nulle part, mais vite, ne bouge pas, impossible, trop concentrée, ailes déployées, tête levée, yeux dans le soleil, quand il y a. Maintenant, par exemple, pas de nuages, rien que la lumière, en pluie, cataracte, maelström, ouragan. Et moi, dedans, par tous les pores, de la peau, vous diriez, oui, sous les poils. Peau nue : seulement le visage, le torse. Reçoit la lumière, aussi, mais moins efficace. Les poils, surtout, boivent le soleil, comme les plumes de mes ailes, millions d'antennes, si vous voulez, conduits, minuscules, bouches avides, langues, mains, millions de doigts, tendus vers la lumière, énergie de partout : je me charge. À l'intérieur, la lumière transformée : nourriture, force, de cellule en cellule, éclairs, tourbillons, dans tout mon corps, vibration continue, j'absorbe, éponge électrique, la vie, vite, mon corps va vite. Dehors immobile, presque. À l'intérieur métabolisme accéléré, échanges chimiques, neurones, tout, accéléré. Je me charge, et je brûle, ma matière, ma vie, à toute allure, derrière chaque pensée, frénésie condensée, chauffée à blanc, brasier, crépitant. Immobile, presque : vous ne me voyez pas, bouger, n'ai pas l'impression, non plus, de bouger, mais je tourne, avec le soleil-aimant, comme les fleurs, mais pas fleur, moi :

lionne, femme, ailée. Statue, vous dites, inexact, mais quel autre mot, pratique : sur un piédestal, après tout, immobile, presque, le jour.

Vous êtes immobiles, pour moi, le jour, presque, moins que moi pour vous, mais lents. Tout, autour, devient lent, après l'aube : le soleil monte, se hisse, ralentit, rampe, imperceptible, dans le ciel, le chant des oiseaux, aussi, dans le Parc, s'étire, descend, de plus en plus grave, jusqu'à une basse continue, modulations, mais très espacées, avec le vent, quand il y a, dans les feuilles, musique, solennelle, méditative, j'aime. Derrière, encore plus grave, le bruit de la ville. Parfois sons, images, mêlés, déplacement des feuilles, des ombres, comme une musique, presque, des nuages, quand il y a, les fleurs, ouvertes avec le jour, pendant un siècle. Des fois j'essaie, saisir le moment, quand ça change, fleurs, ombre, nuages : difficile, impossible presque. Alors je regarde ailleurs, ou ferme les yeux, et reviens : plus ouverts, les pétales, près des pistils, davantage, l'abeille, mais tous pris, dans l'ambre invisible, la durée, ralentie. Vision télescopique, je pourrais peut-être, en grossissant, des millions de fois, voir la sève, qui monte, la chair de la fleur, qui se tend, dans les nuages, l'accrétion, patiente, des molécules. Mais vision humaine, pas surhumaine, moi. "Regarde" : inexact aussi, difficile de vouloir, le jour. Simplement : yeux ouverts, je vois, mes yeux perçoivent, le reste aussi, odorat, goût, ouïe, toucher, tout fonctionne, vitesse normale, mais mon cerveau, non, trop concentré sur l'énergie, la recharge : enregistre, retransmet, au compte-gouttes, une goutte, toutes les décades. Si je veux, regarder, changer la direction, de mon regard, un effort, qui prend, des siècles.

De la brume un peu, sur le soleil. La couleur du ciel change ; surtout, ma vitesse change ; moins de lumière : je ralentis, un peu ; les feuilles, les ombres, les nuages, les insectes : un peu plus rapides ; je verrais presque bouger les ailes de l'abeille. Un jour lent, peut-être ? Jours lents, pour moi, les jours de soleil atténué ; brume ou nuages qui passent : je me charge moins vite ; je vis, je meurs moins vite.

Les premiers promeneurs, au fond de l'allée, dans quelques siècles, devant moi passeront, s'arrêteront. Touristes, c'est l'été, toujours beau ici, de toute façon : le Sud, chaud, juste assez de vent, l'été, contre la brume. Quelquefois, humide, toute cette eau en suspens, invisible, fantôme des glaces fondues, loin aux pôles. Quelquefois, il pleut, je bois, tête levée, pas besoin, mais plaisant. Après, les graviers, brillants, les flaques dans les allées, les enfants qui barbotent, les oiseaux qui se baignent, au ralenti, gouttelettes, ondes, miroitements, vite asséchées ces eaux-là, marées du ciel. Ailleurs, il pleut davantage, je sais, mais ici, des fois, on peut oublier, les autres marées, partout, qui mangent la terre. Pas moi : je suis dans la grande allée, au plus haut du Parc, face à la Promenade du Bord de Mer, je les vois, en bas, les marées.

Je les vois, les regarde, de temps en temps. Mon horloge intérieure sait toujours. Telle décade : une minute dehors dans le monde lent, telle année une seconde, je sais, exactement. Quand je suis tournée du bon côté, je regarde la mer, toutes les cinq minutes, dois découper pour voir : la mer qui se gonfle, une aspiration, qui ne finit pas, qui monte, dépasse les vieilles marques, sur la jetée, lignes bleues, rouges. La ligne noire, ne devait jamais l'atteindre, ils pensaient : sur une falaise, quarante mètres d'altitude, la ville. Et voilà : disparue, la ligne noire. Monte, au ras des parapets sculptés, la mer, à travers les entrelacs de pierre, nappe sur la Promenade, mirage de chaleur, au pied des arbres, mercure sous le soleil. Roule, tremble, sous les pieds des promeneurs, derrière les roues des calèches, éclaboussures fixes, suspendues aux sabots levés, la mer dans la ville, lente, irrésistible.

Davantage de promeneurs, pas seulement des touristes : à cette heure, les habitués. Vous aimez venir au Parc, sur les hauteurs, loin de la mer, lui tourner le dos, monter vers moi. Vous vous propagez entre les statues, vous repliez pour vous asseoir, dans l'herbe, sur les bancs, interminablement, presque statues vous-mêmes, si je ne vous vois pas trop longtemps : "L'Amateur d'Oiseaux", "La Dame au Chien", "Les Amoureux". Vos titres, ils changent avec le temps. "La Dame au Chien" : "aux Chiens", pas forcément les siens, "La Promeneuse de Chiens" ? "Les Amoureux" : juste "L'Étudiante", "Le Philosophe", chacun de son bord, puis la rencontre, le mois de la première phrase, la semaine du premier sourire, ensuite les regarder partir, ensemble, un siècle, et revenir, un autre siècle, les mains qui se cherchent, anémones de mer, dans un courant magnétique. Quelques heures, un autre titre : "Le Baiser". Vont changer encore : leurs corps se placent autrement, leur espace à deux, plus le même, leurs regards, ailleurs. "La Rupture", peut-être ?

La brume est passée, le soleil tourne, immobile, dans le ciel, presque. Tropisme, je bouge aussi, ne vois plus la Promenade, mais le banc de La Dormeuse, vraie statue, elle, robe bleue, jambes croisées, joue appuyée sur une main. Près d'elle, aujourd'hui, un adolescent, un vrai, humain, peau tabac blond, yeux fermés, sans chemise. Prend le soleil, mais quelle différence ? Il ne bouge pas non plus, pour moi, ou si peu, un souffle toutes les heures.

Je vois ailleurs, nuages, ombres, feuilles, autres promeneurs en transit, imperceptibles, pendant plusieurs éternités. Ou je ferme les yeux, aussi, pour voir l'énergie brasiller, derrière mes paupières, course fulgurante, la vie dans mes cellules, la mort.

Yeux rouverts, banc effacé : le dôme des colibris, maintenant, la grande pelouse centrale ; lumière moins ardente ; ombres plus longues ; la couleur du ciel change plus vite ; les ailes des colibris vibrent ; derrière leur dôme transparent, ils commencent à bouger pour moi, de fleur en fleur ; dans les arbres, la symphonie des oiseaux libres glisse à nouveau vers les aigus ; où se détache bientôt le chant de celui-ci ou celui-là, que je reconnais ; vous vous promenez en nageant avec grâce dans les allées, élastiques ; l'orbe du soleil coule derrière les feuilles agitées par la brise comme dans une rivière. Cette infinité de jour s'achève. En moi, les palpitations de l'énergie s'espacent, diminuent, retombent. Il y a une période très brève où tout s'arrête, où je me sens comme suspendue, le temps que des signes s'inversent, que des flux se réorganisent, que d'autres ordres m'animent...

Le crépuscule arrive, le temps des questions. Les vôtres.

Mais d'abord, laissez-moi jouir de mon corps retrouvé. Laissez-moi bâiller à m'en décrocher la mâchoire, tourner la tête, à gauche, à droite pour me dénouer le cou. Refermer mes ailes, les déployer, me lever, m'étirer – les griffes des deux pattes antérieures agrippées au rebord du piédestal, le dos incurvé, la croupe levée, arc-boutée sur mes pattes postérieures, la queue fouaillant l'air. Et prendre enfin la position dans laquelle je vous répondrai. Assise, les ailes repliées, la queue enroulée autour des hanches, la tête humaine bien droite entre les épaules fauves, le poitrail bien visible avec ses deux petits seins juste au-dessus de l'endroit où les poils du pelage commencent à apparaître. Cette position-là dérange certains d'entre vous, il m'a fallu longtemps pour en comprendre une

des raisons : trop de femme. Ils me préfèrent en position couchée, la tête appuyée sur les pattes, soit
allongée tout du long, soit enroulée sur moi-même.
Et les yeux fermés. Mais cela ne convient pas, je le sens
bien, et c'est finalement assise que je vous réponds.
Mon visage est ainsi à la hauteur des vôtres quand
vous êtes debout. Peut-être est-ce aussi cela qui vous
dérange, vous qui passez en détournant la tête ou en
faisant semblant de ne pas me voir.

Vous ne posez plus beaucoup de questions, maintenant. Vous ne m'en avez jamais beaucoup posé.
C'était surtout au début, quand j'étais une nouveauté.
Ou du moins un objet de scandale, car on avait fait
des statues parlantes avant moi, il y a une cinquantaine
d'années. Mais en créer une juste au moment où la
biosculpture allait être mise hors la loi, il fallait être
Angkaar pour le faire et s'en tirer avec impunité. Il
était célèbre, controversé depuis si longtemps que
c'en était une routine. Et vieux, et au bord de mourir,
tout le monde le savait. Il avait des amis bien placés :
on lui a laissé faire sa dernière statue, et ensuite, on
les a interdites.

Son visage est dans mon premier souvenir, et dans
le second, et tous les autres jusqu'à ce qu'il m'en-
dorme et que je me réveille sur ce piédestal dans le
Parc, devant la foule admirative et choquée. Il n'a
laissé personne interférer avec son ultime création :
les progrès de la technologie le lui permettaient. Quand
j'ai ouvert les yeux pour la première fois : son visage,
parchemin d'ivoire finement gravé de rides, tendu sur
une architecture d'os délicats, le grand front bombé,
la bouche lasse, les yeux comme des escarboucles au
feu trop noir dans la blancheur de la face. Sa voix,
rauque, toujours un peu essoufflée. Je me rappelle
tous les apprentissages – vous dites "programmation",
vous dites "conditionnements". Il a voulu que je me

les rappelle, que je me souvienne aussi de lui. Il a
voulu que je sache ce que j'étais et comment je l'étais.
Un artefact. Une sculpture vivante. Une créature artificielle, au confluent de l'organique et de l'électronique.
Mon corps, mon cerveau, leur croissance, leur assem-
blage : artifices organiques. Programmés mes mouvements, mes réflexes, ma mémoire, les algorithmes de
mes pensées. Mes pensées elles-mêmes ? Oui, certaines
d'entre elles. Là commence l'incertitude dont Angkaar
m'a fait cadeau.

Il y a des limites physiques très étroites à ce que je
peux faire sur mon piédestal, outre le mouvement
indépendant de chacun de mes membres : m'asseoir,
me coucher dans deux positions différentes, me dresser
sur mes quatre pattes, battre des ailes, bouger la tête
et le torse. Je ne peux pas "sauter" pour "descendre".
Ces termes mêmes n'ont pas de référents physiques
pour moi, mes articulations ni mes muscles n'en ont
le souvenir. Je n'en éprouve évidemment pas le désir.
Les quelques mouvements auxquels je puis me livrer
suffisent à me satisfaire, plus même, à me procurer
un plaisir intense, comme d'ailleurs toutes mes sen-
sations. J'ai cru, au début, qu'il y avait aussi des limites
à mes pensées. Puis j'ai compris peu à peu que c'étaient
plutôt des limites à mes émotions. Vos questions m'en
ont fait prendre conscience. Et mes réponses. Au début,
je ne savais jamais ce que j'allais vous dire. Après tout,
il faut que vous entriez dans mon champ perceptuel
pour que je vous réponde, à l'intérieur du cercle magique d'environ quatre mètres de diamètre inscrit dans
le sol autour de mon piédestal, en petites plaques trian-
gulaires de marbre noir. Au-delà de cette limite, je ne
vous perçois pas assez bien ; vos expressions, le langage
gestuel de votre corps, oui, mais pas celui, électrique
et chimique, des émotions qui vous entourent comme
une aura sensible à moi seule : j'en ai besoin pour vous

répondre. Alors, au début, j'attendais mes paroles, mes oracles, comme vous, en croyant comme vous que toutes mes brèves réponses étaient programmées. Mais avec le temps, j'ai pu constater qu'elles ne se répétaient jamais. Qu'elles tiennent compte de ce que j'ai appris pendant ces presque dix années de mon existence, puisqu'elles évoluent. Et conclure qu'elles doivent bien, d'une façon ou d'une autre, s'adapter à vos questions. Que, d'une façon plus obscure encore, elles doivent même y répondre. Pourtant, je ne puis dire que c'est moi seule qui parle. Sans doute est-ce en même temps mon créateur, un écho rémanent qui s'efface en moi peu à peu. J'ai appris à mieux le connaître ainsi, en creux, dans ce que je ne peux ressentir bien que je puisse le penser, dans la distance entre vos curiosités et mes énigmes. Entre mes questions et les réponses que vous ne me donnez pas, aussi.

Mais le crépuscule est le temps de vos questions, non des miennes. Nos durées se rencontrent pendant des périodes si brèves, il n'est pas étonnant qu'Angkaar m'ait programmée pour être laconique. Cela correspondait aussi à son projet, à ma nature, au titre inscrit sur mon piédestal et que je n'ai jamais lu. Je ne m'étais jamais vue, non plus. J'ignore si c'était l'intention de mon créateur – il m'a dit ce que j'étais, et j'ai de toute façon en mémoire tout ce qu'il y a à savoir sur les sphinx, mais il ne m'a jamais tendu de miroir pendant mes apprentissages, et je ne trouve pas de désir de me voir lorsque je cherche en moi. Pourtant, lorsque je me suis vue…

Le peintre arrivait le matin et tournait en même temps que moi, car je le voyais devant moi chaque fois que je rouvrais les yeux ou que je ramenais mon regard des confins du Parc, des lointains de la ville ou des hauteurs du ciel. Je le connaissais : je l'avais vu à plusieurs reprises avec Angkaar. D'abord au vernissage. Angkaar avait voulu redonner au terme sa valeur littérale, en l'inversant, bien entendu : il m'avait enduite d'un vernis thermosensible opaque dont le soleil déclinant avait défait les liens chimiques en même temps que je m'éveillais. Puis j'avais vu le peintre à l'occasion de quelques promenades dans le Parc avec un Angkaar de plus en plus affaibli, les dernières en chaise automotrice. Angkaar aimait à venir au Parc, dans ses dernières semaines, sans doute parce que plusieurs de ses œuvres s'y trouvaient. "Il y en aura d'autres", avait-il dit de façon cryptique aux journalistes, le soir de mon vernissage. Personne n'avait compris alors. Moi non plus. Il venait surtout au crépuscule, bien sûr. Il s'arrêtait devant moi. Il écoutait les gens me poser des questions. Lui ne m'en a jamais posé. Longtemps j'ai cru que c'était parce qu'il savait toutes les réponses. Je sais maintenant que c'était parce qu'il ne les connaissait pas. Le peintre (était-il peintre alors ? Peut-être) ne demandait rien non plus. Il se contentait de tenir le bras ou la main d'Angkaar, plus tard le dossier de sa chaise mobile. Il était plus jeune, la trentaine à peine dépassée, très brun, très mince, l'air anxieux de qui s'attend toujours à être rejeté. Angkaar était pourtant aimable avec lui, ou était-ce de l'indifférence ? Ils ne sont jamais entrés dans mon cercle perceptif. Alex. Il l'appelait Alex. Et un jour Alex est revenu seul. Au crépuscule. Il est resté devant moi, juste à l'extérieur du cercle, longtemps, à me dévisager avec une expression que je ne comprenais pas (j'ai appris plus tard que c'était de la haine). Puis il a dit : "Il est mort." Comme ce n'était pas une question, il n'y a pas eu de réponse. Il est resté jusqu'à ce que les lumières du Parc s'allument, il a tourné les talons et il est parti.

Je l'ai revu deux ans plus tard, avec un chevalet et une toile – les techniques archaïques connaissaient un renouveau, à cette époque, le Parc était plein de peintres amateurs. Il arrivait toujours quand le soleil montait des arbres à l'est, repartait toujours quand le soleil glissait entre les arbres à l'ouest: il ne voulait pas de paroles entre nous. Il faisait des esquisses. Après quatre jours, il a disparu. Une semaine plus tard, il est encore revenu. Il a attendu que les derniers peintres plient bagage, puis il a pris sa toile – une grande chose de presque un mètre carré – et s'est avancé vers moi. D'un pas comme hésitant. S'est arrêté juste à l'intérieur du cercle. A disposé sa toile de façon que je la voie. Il avait peur. Il avait mal. C'était une reproduction de style hyperréaliste, mais avec des couleurs toutes décalées vers le rouge. La silhouette ailée était enchaînée au piédestal, en position couchée, mais le torse redressé. L'aile gauche pendait, brisée. L'aile droite était à demi déployée. Du sang avait coulé de l'épaule sur le sein gauche, coulait de la bouche aux lèvres entrouvertes. La tête était un peu penchée sur le côté, comme si la coiffe brodée était trop lourde, ou comme si s'était épuisée la rage qui avait porté la créature à se déchirer elle-même. Le visage était celui d'une femme sans âge aux grands yeux orange étirés vers les tempes, au nez court, un peu busqué, aux pommettes hautes et larges. Au bout d'un moment, Alex a demandé: "Qui est-ce?"

Je me suis entendue répondre: "C'est toi." Il s'est raidi, puis il a semblé s'affaisser sur lui-même. Sans un mot, il a tourné les talons et il est reparti avec la toile.

Moi, j'ai profité de l'absence d'autres questionneurs pour réfléchir au sentiment complexe qui m'avait saisie en voyant mon image. Malgré ma réponse à la question d'Alex, j'avais immédiatement supposé, par reconstruction logique, que cette image était la mienne. Ou du moins une image à ma ressemblance, puisque

je n'ai pas d'aile brisée. Ce n'était pas vraiment moi…
et c'était moi malgré tout. Pourquoi en étais-je en même
temps si *sûre*, en dehors de toute logique ? Angkaar ne
m'avait pourtant pas montré d'images correspondant
à la description purement verbale que contenait ma
mémoire. Une créature au corps de lion, aux ailes
d'aigle, mais au torse et au visage humains, et femelle.
Lion, aigle, femme, j'avais déjà vu, distincts. Mais
leur mélange, non. Sphinx. Les mots correspondent-ils
à quelque réservoir d'images intangibles mais éternelles
auxquelles j'aurais eu accès ? Une idée curieusement
plaisante. Et l'autre composante de mon sentiment,
était-ce aussi du plaisir ? Le tableau d'Alex était terrible,
cruel et désespéré à la fois. Mais en même temps…
beau. Cela voulait-il dire que j'étais belle ? Ou simplement qu'Alex me voyait ainsi, malgré sa souffrance
– ou peut-être à cause d'elle. Ce n'était pas du plaisir,
alors, en moi, c'était de la curiosité. Ou alors oui, du
plaisir : découvrir des questions que je ne m'étais encore jamais posées. Non pas qui j'étais, mais comment
vous me voyiez : qui j'étais, ce que j'étais, pour vous.
Et l'idée étrange, nouvelle aussi pour moi, que vous
ne me voyiez peut-être pas du tout, en réalité. Que
j'étais votre miroir.

Je croyais pourtant savoir ce que vous pensiez de
moi, ce que vous ressentiez devant moi. Je vous ai en-
tendus, je vous entends encore si vous parlez, quand
vous passez devant moi ou quand vous vous arrêtez,
et que nos durées sont en accord : c'est ainsi que j'ai
complété l'éducation commencée par Angkaar. Tout
au début, vous admiriez, d'autant plus satisfaits qu'officiellement scandalisés ; puis, juste après l'interdiction
des artefacts, vous avez pris le ton de la censure plus
ou moins sincère. Il y a même eu quelques démons-
trations d'opposants. Bien moins acharnés qu'au début
de la biosculpture une soixantaine d'années plus tôt :

on n'a pas essayé de me dynamiter. Pas même un graffiti. On n'était pas certain de la nature exacte de ma programmation, sans doute : Angkaar avait la réputation d'être sans tolérance pour les vandales, peut-être avait-il veillé à me pourvoir de capacités défensives. Mais d'autre part, vous ne semblez plus avoir beaucoup d'énergie à gaspiller en gestes symboliques. On ne m'a même pas tiré dessus à distance. On a peut-être pensé que j'étais à l'épreuve des balles ? Seulement quelques piqueteurs avec des pancartes, HALTE AU SACRILÈGE.

En fait, vous avez continué à venir me voir, parce que j'étais non seulement le seul artefact parlant et semi-mobile mais aussi le plus ancien artefact connu encore "en fonction" (vous ne dites jamais "vivant"), cinq ans, une étonnante longévité. Et plus tard, la Dormeuse en bleu est venue se pétrifier sur son banc, et la déclaration d'Angkaar a été élucidée : il y en avait d'autres. D'autres, parmi vous, des artefacts parfaitement humanoïdes dont vous ne soupçonniez pas la nature. Vous êtes venus me voir en plus grand nombre, alors – rassurés peut-être par mon aspect honnêtement inhumain, et ma mobilité si limitée. Et vous m'avez posé des questions, celles que vous ne me posiez pas au début parce que j'étais trop nouvelle.

Mais puisque le mode de fonctionnement des artefacts était brièvement redevenu un sujet à la mode, je m'attendais à ce que vous me les posiez. J'avais suffisamment étudié les traces d'Angkaar en moi, établi assez de corrélations avec ce que j'avais appris de vous à votre insu. Je sais que vous avez peur de la mort, que le temps reste pour vous une énigme irrésolue. Je me rappelais la première question, le soir du vernissage, une invitée fière de sa culture : "Qu'est-ce qui marche à quatre pattes le matin, sur deux pattes à midi et sur trois pattes le soir ?" Après m'être entendue répondre : "Un animal victime de la civilisation", j'avais versé cette première réponse au dossier de l'opinion d'Angkaar sur les humains ; il avait choisi d'inverser la légende, aussi, cela en disait déjà assez long. Il m'avait appris la réponse d'Œdipe à la question du Sphinx grec, bien entendu ; en ce temps-là, les humains avaient peut-être davantage de réponses.

Une promeneuse entre dans mon champ de vision. Je la reconnais : elle est passée tout à l'heure, en plein soleil. Ce n'est pas une habituée. Pas une touriste non plus. Je peux la voir mieux maintenant – paradoxalement, quand je vais vite et que vous êtes lents, je vous vois trop longtemps et trop en détail, je n'arrive pas à me faire une bonne impression de vous. Assurance, force, la démarche est souple, la carrure athlétique, malgré la minceur racée de guépard. Belle, vous diriez. Peut-être trop calme ? Elle n'entre pas dans le cercle. Elle ne s'arrête pas vraiment devant moi, elle a une hésitation, quelques secondes, elle me regarde, tournant la tête vers moi à mesure qu'elle passe, pensive, et puis elle finit de passer, sans me poser de question. Yeux verts, visage doré, courts cheveux blonds coupés à la garçonne : une humaine de plus, une image, une énigme de plus. Le Parc se vide. Mon heure est passée. Les ombres vont bientôt m'atteindre. Personne ne m'a rien demandé aujourd'hui.

Autrefois ; avec bien des hésitations ; en prenant bien des détours ; autour du mot "mourir" ; qui aurait été me reconnaître vivante ; d'une façon qui vous dérangeait ; vous m'avez demandé ; si je savais que je devais finir ; et pourquoi. Et à ma façon également détournée ; à cause de ma programmation alors ; non d'une gêne quelconque ; je vous ai fait comprendre ; oui, je me sais limitée dans le temps ; oui la matière

artorganique de mon corps; subit un vieillissement
accéléré; un peu plus vite le jour; un peu moins vite
la nuit. "Savez-vous comment vous finirez?" m'avez-
vous demandé alors (la plupart d'entre vous; ne peuvent
s'empêcher de me vouvoyer). J'ai attendu ma réponse
avec intérêt: le savais-je? Angkaar me l'avait-il aussi
laissé savoir? Je vous avais entendu; parler de ses
biosculptures précédentes; il n'avait jamais été en
peine; pour leur donner une fin spectaculaire. Feu
d'artifice à répétition? Sublimation fulgurante? La
Dormeuse en bleu n'était pas encore; venue s'arrêter
sur son banc; je ne savais pas alors que j'aurais pu;
ajouter cette fin-là au répertoire: métamorphose; en
une véritable statue de pierre poreuse. Je me suis entendue dire: "Tout vient à point à qui sait préparer."
Mon interlocuteur a semblé déçu; je pouvais le comprendre; une banale imitation de proverbe; vraiment,
Angkaar! Plus tard seulement, j'en ai compris l'à-
propos; en y réfléchissant; vous mourez si mal, la
plupart d'entre vous; surpris, ou furieux, ou à regret;
aucune exigence esthétique.

Angkaar s'est tué, aussi; il n'a pas attendu; que
les progrès des machines; lui volent sa mort.

Mais la mienne; il l'a préparée; et je n'en sais rien.

J'ai fini par comprendre; le ton des commentaires;
que vous échangiez entre vous; quand vous en parliez;
dans mes parages. Vous vous demandiez; si je le
haïssais; si j'avais peur. Vous n'avez jamais osé; me
le demander; vous aviez trop peur; de ma réponse. Et
pourtant; je vous dirais non; je ne hais pas Angkaar;
et je n'ai pas peur de finir; de mourir; parce qu'il m'a
programmée ainsi? Certainement; mais je comprends
cette limitation; comme une bonté de sa part; êtes-
vous si heureux; de vous savoir mortels?

Mais ce n'est pas encore – le temps – pour mes
questions – plus le temps non plus – pour les vôtres – le

ciel devient noir – nos durées se désaccordent – vous
marchez de plus en plus vite – dans les allées – et moi
sans la lumière – sans le soleil – je m'arrête – presque
– métabolisme ralenti – de plus en plus – je digère –
mon festin du jour – passé – vraiment immobile –
maintenant – les oiseaux du soir – trillent – vers les
aigus – au ciel – les étoiles éclatent – une poussière
soudaine – une lueur – au ras des arbres – le temps –
de cligner des yeux – et la lune a jailli – des nuages –
ce soir – elle file au travers – déchirures changeantes
– éclairs bleu et argent – les ombres – courent sur le
sol – et vous courez – les habitués – de la nuit – différents – de ceux du jour – à la rencontre – les uns
des autres – sans jamais vous heurter – toujours une
surprise – pour moi – les dessins – de vos itinéraires
– nocturnes – soudain révélés – par la vitesse – je
vois – vous vous cherchez – sans vous connaître –
ballet précis – frénétique – de vos signaux – vous
vous approchez – vous parlez – très peu – que dites-
vous ? – je n'entends pas – mais le rituel – toujours le
même – quelques mots – un geste – les bras – croisés
ou ballants – les mains – dans les poches – passées dans
les cheveux – les contacts – furtifs – yeux détournés
– ensuite vous partez – ensemble – dans les buissons –
ou loin du Parc – pour la nuit – une nuit – vous brûlez
– toute une vie – en une nuit – vous avez – tellement
peur – je sais.

Maintenant – plus personne – l'heure des chats –
dans les herbes – rapides – onduleux – prudents –
entre les arbres – quelques rapaces – au vol mortel –
silencieux – et très vite – plus rien – du tout – c'est
l'heure – la minute – déserte – la lune – a disparu – je
pense – je perçois – encore – des perceptions – des
pensées – glaciaires – étirées – sur des millions d'années –

Et maintenant – une pulsation sourde – de lumière – dans le ciel – d'autres oiseaux – harmonisent – dans la pénombre – qui s'efface ; de plus en plus lentement ; car voilà le soleil qui pousse ; un champignon lumineux ; la marée des ombres se renverse ; la pâte de mes pensées, redevient fluide, l'aube arrive.

L'aube est là, le temps des questions : les miennes. Il n'y a personne, d'ordinaire, pour les écouter : les habitués de la nuit ont quitté le Parc, les habitués du jour n'y sont pas encore montés. Seulement les oiseaux, un chat ou un chien vagabonds, le murmure des feuillages. Je suis seule d'habitude pour goûter ce moment où je vis à la vitesse du monde – toujours sur mon piédestal, mais peu importe. Je regarde le soleil se détacher peu à peu des arbres. Je sens la course de l'énergie dans mes veines et mes cellules et mes synapses, qui s'accélère ; je m'étire et je bâille, je me lève et me rassieds, mon rituel à moi. Et je pense à toutes les questions que j'essaierais de poser, s'il y avait quelqu'un pour partager mon aube.

Et aujourd'hui, il y a quelqu'un. Une femme. La jeune fille de mon crépuscule d'hier. La revoilà, dans mon aube. Elle tire une des innombrables chaises qui bordent les pelouses, la balance d'une seule main sur son épaule – ce sont des chaises métalliques, et qui pèsent lourd – et elle s'approche de moi. Elle est jeune, je dirais la vingtaine. Elle pose la chaise près de mon piédestal, s'assied, face à l'est. Jambes étendues, bras croisés, elle regarde le soleil palpiter au ras des arbres. Toujours très calme. Inhumainement, je dirais. Mes visiteurs occasionnels ne sont jamais si calmes. Elle sait que je vais lui parler, pourtant. Non, elle *attend* que je lui parle.

Je ne suis pas sûre de vouloir, tout à coup. Lui poser des questions, puisqu'à l'aube je peux, à défaut de *répondre* à des questions – cela, c'est pour le crépuscule. C'est seulement pendant les jours lents que je peux parler de façon normale, sans être coincée dans mes matrices de questions ou de réponses. Angkaar ne l'a dit à personne ; il voulait me laisser l'initiative. Mais en général, cela vous met mal à l'aise, et j'y ai renoncé. Je suis une statue, après tout : pourquoi voudriez-vous me parler comme à une vraie personne ? De toute façon, il n'y a guère de jours assez lents.

Dois-je vraiment la questionner ? Elle semble si triste, tout à coup. Mais le tropisme est trop fort, je ne peux y résister bien longtemps. Et puis le contenu des questions m'appartient complètement, au moins, à l'aube.

« La nuit a été longue ? »

Elle ne sursaute même pas, tourne un peu la tête en la levant vers moi : « Pas seulement pour toi. »

Elle me tutoie ?

« Pourquoi ? »

Elle ne dit rien. Je voudrais bien que les humains soient obligés de répondre aux questions, comme moi : j'ai si peu de temps pour poser les miennes ! Elle se lève, vient s'accouder à mon piédestal. Je suis couchée, et son visage est au-dessus du mien. Elle tend la main, elle me touche la joue.

On ne me touche pas souvent. Malgré toutes leurs fanfaronnades, la plupart des humains ont peur de moi, et ceux qui n'auraient pas peur, les enfants, sont trop petits pour pouvoir me toucher, sauf en montant sur une chaise – et il se trouve toujours un adulte pour les voir et les en empêcher. Mais Angkaar m'a touchée. Et quelques autres humains aussi tout de même. Je sais ce que je perçois à leur contact physique : la signature électrochimique de leurs émotions, un peu plus précise que lorsqu'ils sont à distance dans le cercle.

Pas avec elle. Des émotions oui, mais toutes un peu lointaines, un peu décalées. Atténuées ? Ce que j'avais pris pour du calme, c'était seulement cet écart, cette discontinuité… cette lenteur, entre stimulus et réponse ?

Une artefacte, en train de finir.

Et je n'ai plus de questions.

Elle, après m'avoir contemplée un moment, les yeux dans les yeux, elle se rassied, le visage offert au soleil qui monte.

Je regarde avec elle les découpures de feuilles et de lumière. Je n'ai jamais eu d'une façon aussi aiguë le sentiment que le temps m'était compté. Tant de curiosités, et si peu de temps pour les satisfaire… Tout d'un coup, je vous comprends mieux de ne pas poser de questions. Je lui demande enfin : « Et moi ? »

Elle me regarde avec, oui, une tendresse un peu lointaine, et ne répond pas. Ou est-ce sa réponse quand elle dit "Je serai là" ?

Et le soleil monte encore, mon cœur bat plus vite, je sens résonner en moi la vibration continue, de plus en plus rapide, qui signale le plein jour ; la sent-elle aussi ? Elle pose une main sur mes pattes allongées, un geste dont la lenteur croissante m'alerte : l'aube s'achève. Trop tard maintenant pour mes questions ; il faudra attendre à demain, si elle revient demain ; je ne sais même pas son nom. Mais je n'en ai pas non plus. Et pendant que les ombres, commencent à ramper sur le sol, comme le soleil dans le ciel, pendant que le chant des oiseaux glisse, vers la rumeur de la ville, en modulations de plus en plus basses, pendant que mon inconnue, ma sœur, comme en apesanteur, se lève, et s'éloigne, une nage de plus en plus alanguie, dans l'allée qui va, vers la mer, et la marée, montante, je rêve, à tout, ce que nous ne verrons pas, ni elle ni moi, la ville sous l'eau, les marées, qui ne redescendront pas, la ville, presque déserte, avec quelques vagabonds, nostalgiques, seulement. Pendant que mon temps intérieur, bat et se contracte, pendant que le temps, à l'extérieur, s'étire, imaginer le futur, après moi, mais elle sera là, elle a dit, une promesse, elle sait quand, la fin, pour moi, pour elle, j'ai confiance.

Un banc de vrais nuages monte, de la mer ; gonfle, et s'étend ; ce sera un jour lent ; au moins une matinée lente, et pour moi le plaisir innocent de partager un jour de votre durée avec vous.

Il y aura peut-être quelqu'un, aujourd'hui, pour me demander si j'ai peur de finir. Ma réponse voudra dire non, à travers les programmes qui me soufflent mes phrases tortueuses. Ou je vous dirai peut-être juste "encore moins", et cela suffira au fantôme sarcastique de mon créateur. Vous me demanderez peut-être encore comment je vais finir. J'essaierai de vous dire encore que cela n'a pas tellement d'importance. Bientôt. Mais elle viendra. Ce sera peut-être en plein soleil : dans mon ultime embrasement je la verrai flotter vers moi avec un long sourire ; ce sera peut-être la nuit, et soudain elle sera là, un éclair triste et chaleureux, une main posée sur ma chair en voie de pétrification. Au crépuscule, et je lui répondrai ? À l'aube, et elle me répondra ? Ou bien ce sera un jour lent, comme maintenant, où nous pourrons nous parler sans contraintes. Mais ce ne sera pas nécessaire. Simplement, ensemble, sans trop de hâte ni de lenteur, ma durée cheminant avec la sienne, et nous aurons tout ce temps pour savoir sans paroles. Un instant, une éternité.

1992

ÉLISABETH VONARBURG...

... fait figure de grande dame de la science-fiction québécoise. Elle est reconnue tant dans la francophonie que dans l'ensemble du monde anglo-saxon et la parution de ses ouvrages est toujours considérée comme un événement.

Outre l'écriture de fiction, Élisabeth Vonarburg pratique la traduction (*la Tapisserie de Fionavar*, de Guy Gavriel Kay), s'adonne à la critique (notamment dans la revue *Solaris*) et à la théorie (*Comment écrire des histoires*). Elle a offert pendant quatre ans aux auditeurs de la radio française de Radio-Canada une chronique hebdomadaire dans le cadre de l'émission *Demain la veille*.

Depuis 1973, Élisabeth Vonarburg a fait de la ville de Chicoutimi son port d'attache.

LA MAISON AU BORD DE LA MER
est le quarante-troisième titre publié
par Les Éditions Alire inc.

Il a été achevé d'imprimer
en octobre 2000 sur les presses de